Mit Grüßen von

Eurem Horst

Zakopane Februar 2002

Guido Knopp

Die große Flucht

Das Schicksal der Vertriebenen

Guido Knopp

Die große Flucht

Das Schicksal der Vertriebenen

Econ

Der Econ Verlag ist ein
Unternehmen der
Econ Ullstein List Verlag
GmbH & Co. KG, München

1. Auflage 2001

ISBN 3-430-15505-3

Printed in Germany

Dokumentation:
Alexander Berkel, Christine Kisler,
Mario Sporn

Buchgestaltung:
Büro Jorge Schmidt, München
Layout: Tabea Dietrich, München
Druck und Bindearbeiten:
Mohn-Media, Gütersloh

006 Vorwort

016 **Der große Treck**
Guido Knopp/Anja Greulich

086 **Der Untergang der »Gustloff«**
Guido Knopp/Friederike Dreykluft

144 **Die Festung Breslau**
Guido Knopp/Stefan Brauburger

216 **Die verlorenen Kinder**
Guido Knopp/Ingeborg Jacobs

294 **Die Stunde der Frauen**
Guido Knopp/Anno Fricke

348 **Die verlorene Heimat**
Guido Knopp/Rudolf Gültner

412 Ortsregister und Bildnachweis

Vorwort

Solange noch Zeit ist

Die Familie meines Vaters stammt aus Oberschlesien. Meine Großeltern und beide Tanten, damals junge Frauen, sind zunächst geflüchtet, dann für ein paar wirre Wochen nach dem Krieg zurückgekehrt, sodann nach schrecklichen Erlebnissen im Sommer 1945 enteignet und vertrieben worden. Wir lebten in Aschaffenburg, weil meine Tante nach der Flucht dort eine Anstellung als Lehrerin gefunden hatte. Mein Vater war noch in Gefangenschaft. Die Familie fand sich, wie in hunderttausenden von anderen Fällen, dort zusammen, wo der Erste einen Job erhielt.
Ich bin ein Nachkriegskind. Freitagabends bin ich mit den Eltern immer zu den Großeltern gegangen, zwei Jahrzehnte lang: Schlesienabend. Es gab schlesische Gerichte mit viel Mohn und Thymian und Erinnerungen an die alte Heimat, die ich nie gesehen hatte. Ich erinnere mich vor allem an die Wehmut dieser Abende. Als Kind hat mich das manchmal irritiert. Erst später habe ich verstanden, was die Großeltern bewegte. Der Verlust der Heimat ist gerade für die Älteren ein Schmerz, der bleibt. Die Wunden der Erinnerung können heilen, doch die Narben tun immer noch weh.
Aus der Heimat zu flüchten, aus dem angestammten Lebensumfeld vertrieben zu werden – für fünfzehn Millionen Deutsche war dies das traumatische Ereignis ihres Lebens. Am Ende eines Krieges, der gezeigt hat, wozu Menschen fähig sind; eines Krieges, der von deutschem Boden ausgegangen ist, den Deutsche aggressiv geführt haben – am Ende dieses Krieges sind deutsche Frauen, Kinder, alte Menschen selbst millionenfach zu Opfern geworden.
Wenn wir zu Beginn des 21. Jahrhunderts der Opfer des 20. Jahrhunderts gedenken, dann sollten wir uns aller Opfer erinnern – der von Krieg und Holocaust, aber auch von Flucht und Vertrei-

bung. Und gewiss nicht nur der deutschen Opfer. Denn Vertreibung war im 20. Jahrhundert ein Verbrechen, das viele traf: Allein in Europa haben zwischen 1939 und 1948 fast fünfzig Millionen Menschen ihre Heimat unter Zwang verlassen müssen. Zwar gibt es da und dort noch Stimmen, die uns die Trauer um die eigenen Opfer untersagen wollen: weil Hitler den Krieg begonnen hat, weil Deutsche zu Tätern im Holocaust geworden sind. Doch ich halte eine solche Einstellung für anmaßend. Es hat nichts mit Relativierung oder gar Aufrechnung zu tun, wenn wir der Toten gedenken, die auf den eisigen Straßen Ostpreußens im Winter 1945 sterben mussten; wenn wir der Toten gedenken, die auf der Flucht über die Ostsee mit ihren Schiffen untergegangen sind; wenn wir der Menschen gedenken, die als Zwangsarbeiter nach Sibirien verschleppt worden sind; wenn wir der Toten gedenken, die während der Vertreibung umgekommen sind. Die Fähigkeit zu trauern geht Hand in Hand mit dem Mut, uns zu erinnern.

Es ist ein wunderbares Zeichen für ein neues Miteinander in Europa, dass es nach Jahrzehnten eifriger Polemik diesen Mut inzwischen auch in jenen Ländern gibt, die damals Schauplätze der schrecklichen Geschehnisse gewesen sind. In Polen wird der Kommandant des Flüchtlingslagers Lamsdorf vor Gericht gestellt. In Tschechien wird das Unrecht der Vertreibung von Millionen Menschen offen diskutiert; in Kroatien wird der Donauschwaben, Mitbürger von einst, gedacht. Ein Europa, das zusammenwächst, kann und darf es sich nicht leisten, die dunklen Schatten der Vergangenheit ohne Aufarbeitung zu verdrängen und zu vergessen. Schuld darf nicht aufgerechnet, aber sehr wohl ausgesprochen werden. Denn Versöhnung braucht vor allem Offenheit.

Wir schulden diese Offenheit nicht nur den nachfolgenden Generationen, nicht nur den Toten, derer wir gedenken, sondern auch den Überlebenden. Es muss den Augenzeugen von damals heute möglich sein, offen über ihr Erleben zu reden. In ein paar Jahren werden diese authentischen Stimmen verstummt sein. So gilt es jetzt, sie umfassend zu sichern. Es ist höchste Zeit.

Über tausend Interviews sind mit Zeitzeugen von Flucht, Vertreibung und Verschleppung für dieses Buch geführt worden. Die Erinnerungen sind oft schmerzlich. Schmerzlich für die Überlebenden – und schmerzlich auch für jene, die diese Geschichten zum ersten Mal lesen und hören. Ich bin dankbar, dass es nicht nur Interviews mit Deutschen waren, sondern ebenso auch Interviews

mit Russen, Polen, Tschechen und Ukrainern. Wenn es heute möglich ist, zu den blutigen traumatischen Kapiteln unserer Geschichte eine gemeinsame Sprache zu finden, lassen sich die letzten Gräben überwinden – für die Zukunft aller in Europa. Wir haben erst seit ein paar Jahren die Möglichkeit, östlich von Oder und Neiße in bislang unveröffentlichte Akten einzusehen und bislang unbekanntes Filmmaterial auszuwerten. Zwar fanden wir kaum Bilder von dem Leid der Menschen, die gequält, gepeinigt und getötet wurden. Es gibt keine Filme über jene Deutschen, die ins Innere der Sowjetunion verschleppt wurden. Keine Filme von den Todeszügen, in denen Leichen waggonweise gestapelt wurden. Keine Bilder, die sich in das kollektive Bewusstsein eingebrannt haben. Doch was es gibt, ist die Erinnerung der Menschen, die all das erlebt haben.
Flucht und Vertreibung hatten nicht erst begonnen, als am 20. August 1944 ein Spähtrupp der Roten Armee östlich von Schillfelde über den Grenzfluss Scheschuppe setzte und der Zweite Weltkrieg Ostpreußen erreichte. Fünf Jahre vorher waren bereits die ersten Polen aus Posen und Westpreußen von Hitlers Helfern vertrieben worden. Drei Jahre vorher hatten bereits Himmlers Schergen von Finnland bis zum Schwarzen Meer eine Blutspur von millionenfachem Mord gezogen, um den Wahn vom Lebensraum im Osten zu verwirklichen. All das schlug nun zurück auf Schlesier und Sudetendeutsche, Ostpreußen und Pommern – kostete dreizehn Millionen Menschen die Heimat und darüber hinaus wohl bis zu zwei Millionen Menschen das Leben.
Es war die »Stunde der Vergeltung für die Qualen und Leiden, für die verbrannten Dörfer und zerstörten Städte, die Kirchen und Schulen, für die Verhaftungen, Lager und Erschießungen, für Auschwitz, Majdanek, Treblinka, für die Ausrottung des Ghettos« – so das Manifest des »Nationalen Polnischen Befreiungskommitees« vom Juli 1944. In jenem Juli 1944 hätte das Geschehen wohl zum letzten Mal noch abgewendet werden können. Wenn im Rastenburger Stadtwald das Attentat auf Hitler gelungen wäre – alles hätte anders kommen können. Dann wäre, ob durch eine provisorische Regierung Goerdeler oder durch ein Militärregime, der Krieg beendet worden – so oder so. Die Abtrennung Ostdeutschlands und die Vertreibung seiner Menschen hätten nicht verhindert werden können. Beides stand als alliiertes Kriegsziel ja längst fest. Doch dann wäre es vielleicht doch eine »Umsiedlung«

geworden, halbwegs geordnet, eher im Sommer, nicht im Winter und nicht in überstürzter Flucht vor der Rache der Roten Armee. Die Rache war furchtbar. Angestachelt von den mörderischen Parolen eines Ilja Ehrenburg übten die Sowjets nun blutige Vergeltung an der deutschen Zivilbevölkerung. Von Stalingrad bis an die deutschen Grenzen waren sie den grausamen Spuren von Hitlers Vernichtungsfeldzug gefolgt. Nun zogen sie plündernd und mordend durch die deutschen Städte und Dörfer. Die Bilder jener Tage waren unbeschreiblich. Von Panzern überrollte Trecks auf vielen Straßen, ermordete Männer, vergewaltigte Frauen, getötete Kinder, erfrorene Babys – Augenzeugen, die das Grauen überlebten, werden diese Bilder nie vergessen können. Es waren keine Täter, an denen sich die Wut der Sieger austobte – es waren Wehrlose. Vor allem Frauen, Kinder, alte Menschen.
Vieles wäre der Zivilbevölkerung erspart geblieben, hätte man sie rechtzeitig evakuiert. Doch die Menschen durften ihre Dörfer und Städte nicht verlassen. Schließlich war es zu spät für eine sichere Rettung. Als die Rote Armee binnen weniger Tage die dünnen deutschen Verteidigungslinien an der Grenze zu Ostpreußen durchbrach und bei Elbing an die Ostseeküste vorstieß, saßen zweieinhalb Millionen Menschen in der Falle. So sammelten sich überall in aller Eile Trecks, die zu den Häfen strebten. Zu Fuß, mit Schlitten oder Pferdewagen versuchten die angstvollen Menschen, ein rettendes Schiff zu erreichen. Doch vor den scheinbar sicheren Häfen lag das Haff, eine bis zu zwanzig Kilometer breite, siebzig Kilometer lange Ostseebucht, die durch eine fünfzig Kilometer lange Landzunge, die Nehrung, von der offenen See getrennt ist. Schon die Überquerung des zugefrorenen Haffs war für viele ein Wettlauf mit dem Tod. In der dunklen Eiswüste kamen sie vom festen Weg ab, verirrten sich und brachen ein.
Durch den ganzen deutschen Osten zog sich eine Spur des Grauens: Kinderwagen mit erfrorenen Säuglingen standen am Straßenrand. Kadaver verhungerten Viehs säumten die Alleen – und immer wieder wurden Trecks von Tieffliegern zerschossen, von Panzern überrollt. Der britische Premier Winston Churchill schrieb am 1. Februar 1945 an seine Ehefrau: »Dir darf ich bekennen, dass die Berichte über die Massen deutscher Frauen und Kinder, die auf den Straßen in vierzig Meilen langen Kolonnen vor den vordringenden Armeen nach Westen fliehen, mein Herz mit Trauer erfüllen.«

Was die Menschen dennoch antrieb, war die pure Angst. Viele wussten nicht einmal genau, wohin. Sie wussten nur: Sie mussten fort. Denn im Rücken der Trecks brannte die Heimat.
Wer in seinem Dorf noch ausgeharrt oder sich zu spät zur Flucht entschlossen hatte, erlebte das Grauen oft in noch schlimmerer Form: Vergewaltigungen, Morde, hunderttausendfach. Ein sowjetischer Offizier schrieb in sein Tagebuch: »Vor unseren Panzern hat ein Soldat eine deutsche Frau und ihren Säugling erschossen, weil sie sich weigerte, ihm zu Willen zu sein. Es ist fürchterlich. Aber die Deutschen haben bei uns massenhaft noch viel Schlimmeres verbrochen.«
Doch inmitten der schlimmsten Exzesse unmenschlicher Brutalität finden sich auch Belege von Humanität. Lew Kopelew, der spätere Friedenspreisträger des deutschen Buchhandels, landete für viele Jahre in Stalins Straflagern, weil er versucht hatte, deutsche Zivilisten vor der Mordgier seiner Kameraden zu retten. Ebenso erging es Alexander Solschenizyn.
Im Gedächtnis haften bleiben den Überlebenden nicht nur die Gräuel der Eroberer, sondern auch die Perversion der NS-Amtswalter: ein Erich Koch in Ostpreußen, der die Bevölkerung zum Ausharren zwang, während für ihn selbst zwei Schiffe zur Flucht über die Ostsee bereit lagen; oder ein anonymer Polizist in Pommern, der einer jungen Frau befahl, ihren Schuhladen bei Todesstrafe offen zu halten. Eine Stunde später rollten die Sowjetpanzer vor. Die Pommerin Libussa Fritz-Osler erinnert sich, dass Flüchtlinge, die ohne schriftliche »Erlaubnis« unterwegs waren, umgehend erschossen wurden.
Wer in Ostpreußen und Pommern die brennende Heimat hinter sich ließ, wer die Hafenstädte Swinemünde, Danzig oder Pillau lebend erreichte und das Glück besaß, auf eines der übervollen Schiffe zu gelangen, die nun täglich Richtung Westen ablegten, glaubte sich gerettet. Doch der Leidensweg der Menschen war noch nicht zu Ende. Unter den vielen traurigen Geschichten jener Tage ragt eine besonders hervor – der Untergang der »Wilhelm Gustloff«. Für dieses Buch ist es gelungen, nicht nur Dutzende von Überlebenden zu befragen, sondern auch zwei Männer der Besatzung jenes U-Boots, das die »Gustloff« damals torpedierte. 9000 Menschen kamen um. Über die Hälfte von ihnen waren Kinder. Es war, bedingt allein durch die Zahl der Opfer, wohl die größte Katastrophe in der Geschichte der Seefahrt.

Während in Ostpreußen und auf der Ostsee die Menschen um ihr Überleben kämpften, vollzog sich in Schlesien eine Tragödie anderer Art. Hier hatte sich Gauleiter Hanke – wie viele seiner Amtskollegen – allen Forderungen widersetzt, die Bevölkerung rechtzeitig zu evakuieren. Stattdessen wurde die schlesische Hauptstadt Breslau zur »Festung« erklärt. Starke russische Kräfte sollten gebunden werden, um den Vormarsch der Roten Armee auf Berlin zu verzögern. Es war das Todesurteil für die Stadt.

Und wieder traf die überstürzte Flucht vor allem Frauen und Kinder. Sprichwörtlich wurde der »Todesmarsch der Breslauer Mütter«, die mit ihren Kindern im eisigen Schneesturm bei minus zwanzig Grad zu Fuß nach Westen zogen. 18 000 Menschen starben dabei – vor allem Kinder. In den kommenden zehn Wochen wurden in Breslau zehntausende von Menschen in den Tod getrieben – nicht nur durch Feindbeschuss, sondern auch durch eigenen Fanatismus. Auch hier waren es vor allem Einheiten der Hitlerjugend, die am längsten und heftigsten Widerstand leisteten. Als eine der schönsten deutschen Städte in einem Meer von Blut und Tränen unterging, verschwand ihr Gauleiter Hanke mit einem »Fieseler Storch«.

Während sich die »Festung« Breslau in einem sinnlosen Kampf aufrieb, wurden in den schon eroberten Gebieten seit dem März 1945 vollendete Tatsachen geschaffen: Im Vorgriff auf die Westverschiebung Polens, die auf der Potsdamer Konferenz im Juli 1945 beschlossen werden sollte, kamen Pommern, Schlesien und Masuren unter polnische Verwaltung. Danzig folgte wenig später. Die Deutschen, die noch in diesen Gebieten lebten, mussten ab Ende Juni ihre Heimat verlassen. Zum Teil wurden sie vor ihrer Vertreibung in Lagern zusammengepfercht. Oft waren die Internierten dort wehrlos der Willkür der Wachen ausgesetzt.

Andere Deutsche schickte man ohne Vorwarnung auf den Weg. Innerhalb von zehn Minuten hatten sie ihre Sachen zu packen. Danach waren sie wochenlang auf der Landstraße. »Es war ein Elendszug. Wir zogen Kinderwagen, Leiterwagen, Schiebkarren, Sportwagen, man sah die unmöglichsten Gefährte. Von morgens bis abends um sieben durfte man auf der Landstraße bleiben, dann schlief man entweder im Wald, in schmutzigen Scheunen und leeren Wohnungen«, schildert eine Frau aus Sorau die Strapazen. Für sie endete der Weg in Cottbus, in der sowjetischbesetzten Zone.

Cottbus war wie die anderen »Grenzstädte« Stettin, Frankfurt an der Oder und Görlitz im Sommer 1945 bis zum Bersten überfüllt. Neben den Einheimischen kämpften auch diejenigen ums Überleben, die hofften, in den nächsten Wochen und Monaten in ihre Heimat im Osten zurückkehren zu können. Viele Wohnungen waren zerstört, Lebensmittel kaum aufzutreiben. Typhus und andere Krankheiten grassierten.

In der Tschechoslowakei erging es den Deutschen nicht besser: Als sich die Tschechen am 5. Mai 1945 in Prag gegen die deutsche Besatzung erhoben, unterschieden sie nicht zwischen Militär, Beamten und friedlichen Bürgern. Wen die Aufständischen als Deutschen erkannten, der wurde mitgenommen, unter Stockhieben auf Lastwagen getrieben und in Schulen, Kinos oder Kasernen interniert. Dann brachte man die Deutschen als Zwangsarbeiter aufs Land oder in eines der Lager. Dort hatten sie auf ihre Ausweisung zu warten. Ob es sich bei den Aufgegriffenen um NS-Funktionäre handelte, um Flüchtlinge aus Schlesien oder um Menschen, die schon seit Generationen in Prag lebten, war einerlei.

Die Wut auf die Deutschen mündete in gezielte Diskriminierung: Eine weiße oder gelbe Armbinde mit dem Buchstaben »N« für »Němec«, Deutscher, wurde Pflicht. Die Binde kennzeichnete, wer öffentliche Verkehrsmittel nicht benutzen durfte oder die Sperrstunde einzuhalten hatte. Die Ausgrenzung, die wenige Jahre zuvor den Juden widerfahren war, fiel auf die Deutschen zurück. Welchen Hass die ehemaligen Besatzer auf sich zogen, zeigte sich in Aussig. Als dort am 31. Juli 1945 ein Munitionslager explodierte, vermutete man einen deutschen Sabotageakt. Eine halbe Stunde später griff eine aufgebrachte Menge Deutsche an, die über eine Brücke von der Arbeit heimkehren wollten. Über 200 Menschen verloren ihr Leben.

In Brünn, wie auch an anderen Orten, ließ man den Deutschen Ende Mai nur wenig Zeit, zusammenzupacken, bevor sie nach Westen getrieben wurden. »Wir durften uns nicht setzen, durften uns nicht ausruhen, keinen Schluck Wasser trinken, obwohl es fürchterlich heiß war. Hier hat eine Mutter nach ihrem Kind geschrien, dort haben Kinder nach der Mutter geschrien. Es war furchtbar.« Zu den Strapazen des tagelangen Fußmarschs gesellten sich der allgegenwärtige Nahrungsmangel und die wüsten Beschimpfungen und Schläge durch aufgebrachte Tschechen am Wegrand. Wer nicht mehr weiterkonnte, wurde liegen gelassen oder erschossen. Unterwegs wurden die Flüchtlinge wiederholt überfallen, die Frauen mehrfach vergewaltigt. Bei ihrer Ankunft im Westen besaßen die Vertriebenen oft nur mehr das, was sie am Leib trugen.

Besonders ergreifend ist das Schicksal all der Menschen, die in jenen Tagen zur Zwangsarbeit in das Innere der Sowjetunion verschleppt wurden. Mindestens 530 000 Deutsche wurden in den letzten Kriegs- und ersten Friedenswochen von Sonderkommandos des sowjetischen Geheimdiensts gefangen genommen und deportiert. Andere Quellen sprechen von mehr als einer Million zur Zwangsarbeit in die Sowjetunion verschleppten deutschen Zivilisten. Ohne Erklärung, oft völlig willkürlich wurden sie abtransportiert. Mitunter wurden alle verfügbaren Deutschen zwischen dreizehn und 65 Jahren, in Einzelfällen sogar kleine Kinder, deportiert.

Für sie war eine eigene Organisation geschaffen worden, die GUPVI. Diese »Hauptverwaltung für Angelegenheiten der Kriegsgefangenen und Internierten« funktionierte nach demselben Schema wie der Archipel GULAG, das System der Straflager für die inneren »Feinde« der Sowjetunion.

Jahrelang fehlte jedes Lebenszeichen von den Verschleppten, die im Archipel GUPVI verschwunden waren. Während Kriegsgefangene schon in den ersten Jahren Karten an ihre Angehörigen schreiben durften, war dies den Zivilinternierten lange verboten.

Von besonderer Tragik war das Schicksal jener Kinder, deren Mütter verschleppt wurden, verhungerten oder als Folge von Vergewaltigungen starben. So schlugen sich tausende ostpreußische Kinder nach Litauen durch, um dort als kleine Landstreicher ums Überleben zu kämpfen. Sie wurden »Wolfskinder« genannt – wohl, weil sie wie die Wölfe in den Wäldern lebten, allmählich ihre deutsche Sprache verlernten und sich auf Litauisch oder gar Russisch oft auch nicht recht verständlich machen konnten. Viele von ihnen suchen bis heute nach ihren Verwandten, um endlich eine Antwort auf die bohrende Frage zu bekommen: »Wo komme ich her, wer bin ich?« Sie sind die verlorenen Kinder des 20. Jahrhunderts.

Wenn wir von Hoffnung, Mut und Zuversicht in diesen dunklen Wochen hören, sind es oft Geschichten von und über Frauen. Die das grausige Geschehen überlebten, trugen die Hauptlast von Flucht und Vertreibung. Ihre Männer, Brüder, Väter, Söhne waren

oft nicht da – vermisst, gefangen oder gefallen. Sie sahen sich zum Handeln gezwungen. Mochte Hitlers Reich zugrunde gehen, Hitlers Volk ging nicht zusammen mit ihm unter – auch wenn Hitler selbst dies gern gesehen hätte. Das Leben ging weiter, Kinder kamen auf die Welt. Der Kampf der Männer war vorbei, der Kampf der Frauen begann erst. Sie waren es vor allem, die für das Überleben der Familien sorgten. Es war die Stunde der Frauen.
Was allen, die Flucht und Vertreibung überlebt hatten, bevorstand, war die Aufnahme im Westen. Kaum einer empfing sie mit wirklich offenen Armen. Viele Geschichten zeugen von Missgunst, Ablehnung, ja offenem Hass, der den Vertriebenen und Flüchtlingen entgegenschlug.
Die Verdichtung der Bevölkerung führte angesichts von Wohnungsnot, Arbeitslosigkeit und Wirtschaftselend anfangs zu enormen Spannungen. So kam es, dass die Neubürger oft als »Fremde« beargwöhnt und je nach Herkunft als »Polacken«, als »Sudetengauner« oder »Flüchtlingspack« beschimpft wurden.
Aber ohne diese Menschen wäre das viel zitierte nachkriegsdeutsche Wirtschaftswunder nicht möglich gewesen. Diese Menschen mochten kein Vermögen haben – doch sie hatten Kenntnisse, sie hatten Ehrgeiz, wollten es zu etwas bringen, wieder in Würde leben. Und sie gingen dorthin, wo die Arbeit war. Das »Wirtschaftswunder« war für sie kein Wunder, sondern harte Arbeit und Verzicht auf Zeit. Ohne die Vertriebenen und Flüchtlinge von einst wäre es wohl kaum so glanzvoll ausgefallen.
Dass es nach dem Krieg gelungen ist, Millionen hungernden und heimatlosen Menschen wieder ein Dach über den Kopf zu geben, sie in Wirtschaft und Gesellschaft einzugliedern, ohne Streiks und Bürgerkrieg – das ist das eigentliche deutsche Nachkriegswunder.
Mit dem Verlust der Heimat haben sich die meisten Überlebenden inzwischen abgefunden. Viele haben sich den Traum, die alte Heimat wiederzusehen, längst erfüllt – Heimkehr auf Zeit, ohne Zorn. Die meisten wollen die Verständigung, eine Versöhnung mit den Menschen, die heute an den Stätten ihrer Jugend leben. Und viele wünschen sich vor allem eines: dass man ihnen zuhört, wenn sie sich erinnern. Sie wollen sagen können, dass auch sie sich als Opfer jenes mörderischen Krieges fühlen. Einfach darüber reden, solange noch Zeit ist.
Dem dient dieses Buch.

Ostpreußen, Januar 1945. Sowjetische Panzer durchbrechen innerhalb weniger Tage die Ostfront. Hunderttausende deutsche Zivilisten fliehen überstürzt aus der Heimat. Sie reihen sich ein in den immer länger werdenden Treck nach Westen.

Der große Treck

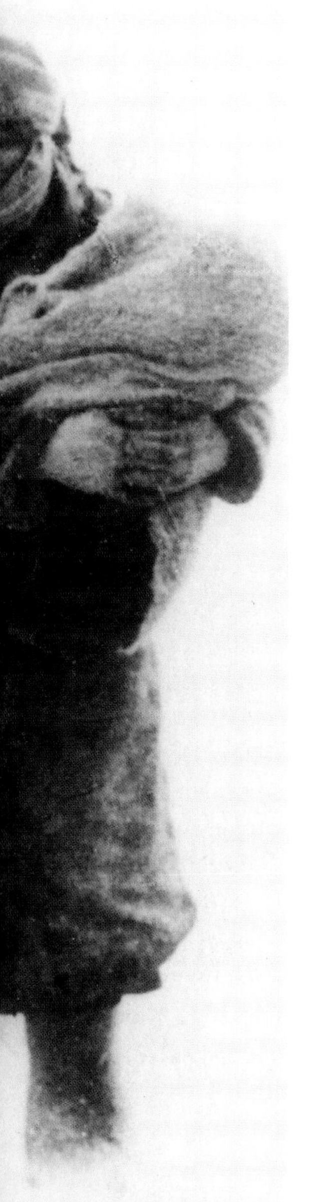

Die Fläche schien endlos: Siebzig Kilometer lang und zwanzig Kilometer breit glitzerte das Eis des Frischen Haffs. Am Horizont, nur schemenhaft zu erkennen, lag die schmale Landzunge, die die Bucht vom offenen Meer, der Ostsee, trennte. Die Frische Nehrung war für viele Flüchtlinge im Januar 1945 zur letzten Hoffnung geworden. Oft waren sie wochenlang mit ihren Pferdewagen, ihren Handkarren und Schlitten umhergezogen: bei schneidender Kälte, ohne Ordnung, ohne Ziel, im Rücken die immer näher kommende

»Wir haben versucht, unser nacktes Leben zu retten.«
Durch Eis und Schnee bahnten sich die Flüchtlinge den Weg nach Westen

Front. Am 12. Januar hatte der Sturm der Roten Armee auf Ostpreußen begonnen. Schon nach wenigen Tagen, am 23. Januar 1945, stießen sowjetische Panzer bei Elbing zur Ostseeküste vor. Damit war die Landverbindung zwischen Ostpreußen und dem Reichsgebiet im Westen abgeschnitten – über zweieinhalb Millionen Menschen saßen in der Falle. Flucht war nur noch mit dem Schiff über die Ostsee möglich. Der einzige Weg in die Hafenstädte Danzig oder Pillau führte nun über die Frische Nehrung. Doch um zur rettenden Landzunge zu gelangen, mussten die Flüchtlinge mit ihren Planwagen und Karren das Eis des Haffs überwinden. Es war für viele ein Wettlauf mit dem Tod. An manchen Stellen war die Eisfläche nur wenige Zentimeter dick, gefährliche Spalten hatten sich aufgetan. Holzpfähle oder kleine Tannenbäume, die ins Eis gesteckt worden waren, sollten den Weg für die Flüchtlinge markieren.

Es wusste keiner, ob er lebend über das zugefrorene Haff kommen würde.

Hanns-Joachim Paris, Kriegsberichterstatter

Eine gefährliche Überfahrt: Die gleißend weiße Fläche bot keinerlei Schutz vor sowjetischen Tieffliegerangriffen. Dort, wo Sprengbomben Löcher in das Eis gerissen hatten, bildete sich bei Temperaturen von bis zu minus zwanzig Grad Kälte schnell eine tückisch dünne Eisschicht, die aber kein Gewicht tragen konnte. Immer wieder brachen Wagen ein und zogen Mensch und Tier mit in die Tiefe.

Für viele Ostpreußen zählt die Haffüberquerung zu den traumatischsten Erlebnissen der Flucht. Hildegard Rauschenbach aus dem Kreis Pillkallen war damals 19 Jahre alt. Ende Januar 1945 erreichte sie mit ihren Eltern die Küste bei Heiligenbeil. Vor dem Haff wurde die Familie auf einen großen Platz geführt, auf dem bereits Hunderte von Schicksalsgenossen warteten. Den Flüchtlingen wurde nur gestattet, ihr Handgepäck mitzunehmen. Alles andere mussten sie zurücklassen, denn die Wagen durften bei der Flucht über das brüchige Eis nicht zu schwer beladen sein. Binnen weniger Stunden türmte sich das Flüchtlingsgut am Straßenrand: Nähmaschinen, Fässer mit gepökeltem Fleisch, Radios, Federbetten, Kisten mit wertvollem Porzellan und Familiensilber. Überall wimmelte es von Menschen, Kinder weinten vor Kälte und Angst, Schreie durchschnitten die eisige Luft – inmitten des ganzen Chaos wurden Familienmitglieder voneinander getrennt, gingen Kinder ihren Müttern für immer verloren.

Damit das Eis die schwere Last tragen konnte, wurden die Wagen im Abstand von mehreren Metern nacheinander auf die vorgesehene Strecke eingewiesen. Es kam zu langen Stauzeiten. Viele versuchten das Eis im Schutz der Dunkelheit zu überqueren. Nur nachts konnten sich die Flüchtlinge vor sowjetischen Jagdbombern sicher fühlen. In der dunklen Eiswüste aber kamen viele vom Weg ab und stürzten in die Bombenkrater. Wer stehen blieb, lief Gefahr zu sinken. Schnell bildeten sich Wasserlachen um die Räder der Wagen, sackten riesige Eisschollen in die Tiefe. »Wir sind die ganze Nacht gefahren und gefahren«, erinnert sich Hildegard Rauschenbach, »mein Vater sagte: ›Wir müssten doch schon längst auf der Nehrung sein!‹ Als dann der Morgen graute – dieses Bild werde ich nie in meinem Leben vergessen –, sah ich diese endlos lange Schlange von Wagen. Ich hörte dieses leise Knirschen der Räder im Schnee. Die Pferde schnaubten mit den Nüstern und ihr Atem vermischte sich mit der eisigen Winter-

»Königsberg wird das Grab der Bolschewisten« – Parolen wie diese waren nur noch Augenwischerei

»Eine endlose Schlange von Wagen« – Zehntausende flüchteten über das Frische Haff nach Westen

»Viele blieben auf der Strecke.«
Von russischen Tieffliegern beschossener Treckwagen auf dem zugefrorenen Haff

luft. Dann ging die Sonne auf. Es war gespenstisch still. Nur das Schnauben der Pferde und die knirschenden Räder waren zu hören.« Hildegard Rauschenbach und ihre Eltern gelangten unbeschadet über das Eis des Frischen Haffs.

Für die Ostpreußin Irmela Ziegler aus Warschfelde im Kreis Elchniederung endete die nächtliche Flucht über das Eis mit einem Unglück. Sie lief neben dem Wagen ihrer Familie her, als ein jähes Krachen die 18-Jährige aufschreckte: Unmittelbar vor ihr sank der Wagen in Sekundenschnelle. Mutter, Vater und die sechs Geschwister schienen verloren. Doch ihrem Vater gelang es, vom Kutschbock abzuspringen und die Pferde am Zügel zu greifen. Mit letzter Kraft stemmten sich die Tiere mit den Vorderhufen auf die Kante des Eises und rissen den Wagen hoch. Irmela Ziegler sah ihre Mutter starr vor Schreck im Wagen sitzen – von ihr war keine Hilfe zu erwarten. Die junge Frau stellte sich auf die Eiskante, hielt sich mit einer Hand an den Pferden fest und griff mit der anderen Hand hinüber: Drei ihrer Geschwister krabbelten an der Mutter vorbei aus dem Wagen. Irmela riss sie, ohne zu zögern, zu sich. Dann aber rutschten die Pferde ab und der Wagen ging unter. Verzweifelt klammerten sich die vier Geschwister aneinander. Die Mutter und zwei weitere Ge-

schwister hatte der Vater gerade noch aus dem sinkenden Wagen retten können. Doch für die jüngste Schwester, ein wenige Monate altes Baby, kam jede Hilfe zu spät. Die Kleine ertrank vor den Augen ihrer hilflosen Eltern.
Tag für Tag, von Januar bis März 1945, spielten sich auf dem Eis dramatische Szenen ab. Hitlerjugend- und Volkssturmeinheiten wurden abgestellt, um die Trecks auf dem Eis vor Angriffen der Sowjets zu beschützen. Ein aussichtsloser Auftrag: Auf der weiten Fläche bot der Flüchtlingsstrom den russischen Tieffliegern bei gutem Wetter ein unübersehbares Angriffsziel. Wahllos schossen die Bord-MGs der Flieger auf die Menschen, die mit ihren letzten Habseligkeiten das Haff überquerten. Fontänen spritzten hoch, wenn Bomben in das Eis einschlugen. Eis- und Granatsplitter prasselten auf die Flüchtlinge herab, die verzweifelt hinter ihren Fuhrwerken Deckung suchten. »Man hatte das Gefühl, man würde bei Gewitter fahren, so grollte und blitzte es um uns herum, Tag und Nacht«, erinnert sich Hannelore Thiele. Den Weg zur Nehrung säumten bald zerfetzte Körper und Pferdekadaver, deren Blut das Eis rot färbte. »Wir haben nichts weiter tun können, als am nächsten Morgen die Toten zu ber-

»Den Feind vernichten« – russische Panzer rollen in Mühlhausen/Ostpreußen ein, am Straßenrand die Reste von Flüchtlingstrecks

gen«, erinnert sich Karl-Heinz Schuhmacher an seinen »Volkssturmeinsatz« auf dem Haff. »Das war wirklich ganz grausam. Alle hatten nur einen Wunsch: ›Raus, raus, raus!‹«

Wie ein dichter Waldstreifen am Horizont wirkte der kilometerlange Strom der Flüchtlingstrecks – Wagen an Wagen reihte sich auf dem Eis des Haffs. Wer die schmale Landzunge lebend erreichte, glaubte sich zunächst in Sicherheit und schöpfte wieder Hoffnung. Doch auch hier nahm das Elend kein Ende. Auf den engen Sandwegen drängten Wagen einander die Böschung hinab. Verletzt, von Kugeln getroffen, erschöpft und völlig unterkühlt blieben zahllose Flüchtlinge am Straßenrand liegen, vor allem Alte und Kinder – die Schwächsten der Schwachen. Wie Lemminge schoben sich die Menschen die Nehrungsstraße entlang, vorbei an Leichen, zerschmetterten Wagen und Bergen von Gepäck. Einige scherten aus dem Strom aus und unterbrachen die qualvolle Reise, um sich von den Strapazen der Haffüberquerung zu erholen.

Die Trecks sind meistens nachts übers Haff gefahren, weil sie am Tag beschossen wurden. Da, wo Bomben Löcher ins Eis geschlagen hatten, stand immer jemand und leitete die Wagen um das Loch herum. Tote Pferde, Hausrat und auch tote Menschen schwammen in den Löchern.

Heinz Grönling, damals vierzehn Jahre alt

Auch die Familie von Irmela Ziegler machte auf der Nehrung Halt. Trotz drohender Tieffliegerangriffe trieb es den Vater an diesem Morgen nach der Tragödie noch einmal auf das Haff hinaus, um sein totes Kind aus dem Wasser zu bergen. Als er wieder unversehrt zurückkehrte, schaufelte die Familie schweigend ein kleines Grab im Sand, rollte den Säugling in einen Teppich und bestattete ihn. »Ich heulte wie ein Schlosshund«, schildert Irmela Ziegler die traurige Szene, »aber meine Mutter war völlig erstarrt. Sie hat das lange, lange nicht verarbeiten können.«

Nur wenige Monate zuvor schien der Krieg noch weit entfernt. Über den wogenden Kornfeldern lag die drückende Hitze des Hochsommers, auf den weiten Feldern und Wiesen standen Pferde und Rinder, die Bauern bereiteten die Ernte vor: Ostpreußen, die »Kornkammer Deutschlands«, wirkte weitab von allen Fronten wie eine Insel des Friedens. »Wir hatten eine sehr beschauliche Zeit im Krieg«, erinnert sich der Schriftsteller Arno Surminski, der in Jäglack im Kreis Rastenburg aufwuchs. »Jahrelang herrschte relativer Frieden. Man hörte vom Krieg nur durch die Urlauber von der Front oder durch Gefallenen-

»Auf den Straßen wimmelte es von Flüchtlingen.« Ein Treck macht in einer ostdeutschen Stadt Halt

meldungen.« Während im »Reich« schon Hunderttausende von Bombenopfern zu beklagen waren und Städte wie Lübeck, Köln und Hamburg bereits in Schutt und Asche lagen, fühlten sich die Menschen in Ostpreußen vor alliierten Luftangriffen weitgehend sicher. Die Propaganda des Hitlerregimes hatte ihnen weisgemacht, keinem britischen Bomber würde es je gelingen, die weite Strecke bis Ostpreußen zurückzulegen. So trafen aus dem Westen immer öfter voll besetzte Züge ein: Mit der »Kinderlandverschickung« wurden seit 1941 Kinder aus gefährdeten Ballungsgebieten, vor allem aus Berlin, evakuiert. Das Land des Bernsteins, der dunklen Wälder und kristallenen Seen, des hohen Himmels und der vielen Störche schien wie geschaffen als Zufluchtsort für ausgebombte Reichsbewohner. Die ständig zurückweichende Ostfront beeinträchtigte das Sicherheitsgefühl der Zivilbevölkerung wenig, spielten sich die Kampfhandlungen doch noch immer nicht auf deutschem Boden ab.

Es war eine grauenvolle Fahrt: Ich hatte meine beiden kleinen Kinder fest im Arm, weil ich mir sagte, wenn wir getroffen werden würden, dann hoffentlich alle.

Stephanie Lingk, flüchtete über das Haff

Dass sich jenseits von Memel und Weichsel eine Katastrophe anbahnte, ahnte im Spätsommer 1944 kaum jemand.

Dabei hatte der Untergang Ostpreußens bereits am 22. Juni 1944 begonnen. Am dritten Jahrestag des deutschen Überfalls auf die Sowjetunion eröffnete die Rote Armee nach stundenlangem Trommelfeuer ihre Sommeroffensive. Die deutsche Heeresgruppe Mitte unter Generalfeldmarschall Ernst Busch setzte sich zu diesem Zeitpunkt nur noch aus rund 500 000 Mann zusammen. Vergeblich hatten die Oberbefehlshaber Hitler darum gebeten, den fast eintausend Kilometer langen Balkon, den die Front weit nach Osten formte, aus strategischen Gründen zurückzunehmen. In blinder Verbissenheit klammerte sich der Kriegsherr an die fixe Idee, jedes einmal eroberte Fleckchen Boden »bis zum letzten Mann verteidigen zu müssen«. Den Bau von Befestigungslinien hinter der Front lehnte er ab. Stattdessen erklärte er Städte, die im Frontbereich lagen, zu »festen Plätzen« und befahl deren Verteidigung »bis zur letzten Patrone«. Es war ein Kriegsgebaren, dem inzwischen jeder Sinn für die Wirklichkeit fehlte. Schon lange verfügte die deutsche Wehrmacht nicht mehr über die Kräfte, die nötig gewesen wären, solche »Festungen« zu halten. Hitler hatte sämtliche Reserveeinheiten an die Invasionsfront im Westen abberufen. Als gut zwei Wochen nach der alliierten Landung in der Normandie 160 Divisionen der Roten Armee mit 2,2 Millionen Soldaten und über 6000 Schlachtfliegern im Osten losschlugen, vermochte die Heeresgruppe Mitte der russischen Übermacht nur wenig entgegenzusetzen. Der Angriff der Sowjets entwickelte sich für die deutschen Truppenverbände zu einer der verlustreichsten Schlachten des Krieges im Osten: Von 38 eingesetzten Divisionen wurden 25 vollständig vernichtet, rund 350 000 deutsche Soldaten verwundet oder getötet. Der Zusammenbruch der Heeresgruppe Mitte übertraf in seinen Auswirkungen sogar die Katastrophe von Stalingrad. Die Front war auf etwa 350 Kilometer aufgebrochen – der Weg zu Deutschlands Reichsgrenzen lag nun für die Rote Armee offen. In nur sechs Wochen stießen die Sowjets rund eintausend Kilometer weit nach Westen vor, durchmaßen den weiten Raum zwischen Dnjepr und Weichsel. Erst kurz vor der ostpreußischen Grenze kamen sie schließlich zum Stehen. Wer in grenznahen Gebieten wohnte, hörte in der Ferne schon das unheilvolle Grollen des Kanonendonners.

Ende Juli zogen die ersten Flüchtlingstrecks durch Ostpreußen. Die Menschen stammten überwiegend aus dem Baltikum und dem angrenzenden Memelland, an das sich ein sowjetischer Panzerkeil bedrohlich nah herangeschoben hatte. Hitler genehmigte die Evakuierung der Memelländer, bevor die Rote Armee vorstoßen konnte. Auf einen solchen Befehl wartete die ostpreußische Bevölkerung im Januar 1945 vergeblich. Ströme von Menschen, mit hoch beladenen Kastenwagen, Pferden und Vieh, suchten nun Aufnahme bei den ostpreußischen Bauern. Ihr Anblick verursachte nur bei den wenigsten böse Vorahnungen. Viele, vor allem die Flüchtlinge selbst, waren davon überzeugt, dass die deutsche Wehrmacht die Sowjets bald zurückschlagen würde und sie wieder nach Hause zurückkehren konnten. Die deutsche Propaganda hatte die meisten Menschen so indoktriniert, dass sie sich in trügerischer Sicherheit wiegten. Als es tatsächlich gelang, den russischen Einbruch in die deutschen Linien abzuriegeln und die Front vorübergehend zu stabi-

Es war immer gesagt worden: »Ihr braucht euch um nichts zu kümmern, keine Beunruhigung. Keinen Zentimeter ostpreußischen Bodens werden wir den Russen überlassen!«

Marion Gräfin Dönhoff

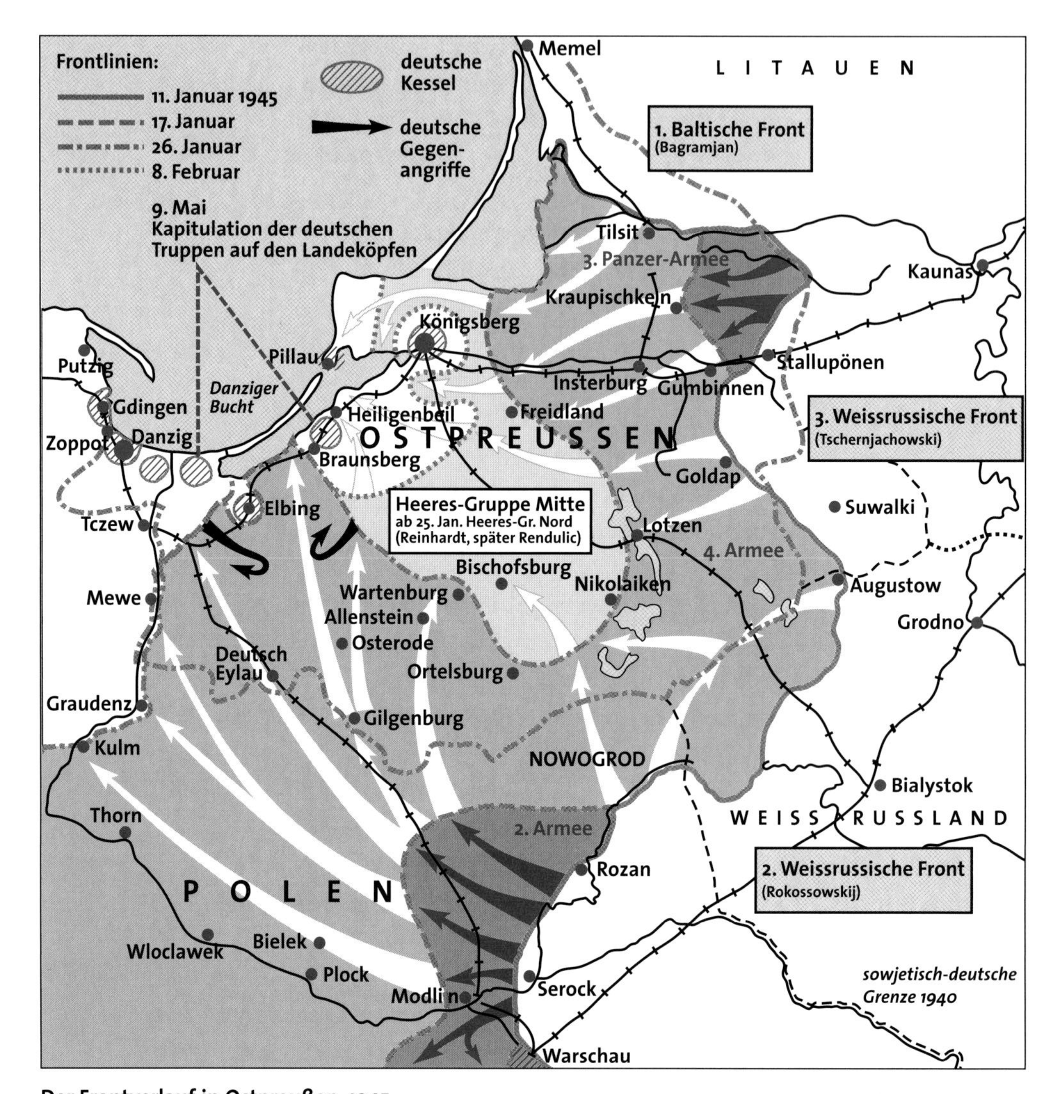

Der Frontverlauf in Ostpreußen, 1945

lisieren, atmete das Land erleichtert auf. Die Memelländer beeilten sich, auf ihre Höfe zurückzukehren und die Ernte einzubringen. Und obwohl allerorts Stimmen laut wurden, dass ein weiterer Vorstoß der Russen zu befürchten sei, säten auch in Ostpreußen die Bauern Korn für das nächste Jahr aus. Die Menschen hielten an ihrem gewohnten Lebensrhythmus fest – und an der Hoffnung, dass der Spuk bald vorüber sei. Dass der Krieg gegen die Sowjetunion einmal zu seinem Ausgangspunkt zurückkehren könnte, schien für die meisten unvorstellbar.

Dabei war die Zeit, als Ostpreußen zum Aufmarschgebiet für den Feldzug im Osten geworden war, noch vielen im Gedächtnis. Tagelang waren im Juni 1941 auf den Chausseen Kolonnen der Wehrmacht vorbeigezogen. Die Kinder am Straßenrand hatten den Soldaten zugewunken, die fröhlich singend in Richtung Osten fuhren oder marschierten. In Scheunen, Turnhallen und Spritzenhäusern waren Soldaten einquartiert worden und hatten ausgelassen den bevorstehenden Vormarsch gefeiert. Im August 1944 wurde die Illusion von der friedlichen Idylle jäh zerstört. Zweihundert britische Bomber erreichten in der Nacht vom 26. auf den 27. August den Luftraum über Königsberg. Rund fünfhundert Tonnen Bomben gingen auf die Hauptstadt Ostpreußens nieder, 10 000 Menschen wurden über Nacht obdachlos, mehr als tausend fanden den Tod. Der zweite Angriff folgte nur wenige Tage später: Sechshundert Bomber der Royal Air Force warfen am 29. und 30. August vor allem über der Innenstadt ihre tödliche Fracht ab. Neue Brandstrahlbomben lösten verheerende Feuerstürme aus. Über 5000 Menschen starben in den Flammen, 150 000 Menschen verloren ihr Zuhause, die Zahl der Verletzten wurde nie ermittelt. Bei dem Angriff wurden über 50 Prozent der historischen Gebäude zerstört: die Fachwerkspeicher am Hafen, das Stadtschloss, die Universität, die Schlosskirche.

Es war eine unerhört fröhliche Situation damals. Ich wundere mich im Nachhinein, dass diese Soldaten so ganz arglos ihren Weg machten. Dass sie nicht geahnt haben, dass da irgendetwas Schlimmes passieren würde. Es gibt keinen größeren Kontrast als den zwischen dieser Fröhlichkeit im Juni '41 und dem bitteren Ende im Januar '45, als die Front zurückkehrte. Da sind Welten dazwischen.

Arno Surminski,
Schriftsteller,
Jahrgang 1934

Auch für die Landbevölkerung Ostpreußens war der Luftangriff auf Königsberg ein einschneidendes Erlebnis. Der Feuerschein am Horizont erhellte nahe gelegene Dörfer und Gehöfte, feine

Asche, Stanniolstreifen und Papierfetzen wurden durch die Luft geweht und gingen auf den Dächern und Straßen nieder. Auf den Feldern fanden die Bauern ausgebrannte Flugzeugwracks und Trümmer, die vom unerbittlichen Luftkampf über Königsberg zeugten. Die Menschen reagierten bestürzt und betroffen – es war die erste große Welle der Zerstörung in einer vom Krieg bis dahin kaum berührten Welt.

Nach dem Luftangriff auf Königsberg und dem raschen Vormarsch der Roten Armee schlug Wehrmachtsgeneral Friedrich Hoßbach, Oberbefehlshaber der 4. Armee, die »vorbeugende Evakuierung der Zivilbevölkerung aus den östlichen Gebieten Ostpreußens« vor. Doch seine Rufe verhallten ungehört. Vor allem Erich Koch, Gauleiter Ostpreußens und intimer Freund von Hitlers Sekretär Martin Bormann, lehnte den Vorschlag strikt ab und verkündete stattdessen, kein Russe werde jemals ostpreußischen Boden betreten. Als »Reichsverteidigungskommissar« brüstete sich Koch mit einer Schimäre, die Ostpreußen vor dem bevorstehenden Angriff der Sowjets schützen sollte: dem Bau des »Ostwalls«. Mit Schützen- und Panzergräben meinte er den Vormarsch der Roten Armee aufhalten zu können: »Ein Aufruf an die Parteigenossen, ein leidenschaftlicher Appell des Führers an den Idealismus und die Vaterlandsliebe des gesamten Volkes würde genügen, um in wenigen Tagen hunderttausende von Freiwilligen zu den Fahnen zu rufen und einen Damm im Osten aufzurichten.« Doch weniger freiwillig als unter Androhung drakonischer Strafmaßnahmen wurden Zehntausende von ihren Arbeitsplätzen abgezogen, Männer und Frauen zum Schanzdienst verpflichtet. Mit einem wahren Massenaufgebot von Menschen, Pferden und Wagen trieb Koch den Stellungsbau voran. Theo Nicolai nahm als 16-Jähriger an der Schanzaktion teil: »Wir haben geschuftet und malocht von früh bis spät. Das war richtige Sklavenarbeit. Jeden Abend musste ein Abschnitt fertig sein, sonst konnte man nicht in sein Quartier zurück.«

Ich kann mich erinnern, dass eine Frau sagte: »Aber unser Führer wird doch nicht die Russen in unser schönes Ostpreußen hineinlassen!«, obwohl es sich schon abzeichnete. Aber wir haben bis zum Schluss noch gehofft. Es war unvorstellbar, einfach wegzugehen.

Hildegard Rauschenbach, damals 18 Jahre alt

Dass der Bau des »Erich-Koch-Walls«, wie er im Volksmund bald genannt wurde, in die Erntezeit fiel und die deutsche Wehrmacht nun Kommandos stellen musste, um das Korn einzubringen, störte den Gauleiter wenig. »Ohne Partei gibt es den Frontgau Ostpreußen nicht. Nur die Partei kann sich herausnehmen, Menschenmassen zu führen. Innerhalb von drei Stunden nach Erhalt des Befehls standen die ersten Kolonnen abmarschbereit«, erklärte Koch triumphierend. Damit bezog er klar Stellung gegen die militärische Führung.

Zwar wurde der Verlauf der »Ostpreußenschutzstellung« von den Festungsstäben des Heeres festgelegt, doch die Einzelausführung lag in den Händen der Partei – und somit in den Händen Kochs. Als Generaloberst Georg-Hans Reinhardt Verteidigungslinien im Landesinneren statt in grenznahen Gebieten forderte, bot ihm der Gauleiter die Stirn und schmetterte sein Ansinnen als Defätismus ab. Koch nahm sich überdies heraus, in die Rüstungsproduktion des Landes einzugreifen, um sich ein eigenes Waffenlager anzulegen. Und Hitler ließ ihn gewähren. Mit der Errichtung des »Ostwalls« war es dem Gauleiter endgültig gelungen, sich zum Herrscher über Ostpreußen zu erheben. Damit stand ein Mann an der Führungsspitze der Provinz, der

»Kein Russe wird ostpreußischen Boden betreten.« Gauleiter Koch inspiziert im August 1944 die Grenzregion

für seine Kälte und Unmenschlichkeit bekannt war. Als Koch 1943 als Reichskommissar der von deutschen Truppen eroberten Ukraine eingesetzt wurde, ließ er an den Mitteln seiner Politik nicht den allergeringsten Zweifel aufkommen: »Wir sind die Herrenrasse, und wir müssen hart, aber gerecht regieren. Ich werde das Letzte aus diesem Land herauspressen. Ich bin nicht hierher gekommen, um Freude zu bringen. Die Bevölkerung muss arbeiten, arbeiten und wieder arbeiten. Wir sind bestimmt nicht hierher gekommen, um Manna zu verteilen. Wir sind hierhergekommen, um die Basis für den Sieg zu schaffen. Wir sind eine Herrenrasse. Wir müssen immer wieder daran denken, dass der niedrigste deutsche Arbeiter rassisch und biologisch tausendmal wertvoller ist als die Bevölkerung hier.« Zwangsarbeit, Hunger und Erschießungen kennzeichneten Kochs Regierungszeit. Der Gauleiter wusste nur zu gut, was geschehen würde, sollte die Rote Armee die Grenzen Deutschlands überschreiten. Drei Jahre lang hatten die Menschen in der Sowjetunion unter deutscher Gewaltherrschaft gelitten. Unzählige russische Soldaten waren gefallen oder in Gefangenschaft geraten, Zivilisten getötet, Städte und Dörfer zerstört worden. Immer wieder hatte die deutsche Propaganda die »jüdisch-bolschewistische Weltverschwörung« angeprangert, immer wieder hatte sie das Zerrbild vom russischen »Untermenschen« gezeichnet. Hass hatte Hass erzeugt.

»Militärisch völliger Unsinn« – das Ausheben von Panzergräben für den so genannten »Ostwall« im September 1944

Jetzt, im Spätsommer 1944, stand die Rote Armee vor den Grenzen Ostpreußens. Die Soldaten waren auf ihrem Weg durch das von Deutschen verwüstete Russland gezogen, hatten Orte gesehen, die Görings und Himmlers Befehlen von der »verbrannten Erde« zum Opfer gefallen waren. Der Vormarsch ihrer Truppen hatte die unmenschlichsten Verbrechen ans Licht gebracht. Schon waren Meldungen von Vernichtungslagern, in denen das NS-Regime einen perfekt organisierten Massenmord betrieb, an die Weltöffentlichkeit gelangt. Die Hetzparolen der russischen Propaganda fielen nun auf fruchtbaren Boden.

Ilja Ehrenburg, Schriftsteller und Journalist, zählte zu den populärsten Figuren der sowjetischen Kriegspresse. Mitte der dreißiger Jahre war er durch seine Reportagen über den spanischen Bürgerkrieg bekannt geworden. Seit Beginn des »Unternehmens Barbarossa« war er zur Berühmtheit avanciert. Seine Artikel wurden in hunderten von Frontzeitungen abgedruckt und von unzähligen Soldaten der Roten Armee verschlungen. »Katjuschas« – »Stalinorgeln« nannte man seine Aufsätze, mit denen er in der *Prawda* und dem *Roten Stern* gegen die Deutschen, die »Fritzen«, hetzte. In seinen zu Beginn der sechziger Jahre verfassten Memoiren bekannte Ehrenburg: »Ich erkannte es als meine Pflicht, das wahre Gesicht des faschistischen Soldaten zu zeigen, der mit einem erstklassigen Füllfederhalter in ein Tagebuchheft blutrünstigen, abergläubischen Unsinn über seine rassische Überlegenheit eintrug; Dinge, die so schamlos und barbarisch sind, dass sie selbst einen Kannibalen in Verlegenheit gebracht hätten. Ich musste unsere Krieger daran erinnern, dass es sinnlos war, auf die Klassensolidarität der deutschen Arbeiter, auf eventuelle Gewissensregungen bei Hitlers Soldaten zu rechnen, dass jetzt nicht die Zeit sei, in der attackierenden feindlichen Armee ›die guten Deutschen‹ herauszufinden und dabei unsere Städte und Dörfer der Vernichtung preiszugeben. Ich schrieb: ›Töte den Deutschen!‹«

Gauleiter Koch verbot jede Flucht und wollte damit das sichere Gefühl vermitteln, dass die Russen nicht weiterkommen würden. Die Parole lautete: »Jeder Quadratmeter Heimatboden wird verteidigt.« Dass er den »Ostwall« hat bauen lassen, war – militärisch gesehen – völliger Unsinn. Hunderte von Frauen und Jugendlichen und alten Männern mussten im Herbst 1944 Panzergräben durch ganz Ostpreußen ziehen. Die haben hinterher gar nichts genützt.

Winfried Hinz, Jahrgang 1927

Wie sehr dieser von fanatischem Hass geprägte Journalist die russischen Frontsoldaten beeinflusste, bezeugt Wladimir Korobuschin, der 1944 mit seiner Einheit vor den Grenzen Ost-

»Die Deutschen sind keine Menschen.« Der sowjetische Schriftsteller und Propagandist Ilja Ehrenburg

preußens stand: »Der Krieg war grausam und Patriotismus bei unseren Soldaten weit verbreitet. Ehrenburg hatte großen Einfluss auf uns. Seine patriotischen Artikel riefen wöchentlich zum Hass und zum Töten auf. Aber auch ich hatte zerstörte Städte gesehen, ausgebrannte Dörfer, getötete Zivilisten. Und ich hatte viel über die nach Deutschland in Arbeitslager verschleppten Russen gehört.« Während die parteiamtliche Propaganda anfänglich noch zwischen der Naziführung und der deutschen Bevölkerung unterschied, reduzierte Ehrenburg in seinen Artikeln die Deutschen auf ein Volk von Barbaren und Verbrechern. Moskau ließ Ehrenburg gewähren. Schnell hatte die Partei erkannt, dass seine Artikel für die tägliche Stimmungsmache an der Front nur von Vorteil waren. Ehrenburgs Stil wurde schließlich vom Kriegsrat der Front in einem Aufruf an die Soldaten der Roten Armee übernommen: »Merke dir, Soldat! Dort in Deutschland versteckt sich der Deutsche, der dein Kind gemordet, deine Frau, Braut und Schwester vergewaltigt, deine Mutter, deinen Vater erschossen, deinen Herd niedergebrannt hat. Geh mit unauslöschlichem Hass gegen den Feind vor! Deine heilige

Es genügt nicht, die Deutschen nach Westen zu treiben. Die Deutschen müssen ins Grab gejagt werden. Gewiss ist ein geschlagener Fritz besser als ein unverschämter. Von allen Fritzen aber sind die toten am besten.

Krasnaja Swesda, sowjetische Soldatenzeitung, 24. Oktober 1944

Pflicht ist es, um der Gerechtigkeit willen und im Namen des Andenkens an die von den faschistischen Henkern Hingemordeten, in die Höhle der Bestie zu gehen und die faschistischen Verbrecher zu bestrafen. Das Blut unserer im Kampf gefallenen Kameraden, die Qualen der Gemordeten, das Stöhnen der lebendig Begrabenen, die unstillbaren Tränen der Mütter rufen euch zu schonungsloser Rache auf.« Einen Tag nach dem Erscheinen dieses Aufrufs, am 16. Oktober 1944, begann der russische Vorstoß nach Ostpreußen.

Wir haben in den Zeitungen gelesen, was die Deutschen auf sowjetischem Boden angerichtet hatten. Sie hatten das Volk misshandelt, unschuldige Menschen vernichtet, massenweise. Meine Mutter, eine alte, kranke Frau, wurde direkt ins Ghetto umgesiedelt, wo sie auch starb.

Moissej E. Barwinskij, damals Soldat der Roten Armee

Von Mitte August bis in den Oktober hinein war es an der Front ruhig geworden. Die Heeresdivisionen hatten die Gefechtspause genutzt, ihre Stellungen zu verstärken und auszubauen, um für den erwarteten Angriff der Sowjets gerüstet zu sein. In dieser Zeit hätte man auch die Bewohner der bedrohten Gebiete in Sicherheit bringen können. Doch war es in diesem Punkt zwischen der Gauleitung und der Heeresgruppe zu äußerst heftigen Auseinandersetzungen gekommen. Hitler hatte sich strikt geweigert, Ostpreußen zum Operationsgebiet zu erklären. Damit war der Heeresgruppe die Befehlsbefugnis auch über den zivilen Bereich entzogen. Erich Koch verfügte als Gauleiter und »Reichsverteidigungskommissar« bis zur Front über die vollziehende Gewalt und bestimmte damit über Leben und Tod der ostpreußischen Bevölkerung. Obwohl der Gauleiter die bevorstehende Gefahr kannte, veranlasste er keinerlei Maßnahmen zur Räumung der frontnahen Gebiete. Stattdessen verkündete er Parolen vom »Endsieg« und verfolgte mit drastischen Mitteln jene, die daran Zweifel erkennen ließen. Landräte, Kreisbauernleiter und Bürgermeister erhielten die strikte Anweisung, jede Fluchtvorbereitung sofort zu melden. Als Mitte Oktober 1944 die Rote Armee ihre Herbstoffensive begann, war in Ostpreußen so gut wie niemand darauf vorbereitet.

Der Angriff erfolgte frontal von Osten in Richtung Königsberg – für die deutsche Heeresgruppe völlig unerwartet. Da die Front der 4. Armee in einem weiten Bogen nach Osten vorsprang, hatte man damit gerechnet, dass die Sowjets einen Zangenangriff versuchen würden. Nun stürmten sie mit vielfacher Übermacht gegen die deutschen Stellungen. Artilleriefeuer bislang unbekannter Stärke verwandelten das ostpreußische Grenzgebiet in eine Feuerhölle. Das dumpfe Grollen der Front erschütterte die ganze Provinz und versetzte die Bevölkerung in Angst und Schrecken. Zum ersten Mal in der Geschichte jenes Krieges, den Hitler im Namen des deutschen Volkes entfesselt hatte, rollten russische Panzer auf deutschem Boden. Obwohl die sowjetischen Befehlshaber wegen des Schutzwalls zunächst Zweifel am Erfolg der Operation angemeldet hatten, war es ihnen nach wenigen Tagen gelungen, fünf Kilometer tief in ostpreußisches Gebiet vorzudringen.

Der sowjetische Stoßkeil teilte sich in drei Richtungen auf. Der mittlere, auf den Ort Nemmersdorf zielende Vorstoß war der erfolgreichste. Für die Dorfbewohner der kleinen Gemeinde brachte er Schrecken, Leid und Tod. Am 21. Oktober drangen russische Soldaten in ihre Häuser und Höfe ein. Als deutsche Einheiten das Dorf zwei Tage später zurückeroberten, bot sich ihnen ein grausames Bild: Alle, die Nemmersdorf nicht rechtzeitig verlassen hatten, waren brutal ermordet worden. Die grausame Bilanz der ersten Konfrontation russischer Kampfverbände mit deutscher Zivilbevölkerung lautete: 26 Tote, unter ihnen Frauen, Kinder und Alte.

Sofort lief Goebbels' Propagandamaschinerie auf Hochtouren. Deutsche wie ausländische Zeitungen berichteten wenig später vom »Massaker in Nemmersdorf« und sparten dabei nicht an Details: »vergewaltigte Frauen und Kinder«, »brutal hingerichtete Greise«. Die deutsche Wochenschau brachte Bilder, die sich für immer in das kollektive Gedächtnis der entsetzten Kinobesucher schreiben sollten. Der Name des kleinen, einst friedlichen Dorfes am Flüsschen Angerapp ging als Fanal des Schreckens in die Geschichte ein. Auch heute noch verbinden sich mit ihm für viele Ostpreußen psychische und physische Traumata. »Über Nemmersdorf kann man nicht sprechen«, lautet die Reaktion vieler Zeitgenossen. Heute wie damals ist Nemmersdorf ein Fixpunkt der historischen Diskussion. Die 1951 vom Bundesministerium

Gnade gibt es nicht – für niemanden, wie es auch keine Gnade für uns gegeben hat. Es ist unnötig, von den Soldaten der Roten Armee zu fordern, dass Gnade geübt wird. Sie lodern vor Hass und Rachsucht. Das Land der Faschisten muss zur Wüste werden, wie auch unser Land, das sie verwüstet haben.

Appell von General Iwan D. Tschernjachowskij am Vorabend des Angriffs auf Ostpreußen

für Vertriebene in Auftrag gegebene »Dokumentation der Vertreibung der Deutschen aus Ost-Mitteleuropa« spricht im Zusammenhang mit Nemmersdorf von »grausamen Exzessen«, während *Die Zeit* 1992 fast kühl bilanziert: »Im Verhältnis zur Katastrophe des Sowjetreichs, zu den Dutzenden von Millionen Toten, ist ›Nemmersdorf‹ 1944 ein winziger Punkt im All.« Was also macht Nemmersdorf bis heute zum Gegenstand zahlreicher, meist emotionsgeladener Debatten? Was lässt auch heute noch, fast sechzig Jahre nach dem Überfall, Menschen »Rache für Nemmersdorf« fordern, wie es jüngst an einer Häuserwand in der früheren ostpreußischen Grenzstadt Tilsit zu lesen war? Hartnäckig und allzu oft ungeprüft halten sich im Zusammenhang mit Nemmersdorf Berichte über beispiellose Verbrechen – Vergewaltigungen, Mord und Kreuzigungen. Der grausame Tod von 26 wehrlosen Zivilisten ist unbestritten, doch zeichnen bislang unveröffentlichte Dokumente der Geheimen Feldpolizei, Aussagen von Goebbels' engsten Mitarbeitern und der einzigen Überlebenden von Nemmersdorf heute ein differenzierteres Bild. Was geschah wirklich in jenen Tagen im Oktober 1944 in Nemmersdorf, dem heutigen Majakowskoje?

Es war damals noch alles auf den »Endsieg« programmiert. Jedenfalls lauteten so die offiziellen Parolen der Partei. Hätte man die Zivilbevölkerung evakuiert, wäre dies ein Beweis dafür gewesen, dass man an den »Endsieg« nicht mehr geglaubt hätte. Und das wollte man auf alle Fälle verhindern.

Hanns-Joachim Paris,
Kriegsberichterstatter

Ein Rekonstruktionsversuch: Nemmersdorf gehörte als eines von sechs Kirchdörfern zum Landkreis Gumbinnen und bildete eine Art Zentrum im Südwesten. Das Dorf zählte rund 650 Einwohner, besaß einige Handwerksbetriebe und Gutshöfe, die die wirtschaftliche Existenz der kleinen Gemeinde bestimmten. Ein ruhiges und beschauliches Leben, an das sich Gerda Meczulat, die einzige heute noch lebende Augenzeugin, nicht ohne Wehmut erinnert: »Unser Ort war wunderschön gelegen. Das Flüsschen Angerapp schlängelte sich hindurch und es gab einen kleinen Birkenwald, in dem wir als Kinder immer spielten.«
Gerda Meczulat, zum Zeitpunkt des Überfalls zwanzig Jahre alt, kümmerte sich damals um ihren Vater, nachdem die Mutter früh gestorben war, und führte den gemeinsamen Haushalt. In ihre bis dahin friedliche Welt drang Mitte Oktober 1944 der schwere Geschützdonner der herannahenden Front. Die Post

stellte den Dienst ein, immer häufiger wurde Nemmersdorf von russischen Tieffliegern angegriffen. Etliche Dorfbewohner trafen heimlich Vorkehrungen zur Flucht. Einige hatten bereits Familienmitglieder unauffällig zu Verwandten »ins Reich« geschickt und so in vermeintliche Sicherheit gebracht. Am Freitag, dem 20. Oktober, rumpelten Flüchtlingstrecks, die aus den weiter östlich liegenden Nachbardörfern aufgebrochen waren, über das Kopfsteinpflaster der Dorfstraße. Obwohl der russische Sturm nur noch neun Kilometer von Nemmersdorf entfernt war, gab es noch immer keinen Räumungsbefehl für die Gemeinde. Besorgt suchten die Dorfbewohner bei ihrem Bürgermeister Rat, der schließlich ein salomonisches Urteil fällte: Sollte die Rote Armee nicht bis zum nächsten Morgen das Dorf überrannt haben, würde er eine Flucht auch ohne offiziellen Evakuierungsbefehl genehmigen.

Die Dorfbewohner beeilten sich, ihre Habe zusammenzupacken und sich mit Proviant zu versorgen. Im nun herrschenden Durcheinander fielen jene kaum auf, die sich dem allgemeinen Aufbruch nicht anschlossen – darunter Gerda Meczulat und ihr Vater. »Mein Vater sagte: ›Die Russen sind doch auch nur Menschen.‹ Und wo sollten wir denn auch hin?« So blieben vor allem ältere Menschen und jene, denen es nicht gelungen war, ein geeignetes Transportmittel zu organisieren, in Nemmersdorf zurück. Die ganze Nacht über verstopfte der endlose Flüchtlingsstrom mit Fuhrwerken und Handkarren die Dorfstraße in Richtung Westen. Als der Geschützdonner gegen Morgen immer lauter wurde und überdies Maschinengewehrfeuer zu hören war, entschlossen sich auch die letzten Zögerer zur Flucht. Gerda Meczulat und ihr Vater, der an diesem Tag 71 Jahre alt wurde, suchten hingegen in einem für die Dorfbewohner am Kanal eingerichteten Unterstand Schutz: in einer großen Tunnelröhre, die mit Stroh ausgelegt und an den Seiten mit Bänken versehen worden war. Zwölf weitere Menschen flüchteten sich wie sie dorthin, darunter auch vier Kinder.

Danzig meldet, dass die in jämmerlichem Zustand eintreffenden Flüchtlinge aus Ostpreußen Gauleiter Koch die schwersten Vorwürfe machen. Zum Teil seien die ostpreußischen Flüchtlinge erst von den zurückgehenden Soldaten darauf aufmerksam gemacht worden, dass ihnen die Bolschewisten auf dem Fuße folgten.

Aus dem Tätigkeitsbericht der Abteilung II des Propagandaministeriums vom 25. Oktober 1944

Während die Dorfbewohner im Bunker um ihr Leben bangten, entbrannte über ihnen ein unnachgiebiger und verlustreicher

Stellungskampf. Gustav Kretschmer, Soldat des 2. Fallschirmjägerregiments, das zur Verstärkung herbeigerufen worden war, erinnert sich an seinen Einsatz: »Am 21. Oktober ging der Angriff los. Im dicksten Nebel, im Morgengrauen, unter Bedingungen also, unter denen normalerweise niemand angreift. Wegen des Nebels konnten auch wir nicht sehen, wo die Russen ihre Stellungen hatten. Dies hatte zur Folge, dass von den 170 Mann, mit denen wir angetreten waren, innerhalb einer halben Stunde nur noch 22 Mann übrig waren.«

Während einer der Gefechtspausen wagte es Vater Meczulat, den Unterstand noch einmal zu verlassen, um in sein Haus zurückzukehren: »Es war unheimlich still draußen, kein Schusswechsel war mehr zu hören«, erzählt Gerda Meczulat. »Mein Vater sagte: ›Ich gehe jetzt und koche uns Kaffee.‹ Wir hatten noch nicht einmal gefrühstückt und er brauchte ja nur die Straße zu überqueren. Nach einer ganzen Weile kam er tatsächlich mit frischem Kaffee und Schnitten wieder und sagte: ›Das Dorf ist voller Russen.‹« Die Sowjets hatten den alten Mann nach Waffen durchsucht und wieder laufen lassen. Immer noch hofften die Menschen in der Tunnelröhre, mit heiler Haut davonzukommen.

Als am späten Nachmittag die deutsche Luftwaffe einen schweren Angriff flog, waren die Rotarmisten selbst gezwungen, Schutz zu suchen – und drangen schließlich in den Bunker ein. Die Sowjets ließen die überraschten Dorfbewohner zunächst unbehelligt. Einige spielten sogar mit den anwesenden Kindern. Erst gegen Abend kam es zu einem verhängnisvollen Zwischenfall: Im Bunker erschien ein höherer Offizier und begann mit den Soldaten eine heftige Auseinandersetzung. Schließlich befahl er den Zivilisten, den Unterstand zu verlassen. Gerda Meczulat erinnert sich an die schrecklichsten Minuten ihres Lebens: »Der Offizier blieb vorne am Eingang stehen. Und dann hieß es immer: ›Paschol, paschol!‹ Als wir heraustraten, stand der ganze Abhang zu beiden Seiten des Ausgangs voller Russen – mit Maschinenpistolen. Ich hörte Schüsse und dann nur noch das Röcheln der Erschossenen.« Gerda Meczulat, die seit ihrem siebten Lebensjahr an Kinderlähmung leidet, verließ den Unterstand

In der bereits genannten Ortschaft Nemmersdorf, die zwölf Kilometer westlich Gumbinnen liegt, wurden insgesamt 26 Leichen aufgefunden, darunter zwölf Frauen, neun Männer und fünf Kinder.

Aus dem Bericht des *Völkischen Beobachters* am 28. Oktober 1944

als Letzte. Dabei stolperte sie und fiel. Nun trat der russische Offizier von hinten an sie heran, legte die Pistole an ihren Kopf und schoss. Die Kugel zerfetzte ihren Kiefer und trat über dem Jochbein wieder aus. Wie durch ein Wunder überlebte die junge Frau – als Einzige.

Als die Deutschen am nächsten Morgen Nemmersdorf zurückeroberten, fanden sie überall in den Häusern Tote vor. In einem Haus entdeckten sie eine alte Frau auf ihrem Sofa, eine Decke über den Knien. Die Rotarmisten hatten sie mit einem Kopfschuss getötet. Ein älteres Ehepaar hatte versucht, sich hinter einer Tür zu verstecken – vergeblich. Auch sie waren von den eindringenden Rotarmisten erschossen worden. Ein junges Mädchen fanden die Soldaten aufrecht sitzend, gegen eine Wand gelehnt, ihr Kopf war gespalten. An der Brücke über die Angerapp lagen drei weitere Leichen: eine ältere Frau neben einer Mutter mit Kleinkind. Der Schnuller des Kindes lag im Staub der Straße. Die deutschen Soldaten reagierten entsetzt auf die Brutalität, mit der die Rote Armee gewütet hatte. Viele schworen Rache für die Toten von Nemmersdorf und beklagten die sinnlosen Morde an der wehrlosen Zivilbevölkerung. Trotz aller Empörung kam bei einigen der deutschen Soldaten jedoch auch das Gefühl von Schuld auf: »Wir sind erst zweitausend Kilometer weit nach Russland vormarschiert und dann zweitausend Kilometer wieder zurück. Da ist nichts ganz geblieben«, bekennt der Soldat Helmut Hoffmann heute im Rückblick und resümiert leise: »Wer Wind sät, wird Sturm ernten.«

Zu unserem Entsetzen tauchten an den Hängen der Angerapp an diesem nebligen Oktobermorgen die ersten Russen auf. Sie machten zunächst einen abwartenden Eindruck, pirschten sich dann aber näher, und ehe wir's uns versahen, standen sie vor uns. Sie nahmen den Flüchtlingen im Vorbeigehen die Uhren und den Schmuck ab.

Marianne Stumpenhorst, als Flüchtling bei Nemmersdorf von den Sowjets eingeholt

Die deutsche Propaganda reagierte sofort. Schon wenige Tage nach der Rückeroberung von Nemmersdorf erschienen Reporter, darunter auch Journalisten aus neutralen Ländern wie Schweden und der Schweiz, aber auch französische Berichterstatter sowie Kameraleute und Fotografen, um am Tatort erste Aufnahmen zu machen. Joseph Goebbels hatte begriffen, dass aus dem Überfall auf Nemmersdorf Kapital zu schlagen war. Fast schien es, als habe er auf einen solchen Anlass gewartet. Nicht Verführung, sondern Angst sollte den »fanatischen Widerstand«

der Bevölkerung wecken. Nur wer sich, seine Familie, Haus und Hof bedroht sehe, mobilisiere letzte Kräfte, ließ Goebbels verlauten. In seinem Tagebuch notierte er am 26. Oktober 1944: »Göring ruft mich abends an und teilt mir Einzelheiten über die von den Bolschewisten in den von uns wiedereroberten ostpreußischen Dörfern und Städten angerichteten Gräuel mit. Diese Gräuel sind in der Tat furchtbar. Ich werde sie zum Anlass einer großen Presseaufklärung nehmen, damit auch die letzten harmlosen Zeitbetrachter überzeugt werden, was das deutsche Volk zu erwarten hat, wenn der Bolschewismus tatsächlich vom Reich Besitz ergreift.«

»Furchtbare Gräuel« – getötete Frauen und Kinder in Nemmersdorf

Goebbels »Presseaufklärung« war weit entfernt von einer wahrheitsgemäßen Darstellung, sie war eine Verzerrung der Fakten und eine schamlose Inszenierung der Geschehnisse. Sein persönlicher Referent, Wilfred von Oven, bekennt heute ungeniert: »Goebbels hat auf die sowjetischen Gräuel sehr heftig reagiert und immer wieder Weisungen gegeben, diese in der Öffentlichkeit stärker in den Vordergrund zu rücken. Er hat schließlich auch dazu aufgerufen, die ohne Zweifel geschehenen Gräuel noch doller hervorzuheben. In jeder Pressekonferenz wurde darauf hingewiesen, bei der Berichterstattung an Details nicht zu sparen.« Goebbels' Weisungen wurden befolgt. Am 27. Oktober titelte der *Völkische Beobachter*: »Das Wüten der sowjetischen Bestien – Furchtbare Verbrechen in Nemmersdorf« und berichtete ausführlich von Mord, Brandschatzung und Vergewaltigung. Auch die ausländische Presse, darunter das norwegische Blatt *Fritt Folk* und der in der Schweiz erscheinende *Courrier de Genève*, brachte Berichte über das sowjetische Massaker. Die Fotos, heute im Bundesarchiv Koblenz aufbewahrt, sollten die abscheulichen Verbrechen der Roten Armee belegen.

Hanns-Joachim Paris, der damals als Kriegsberichterstatter vor Ort war, erinnert sich: »Man hatte mit dem Aufräumen gewartet, bis die ausländischen, neutralen Journalisten gekommen waren und alles dokumentiert hatten.« Auf einem Acker liegend, wurden die Toten »öffentlichkeitswirksam« präsentiert: die Frauen mit entblößtem Unterleib, daneben tote Kinder und Greise. Helmut Hoffmann, der das Dorf als einer der ersten Soldaten nach der Rückeroberung betreten hatte, ist überzeugt: »So wie sie dalagen, so wie sie fotografiert wurden, so hatte man sie im Nachhinein hingelegt. Man hatte ihnen die Kleider hochgeschoben und die Schlüpfer heruntergezogen.« Auch Gerda Meczulat, die das brutale Vorgehen der Rotarmisten am eigenen Leib erfahren musste, weiß nichts Gegenteiliges zu berichten. Die Russen hätten sich, bis der Offizier den Befehl zum Erschießen gab, ganz ruhig verhalten. Zu Belästigungen oder gar Vergewaltigungen sei es nicht gekommen.

Mord – aber keine Vergewaltigung? Angesichts 26 unschuldiger Opfer eines brutalen Verbrechens erscheint diese Frage absurd. Und doch entzündet sich daran eine hoch emotionale Debatte. Nemmersdorf ist für viele Ostpreußen ein immer noch unbewältigtes Kapitel ihrer Vergangenheit: Es steht für das schreckliche Leid, das die ostpreußische Bevölkerung erfahren und ertragen hat. Die Vorstellung, Nemmersdorf könnte sich als Trugbild der deutschen Propaganda erweisen, ist schmerzlich. Die Aussagen der Zeitzeugen legen jedoch nahe, dass an den Leichen nachträglich manipuliert wurde.

Wir haben ungefähr zwei Dutzend Tote zusammengetragen. Viele wiesen Einschüsse auf und hatten starke Verletzungen im Kopfbereich. Wir fanden auch Frauen verschiedener Altersgruppen, deren Kleidung um den Unterleib herum zerrissen war, zum Teil blutig. Ob es Vergewaltigungen waren oder nicht, konnten wir Soldaten nicht feststellen, weil wir keine Mediziner waren. Doch die Anzeichen dafür waren da.

Harry Thürk, damals Soldat, war in Nemmerdorf

Zwischen Rückeroberung und dem Auftauchen der Presse vor Ort lagen mindestens vier Tage – Zeit genug, um ein grausames Verbrechen noch grausamer zu gestalten. Ein bislang unveröffentlichtes Protokoll der Geheimen Feldpolizei vom 25. Oktober 1944, das bei Recherchen im Archiv des Auswärtigen Amts entdeckt wurde, bestärkt den Verdacht. Dort heißt es: »Außer dem GFP-Kommando waren eine Parteikommission, eine Kommission von der Sicherheitspolizei Tilsit und eine Kommission vom Kommando Nordost der SS-Standarte Kurt Eggers erschienen. Wie in Erfahrung gebracht wurde, ist am 24. Oktober 1944 der SS-Gruppenführer Prof. Dr. Gebhardt, Leibarzt des RF SS, am Tatort gewesen und soll ärztliche Untersuchungen getroffen haben.«

Was hatte die SS in Nemmersdorf zu suchen? Und vor allem: Mit welchem Auftrag war Heinrich Himmlers persönlicher Leibarzt, Prof. Dr. Karl Gebhardt, bereits am 24. Oktober 1944, also wenige Stunden nach der Rückeroberung, in die Kleinstadt nach Ostpreußen geeilt? Im Protokoll heißt es weiter: »Gemeinsam wurde der Friedhof aufgesucht, wo eine Anzahl von Leichen in einem noch offenen Grab vorgefunden wurde. Die Leichen wurden aus dem Grab entfernt.« Hat man die Leichen – die Ehre der Toten missachtend – danach für die Presse »präpariert«, um, wie Hanns-Joachim Paris vermutet, »mehr Wirkung zu erzielen« und »gegen die Sowjetunion Propaganda zu machen«? Die Tagebucheintragung des Propagandaministers vom 10. November 1944 klingt fast wie ein Geständnis: »Der Bericht der Reichspropagandaämter ist wieder einigermaßen entmutigend. Die Gräueltaten würden uns nicht mehr abgekauft. Insbesondere hätten die Nachrichten von Nemmersdorf nur einen Teil der Bevölkerung überzeugt.« Nemmersdorf – ein Lügengebilde der NS-Propaganda?

Die sich bis heute hartnäckig haltenden Berichte über Frauen, die die Rotarmisten bei lebendigem Leib an Scheunentore genagelt hätten, scheinen hingegen nicht dem erfindungsreichen Gehirn des Propagandaministers zu entstammen. Einige Zeitzeugen, so auch der Kriegsberichterstatter Hanns-Joachim Paris, bestätigen: »Ein grauenhaftes Bild: Junge Mädchen und Frauen

»Einfach niedergewalzt« – ein von der Roten Armee überrollter Flüchtlingstreck bei Nemmersdorf

Der Offizier blieb vorne am Eingang stehen. Und dann hieß es immer: »Paschol, paschol!« Als wir heraustraten, stand der ganze Abhang voller Russen – mit Maschinenpistolen. Ich hörte Schüsse und dann nur noch das Röcheln der Erschossenen.

Gerda Meczulat,
Überlebende von
Nemmersdorf

Erfinden brauchten sie das Ganze nicht. Leichen mussten sie auch nicht von woanders her zu holen – die waren da. Man hatte ihnen die Leichen und das, was dort geschehen war, sozusagen auf dem Präsentierteller serviert. Dass sie es vermarktet haben, wie man heute sagt, darüber besteht kein Zweifel.

Harry Thürk, damals
Soldat, zur deutschen
Propaganda über
Nemmersdorf

»Frauen und Kinder brutal ermordet.« Eine deutsche Militärkommission untersucht die Vorfälle in Nemmersdorf

waren nackt an die Scheunentore genagelt worden. Es war grausam und wirklich kaum vorstellbar.« Doch weder der *Völkische Beobachter* noch andere Presseorgane haben je davon berichtet. Hätte die deutsche Propaganda solche bestialischen Verbrechen verschwiegen? Helmut Hoffmann, einige Tage früher als Paris vor Ort, glaubt: »Wenn da geschrieben wurde, es sind Frauen gekreuzigt oder angenagelt worden, dann ist das ungeheurer Blödsinn.« Auch sein Kamerad Gustav Kretschmer hat die Kreuzigungen nicht mit eigenen Augen gesehen: »Mein Kommandeur hat mir später davon erzählt«, bekennt der um Glaubwürdigkeit bemühte Soldat. Erst 1953, fast zehn Jahre nach dem Überfall, gab Volkssturmmann Karl Potrek in der »Dokumentation der Vertreibung« zu Protokoll, er habe sechs unbekleidete, an Scheunentore genagelte Frauen gesehen. In den Wohnungen seien insgesamt 72 Frauen und Kinder tot aufgefunden worden. Legendenbildung oder Wahrheit? Vor dem Hintergrund der Tatsache, dass die »Dokumentation der Vertreibung« ihre Entstehung politischer Initiative verdankt und das Ministerium für Vertriebene nach Meinung des Historikers Matthias Beer »entsprechend der Zahl in einem Bericht enthaltenen Fälle wie etwa Mord, Totschlag oder Vergewaltigung honorierte«, ist auch bei Potreks Aussage Vorsicht geboten. Die Zahl der Todesopfer, die Potrek in seinem Bericht mit 72 angab, lässt vermuten, dass die Toten des Landkreises Gumbinnen, zu dem auch Nemmersdorf zählte, zusammengefasst wurden. Denn auch in Nachbargemeinden wie Alt-Wusterwitz und Tutteln war es zu Erschießungen – und Vergewaltigungen – gekommen.

Die Bilder von den vergewaltigten oder getöteten Frauen hat man auf Plakate gebracht, und diese Plakate hingen überall. Man glaubte, dass der Russe mit jedem, den er erwischt, macht, was er will.

Winfried Hinz,
Jahrgang 1927

Trotz aller Zweifel bleibt am Ende generell festzuhalten: Die Rote Armee hat beim Überschreiten der deutschen Grenze in Ostpreußen und anderswo schreckliche Verbrechen gegen wehrlose Zivilisten begangen. Freilich hat Goebbels versucht, die grausame Wahrheit bewusst noch grausamer zu gestalten. Doch mit seiner Nemmersdorf-Kampagne hatte sich der sonst so wirkungsvoll agierende Propagandaminister verrechnet: Statt den Widerstandswillen zu stärken, brach unter der Bevölkerung Panik aus. In den Wochen nach dem Überfall auf Nemmersdorf

»Erinnerung auf Zeit.« Das Holzkreuz wurde im Januar 1945 von den Sowjets entfernt

setzte in Ostpreußen eine erneute, unkontrollierte Fluchtbewegung ein, die Goebbels' Durchhalteparolen Lügen strafte. Schließlich gestattete die Gauleitung auf Drängen des Militärs – und nicht zuletzt, um wieder Herr der Lage zu werden – die Evakuierung eines etwa dreißig Kilometer langen Streifens hinter der Front.

Nemmersdorf war zum Fanal geworden. Das Schreckensbild, das die deutsche Propaganda gezeichnet hatte, sollte in den kommenden Monaten noch übertroffen werden. Denn das Massaker blieb kein Einzelfall, es war nur Auftakt einer Reihe schrecklicher Exzesse sowjetischer Soldateska gegen die deutsche Zivilbe-

»Das letzte Hab und Gut eingepackt.« Ein Treckwagen auf vereistem Weg

völkerung. Heute erinnert ein sowjetisches Ehrenmal in Majakowskoje an die Ereignisse im Herbst 1944. Doch es wurde für die gefallenen Soldaten der Roten Armee errichtet, nicht für die 26 Dorfbewohner, die damals im Oktober 1944 den Tod fanden.

Am 18. Oktober, auf dem Höhepunkt der russischen Herbstoffensive und zum Jahrestag der Völkerschlacht bei Leipzig, hatte Hitler zur Bildung eines Volkssturms aufgerufen. »Während der Gegner glaubt, zum letzten Schlag ausholen zu können, sind wir entschlossen, den zweiten Großeinsatz unseres Volkes zu vollziehen. Es wird uns gelingen, wie in den Jahren 1939 und 1940, ausschließlich auf unsere Kraft bauend, nicht nur den Vernichtungswillen der Feinde zu brechen, sondern sie wieder zurückzuwerfen und so lange vom Reich abzuhalten, bis ein die Zukunft Deutschlands, seiner Verbündeten und damit Europas sichernder Friede gewährleistet ist.« Längst hatte der Diktator jeden Sinn für die Wirklichkeit verloren. Mit seinem Aufruf, der allen »waffenfähigen Männern von 16 bis sechzig Jahren« galt, glaubte er dem Millionenheer der Alliierten, ihrer Übermacht an Panzern und Flugzeugen standhalten zu können. Dabei versuchte das NS-Regime einmal mehr, mit Parolen aus vergangener Zeit letzte Kräfte zu mobilisieren. »Das Volk steht auf, der Sturm bricht los!« – ein Lied des Freiheitsdichters Theodor Körner aus der Zeit der Befreiungskriege musste als »Volkssturmparole« herhalten. »Wie damals im Freiheitskrieg hat heute der Volkssturm die Aufgabe, überall dort, wo der Feind unseren Heimatboden betritt, ihn fanatisch festzuhalten und womöglich aufzureiben«, verkündete Heinrich Himmler, der als Befehlshaber über das Ersatzheer eingesetzt wurde.

Alte Männer, die kaum noch in der Lage waren, ein Gewehr zu schultern, und Jungen, die mehr Kinder als Männer waren, sollten Hitlers Wahn vom »Endsieg« geopfert werden. Dabei hatte Heinz Guderian, Chef des Generalstabs des Heeres, Hitler lediglich vorgeschlagen, in allen bedrohten ostdeutschen Gebieten einen Landsturm einzuberufen, der militärisch ausgebildet und ausgerüstet werden sollte. Wenig später verkündete Hitler, die Idee des Landsturms solle in Gestalt des »Volkssturms« nicht nur im Osten, sondern im ganzen Reichsgebiet verwirklicht werden. Allein die Partei nahm den Aufruf mit Begeisterung auf, allen voran der Gauleiter Ostpreußens, Erich Koch. Schon beim Bau des Ostwalls hatte er mit der Bildung eines »Grenzschutzes Ost« experimentiert, nun meldete er seinem »Führer« voller Stolz: »Das erste Bataillon Garde steht!« All jene wurden eingezogen, die bisher vom Wehrdienst verschont geblieben waren – auch die, die man zuvor als »wehruntauglich« ausgemustert hatte. Mehr als eine Million Männer umfasste reichsweit Hitlers »letztes Aufgebot«. Bewaffnung und Versorgung unterstanden der Partei, die häufig nicht einmal in der Lage war, Uniformen, Decken oder feste Schuhe auszugeben: Eine Armee der Kinder und Greise in Halbschuhen sollte den Ansturm der größten Armee der Weltgeschichte zurückwerfen. Spottverse kursierten und machten klar, was man im Volk über die Kampfkraft dieser Truppe dachte: »Nach Rache und Vergeltung lechz' ich,/drum auf zum Volkssturm, lieber Klaus!/Du bist erst 12, ich 66,/doch sehn wir fast wie Männer aus./Wir hissen die zerfetzten Segel/und wandern froh an Hitlers Stab/mit Mann und Maus und Kind und Kegel/ins Massengrab, ins Massengrab.«

Im Grunde genommen hat Nemmersdorf die Fluchtbewegung letztlich ausgelöst. Ansonsten hätten viele gesagt: »Ach, was sollen wir im Winter auf die Straße gehen, wir bleiben zu Hause, egal, was passiert.« Durch Nemmersdorf aber waren auch die Letzten so verängstigt worden, dass sie wegwollten, weil sie ahnten, es würde kein gutes Ende nehmen.

Arno Surminski,
Schriftsteller,
Jahrgang 1934

Auch die Wehrmacht war über diese »Hilfe« wenig erfreut. Als Kampftruppe der Partei unterstanden die Männer mit der gelben Armbinde der Befehlsgewalt Himmlers; vor Ort hatten die Gauleiter das Sagen. Erich Koch, Gauleiter von Ostpreußen, weigerte sich, seine Volkssturmeinheiten der Armee zur Verfügung zu stellen, die dringend neue Divisionen bilden musste. Stattdessen betrachtete er sie als seine Privatarmee und legte sich den Titel »Führer des ostpreußischen Volkssturms« zu. Militärischer Erfolg bestand allenfalls darin, den aussichtslosen Krieg, den Hitler im Namen des deutschen Volkes führte, um einige Wochen zu verlängern – und damit auch die Leiden, die er schuf.

»Ganz Alte und ganz Junge« – der »Volkssturm« soll den russischen Vormarsch zum Stehen bringen

Ende Oktober nahmen die Angriffe der Sowjets schließlich ab. So dramatisch das Vordringen der Roten Armee in deutsches Gebiet für die Bevölkerung Ostpreußens gewesen war, für das sowjetische Oberkommando bedeutete die Herbstoffensive einen operativen Misserfolg. Trotz beträchtlicher Übermacht war es der Roten Armee nicht gelungen, tiefer als bis zur Rominter Heide nach Ostpreußen vorzustoßen und deutschen Boden zu gewinnen. Nemmersdorf und Goldap waren nach erbitterten Kämpfen von der Wehrmacht zurückerobert worden.

Meine ältere Schwester sollte 1945 konfirmiert werden. An Weihnachten 1944 fand dann aber eine Notkonfirmation dieser Altersgruppe statt, weil die Jungs mit ihren vierzehn, fünfzehn Jahren anschließend eingezogen wurden. Sie sollten konfirmiert an die Front kommen.

Hannelore Thiele, Jahrgang 1932

Der Herbst 1944 brachte für die Rote Armee keine durchschlagenden Erfolge mehr. In den folgenden Monaten erstarrte die Front, während das Moskauer Oberkommando folgendes Fazit zog: »Die unbefriedigenden Ergebnisse des Oktobers zeigten, dass wir den schon länger im Einsatz befindlichen Divisionen eine Ruhepause gönnen, unsere Truppen umgruppieren, die rückwärtigen Dienste nachziehen und die für einen Durchbruch sowie für die anschließende Entwicklung der Operation erforderlichen materiellen Vorräte schaffen mussten.« Noch zehn Wochen waren es bis zum Januar 1945 – über Ostpreußen lag die »Ruhe vor dem Sturm«.

Während sich die ostpreußische Bevölkerung – eingelullt in falsche Versprechungen der deutschen Propaganda – allmählich wieder in Sicherheit wähnte, verließ bei Nacht und Nebel ein Mann heimlich die dunklen Wälder Ostpreußens, der kurz zuvor noch verkündet hatte, er wolle in keinem Falle fortgehen, solange die Krise noch andauere: Adolf Hitler. Bereits vor dem Russlandfeldzug im Herbst 1940 hatte sich der Diktator im Herzen Ostpreußens, im Rastenburger Stadtwald, ein gewaltiges Hauptquartier, die »Wolfsschanze«, errichten lassen. Gut getarnt, mit eigenem Flugplatz und Bahnhof ausgestattet, war binnen weniger Monate eine militärische Festungsanlage entstanden, die mit mächtigen Betonmauern und unterirdischen Bunkern Hitler und seinen Militärs Schutz vor Luftangriffen der Alliierten bieten sollte. Doch der gefährlichste Angriff kam nicht von außen, sondern von innen: Am 20. Juli 1944 detonierte eine Sprengladung, die den Tyrannen verfehlte. Nun war die letzte Chance auf Umsturz, ja auf Frieden gescheitert. Fortan herrschte in der »Wolfsschanze eine etwas deprimierte Stimmung«, wie der Besucher Goebbels im September 1944 in seinem Tagebuch notierte. Obwohl alle Spuren des Sprengstoffattentats beseitigt worden waren, konstatierte der Gefolgsmann bei Hitler eine »sehr starke Angeschlagenheit«. Die gedrückte Stimmung wurde in den folgenden Monaten durch die immer ernster werdenden Lageberichte von der Ostfront noch verstärkt.

Das war die Ruhe vor dem Sturm: Die Russen waren noch vor der ostpreußischen Grenze. Sie haben erst im Oktober, November langsam die ostpreußische Grenze überschritten. Dann kam die Winteroffensive im Januar 1945. Und da ging alles Hals über Kopf, schlagartig.

Heinz Grönling, damals vierzehn Jahre alt

Hitlers Helfer Wilhelm Keitel und Alfred Jodl drängten ihren Kriegsherrn, die gefährdete »Wolfsschanze« zu verlassen. Bislang hatte Hitler gezögert, da er überzeugt davon war, seine Anwesenheit gäbe vielen Ostpreußen das nötige Vertrauen und zwänge die Divisionen zu entsprechenden Anstrengungen. Nach dem unerwartet heftigen Vorstoß der Roten Armee im Oktober 1944 war die Situation in und um Rastenburg jedoch bedrohlich geworden. Bomben waren auf einen Teil des »Führerhauptquartiers« gefallen, ohne jedoch größeren Schaden anzurichten. Obwohl Hitler um die Übermacht der Sowjets wusste und alles dafür sprach, dass weitere Schläge der Roten Armee folgen würden, befahl er, mehrere Divisionen aus Ostpreußen und von der Weichsel nach Westen zu verlegen. Damit wurden der Ostfront die letzten Reserven abgezogen. Der Diktator plante eine Offensive, die die Kriegswende erzwingen sollte: den Durchbruch in den Ardennen. Eine sinnlose Operation, die nach ihrem Scheitern die Situation an der Westfront dramatisch verschlechtern sollte. Doch Hitler hatte, allen Widersprüchen des Generalstabs zum Trotz, seinen Operationsbefehlen hinzugefügt: »Änderungen nicht zulässig!« Verzweifelt und blind für die Realität klammerte er sich an die letzte große Gegenoperation der deutschen Wehrmacht, mit der er die alliierten Armeen zu bezwingen hoffte. Am 20. November 1944 verließ der »Führer« sein Hauptquartier im Rastenburger Wald in Richtung Berlin. »Im Osten kann ich noch Raum verlieren«, entschied Hitler zynisch und gab damit Millionen Menschen in den deutschen Ostprovinzen der Willkür seiner Gegner preis.

Mein Vater war immer der Meinung, Hitler würde das noch schaffen. Irgendwie würde der die Russen zum Stehen bringen und Deutschland und auch Ostpreußen nicht aufgeben.

Irmela Ziegler,
Jahrgang 1926

Von alldem ahnte die Mehrheit der ostpreußischen Bevölkerung nichts. Das Weihnachtsfest stand vor der Tür – viele, die im Herbst aus den bedrohten Gebieten evakuiert worden waren oder auf eigene Faust die Flucht angetreten hatten, suchten nun wieder ihre Dörfer auf. Zu präsent war die Erinnerung an die Zeit des Ersten Weltkriegs, als Ostpreußen schon einmal von russischen Truppen überrannt worden war. Auch damals hatten viele die Flucht ergriffen und ihre Heimat verlassen. Doch in der legendären Schlacht bei

»Die letzte Kriegsweihnacht in Ostpreußen.«
Ein Mitglied des »Volkssturms« mit der Panzerfaust im Arm

Tannenberg war es Hindenburg und Ludendorff gelungen, die Russen zu vertreiben. Schon nach wenigen Wochen konnte die ostpreußische Bevölkerung zurückkehren. Die Erinnerungen an 1914 waren dreißig Jahre später wacher denn je. Vor allem die Alten, die die Schlacht bei Tannenberg miterlebt hatten, waren davon überzeugt, dass sich die Geschichte wiederholen würde. Wie jedes Jahr wurden die Weihnachtsbäume geschmückt, man bereitete sich auf die Festtage vor. Auch die deutsche Führung zeigte sich demonstrativ zuversichtlich. In seiner Rundfunkansprache zum Jahreswechsel erklärte Joseph Goebbels: »Wir haben ein Jahr hinter uns gebracht, wie es einzigartig ist in der deutschen Geschichte. Das deutsche Volk zeigt in diesem Krieg eine Höhe seiner moralischen Widerstandskraft, die nur Bewunderung verdient.« Nur knapp zwei Wochen später, am 12. Januar 1945, brach über Ostpreußen die Katastrophe herein.

Wir hatten über Weihnachten Einquartierung im Dorf, eine Einheit aus Sachsen. Die haben sehr häufig gesagt: »Mein Gott, haut bloß ab, das wird hier ganz schlimm.«

Arno Surminski, Schriftsteller, Jahrgang 1934

Als »größten Bluff seit Dschingis Khan« hatte Hitler die Zahlen, die ihm die Abteilung »Fremde Heere Ost« vorlegte, verächtlich abgetan. Von einer bis zu zwanzigfachen Überlegenheit der russischen Truppen war darin die Rede gewesen. Doch Hitler und seine Paladine spielten die drohende Gefahr herunter. »Ich glaube nicht, dass die Russen überhaupt angreifen. Die Zahlen sind maßlos übertrieben. Ich bin fest überzeugt, dass im Osten nichts passiert«, kommentierte Himmler alle Warnungen. Seit den frühen Morgenstunden des 12. Januar 1945 jedoch dröhnten überall an der Ostfront russische Geschütze und zermalmten deutsche Stellungen. Innerhalb weniger Tage gelang es den Sowjets, bis zur Ostseeküste vorzudringen und der Bevölkerung den Fluchtweg über das Land abzuschneiden. Von Tilsit bis Johannisburg, von Goldap bis Elbing saßen zweieinhalb Millionen Menschen, deren Leben bei einer rechtzeitigen Evakuierung zu retten gewesen wäre, in der Falle. Von drei Seiten eingekesselt, war Flucht nur noch mit Schiffen über die Ostsee möglich. In Panik begaben sich die Menschen auf ihren verzweifelten Weg zu den Hafenstädten. Die Parteiführung, allen voran Gauleiter Koch, hatte restlos versagt. Nichts war vorbereitet – die Evakuierungspläne lagen unberührt in den Schubladen. Vielerorts warteten die Menschen vergeblich auf einen Fluchtbefehl. Oft waren es gerade die Ortsgruppen- oder Kreisleiter selbst, die angesichts der drohenden Gefahr als Erste Hals über Kopf türmten. In aller Eile verbrannten sie Akten und Papiere und verließen klammheimlich die Amtsstuben. Ihre Schützlinge, denen monatelang jede Vorbereitung zur Flucht unter Todesstrafe verboten worden war, mussten allein zusehen, wie sie ihr Leben retten konnten.

Eine junge Frau, im Januar 1945 gerade 36 Jahre alt, ergriff angesichts des Versagens der Parteileitung selbst die Initiative: Marion Gräfin Dönhoff. Seit 1939 hatte sie die Verwaltung der Familiengüter im Kreis Preußisch-Holland übernommen und fühlte sich für die Menschen, die auf den Gütern lebten und arbeiteten, verantwortlich. Als die Nachricht vom Heranrücken der Front kam, ließ sie die Leute in einem Inspektorenhaus zusammenrufen und erklärte ihnen, dass man nun gemeinsam die Flucht antrete. »Sie waren vollständig konsterniert«, beschreibt die Gräfin die Szene, »man hatte ihnen so viel vom Endsieg erzählt und davon, dass ›der Führer‹ es nie zulassen werde, dass auch nur ein Fußbreit ostpreußischen Bodens verloren ginge. Sie konnten diese Nachricht einfach nicht fassen.« Ein letztes schweigsames Abendbrot, dann verließ Marion Gräfin Dönhoff die Güter, die sechshundert Jahre lang im Besitz ihrer Familie gewesen waren. Auf dem Tisch blieben Speisen und Silber zurück, die Türen wurden nicht verschlossen. Sie fühlte: Es war ein Abschied für immer. Seit Monaten hatte sie geahnt, dass der endgültige Aufbruch bevorstand.

Mein Vater sagte: »Bei uns waren die Russen schon 1914. Die kommen wieder, aber die hauen auch wieder ab. Alles bleibt so wie es ist.«

Heinz Grönling, damals viezehn Jahre alt

An den Flüchtlingskolonnen, die im Sommer 1944 aus Litauen und dem Memelland durch Ostpreußen zogen, hatte die Gräfin insgeheim Studien betrieben: Wie sahen die Planwagen aus? Wie schützte man sich unterwegs am besten vor Kälte und Regen? Welche Dinge waren auf der Flucht nützlich? Heimlich hatte sie Wagen bauen lassen und Fluchtpläne vorbereitet – bis Mitte Januar 1945 ein Vertreter der Kreisleitung erschienen war und ihr einen schweren Verweis der Gauleitung in Königsberg übermittelte: Sollte sie weiterhin solch »defätistische Vorbereitungen zur Flucht« treffen, müsse sie sich auf harte Maßnahmen gefasst

machen. Dennoch ließ die Gräfin genaue Karten zeichnen, auf denen alle Landwege eingetragen waren. Der überraschend schnelle Zusammenbruch der Front warf aber am Ende all ihre Vorbereitungen über den Haufen. Ein Rucksack mit Kleidung und Papieren, eine Satteltasche mit Waschzeug und einem alten Kruzifix – nur mit dem Allernotwendigsten versehen – bestieg die Gräfin ihr Reitpferd. Zusammen mit ihren Schutzbefohlenen reihte sie sich ein in den kilometerlangen Strom von Flüchtlingen, der die eisglatten Straßen Ostpreußens verstopfte. Die meisten waren erst aufgebrochen, als der Geschützdonner die Fensterscheiben erzittern ließ. Allerorts hatte die Großoffensive der Roten Armee die Menschen überrascht. Nur vage Vorahnungen hatten wie dunkle Gewitterwolken das Leben in Ostpreußen überschattet. Als der Ruf »Die Russen kommen« im ganzen Land erschallte, machte sich die traurige Erkenntnis breit, dass die Stunde des Abschieds gekommen war und es diesmal keine Rückkehr mehr geben würde.

Für die damals dreizehnjährige Hannelore Thiele kam der jähe Aufbruch in den frühen Morgenstunden des 27. Januar 1945. In aller Eile packte die Familie ihr Hab und Gut zusammen. Auch die kleine Hannelore machte ihren Schulranzen fertig und griff nach ihrer Lieblingspuppe, ohne die sie ihr Zuhause nicht verlassen wollte. Doch die Anweisungen der Eltern waren streng und unerbittlich: Alles, was unterwegs überflüssig war, musste zurückbleiben, auch die geliebte Puppe. Als der voll bepackte Panjewagen auf die holprige Landstraße rumpelte und sich mehr und mehr von ihrem Zuhause entfernte, vergossen nicht nur die Kinder bittere Tränen. »Ich habe damals meinen Großvater zum ersten Mal weinen sehen. Das werde ich nie vergessen. Er drehte sich immer wieder um, aber es gab kein Zurück mehr. Und da haben auch wir begriffen, dass wir nicht wieder zurückkommen werden«, schildert Hannelore Thiele die Abfahrt, die ihr bis heute in schmerzhafter Erinnerung geblieben ist.

»Die Stunde der Rache hat geschlagen.« Rotarmisten marschieren in Ostpreußen ein

Auch für Arno Surminski kam der Abschied von der Heimat plötzlich und unerwartet. Die Tage zuvor war das kleine Dorf Jäglack von heftigem Kanonendonner erschüttert worden. Nun lag ein beängstigendes Schweigen über dem Land, das an den Nerven der Menschen zerrte. Gegen Mittag zogen Soldaten durch das Dorf und waren entsetzt, so nah an der Front noch Zivilisten vorzufinden. In aller Hast entschlossen sich die Jäglacker end-

Jeden Abend haben wir in den Nachrichten gehört, dass die Front näher kommen würde. Eines Morgens dann, wir waren wie immer vom Internat zur Schule und in unsere Klasse gegangen, empfing uns der Hausmeister und sagte: »Es ist keine Schule mehr. Die Studienräte sind alle fort, ihr müsst sehen, wie ihr nach Hause kommt.« Ich habe meine Sachen gepackt und bin zum Bahnhof geeilt und wollte mir eine Fahrkarte kaufen, um nach Hause zu fahren. Aber es fuhren auch keine Züge mehr. Dann machte ich mich zu Fuß auf den Weg. Am übernächsten Morgen, um neun, halb zehn, war ich zu Hause. Da war schon angespannt für die Flucht. Mein Vater hatte sich Pferd und Wagen besorgt. Und am Nachmittag, so um vier, sind wir dann losgetreckt.

Heinz Grönling, damals vierzehn Jahre alt

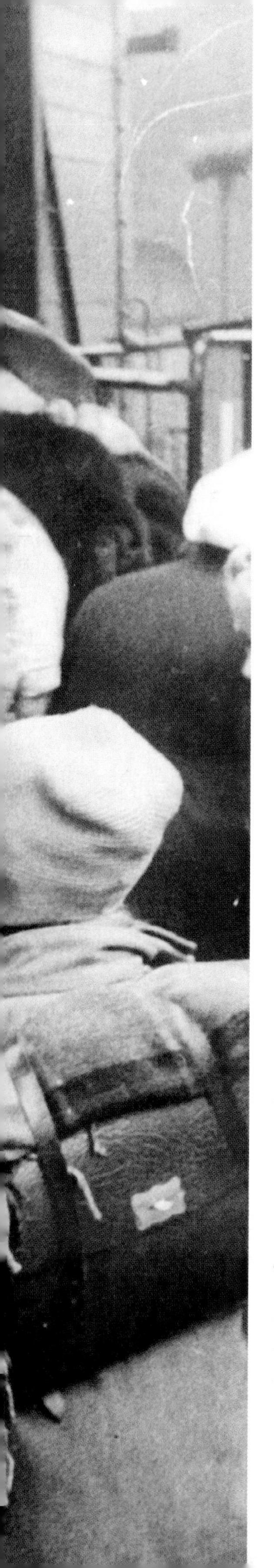

lich, ihre Wagen zu packen: Über die aus Latten und dünnen Brettern gefertigten Dachkonstruktionen wurden Teppiche und Strohmatten gespannt; Bettzeug, Hafer für die Pferde, Kleidung zum Wechseln und Lebensmittel im Inneren der Wagen verstaut. Als der Dorftreck schließlich am Nachmittag loszog, begann es leicht zu schneien. Am Horizont sahen die Dorfbewohner einen hellen Feuerschein – Nachbardörfer brannten bereits lichterloh, die Front war bis auf wenige Kilometer an sie herangerückt. Dem damals zehnjährigen Arno Surminski erschien die Flucht, die sein Leben schlagartig verändern sollte, zunächst wie ein großes Abenteuer. Durch knirschenden Schnee lief er mit anderen Jungen seines Alters neben dem Treck her. Der Mond erleuchtete die Szenerie, der Nachthimmel glühte rot von den Feuersbrünsten, die in der Ferne loderten. Allmählich begriff auch der Zehnjährige den Ernst der Lage: »Ich hatte anfangs immer noch das Gefühl, alles würde gut gehen, Vater und Mutter machten das schon. Aber als ich sah, wie hilflos die Erwachsenen waren und dass auch sie selbst allem willkürlich ausgesetzt waren, da war ich sehr verunsichert.«

Abschied nicht nur von der Heimat, sondern auch von der Kindheit. Ein abrupter, grausamer Abschied: Bruno Behrendt war gerade fünfzehn Jahre alt, als er seine geliebten Hunde erschießen musste. Der Junge hatte mit seinen Eltern friedlich in einem abgelegenen Forsthaus gelebt, da überraschte die Familie die Nachricht vom Zusammenbruch der Front. »Ich hatte nicht viele Spielkameraden. Meine drei

»Alle wollten nur noch weg.«
Glück hatte, wer in einen der letzten Züge gelangte

Hunde waren mein Ein und Alles.« Die Augen Bruno Behrendts füllen sich noch heute mit Tränen, wenn er an den Abschied denkt. Doch auf die Flucht konnte der Junge seine treuen Spielgefährten nicht mitnehmen. Wie alle Flüchtlinge packte auch Familie Behrendt nur das Notwendigste ein – keiner wusste, wie lange die Flucht dauern würde und ob die Lebensmittelvorräte ausreichten. Ausgehungerte, verwilderte Hunde konnten für die Menschen auf der Flucht zur Gefahr werden. Das war auch dem Jungen bewusst, als er mit der Waffe des Vaters den schwersten Dienst seines Lebens antrat.

Die Flucht ins Ungewisse veränderte das Leben der Menschen plötzlich und schonungslos. Nichts war fortan mehr so, wie es gewesen war. Helmut Molinnus aus dem Memelland hatte im Sommer 1944 mit seinen Eltern schon einmal die Heimat verlassen. Damals war alles noch ruhig und organisiert verlaufen. Niemand brach in Panik auf, alle waren sicher, wieder nach Hause zurückkehren zu können. Doch die vergangenen Monate hatten die Menschen eines Besseren belehrt. Jetzt, Mitte Januar 1945, hatten sie jede Hoffnung verloren. Helmut Molinnus, begeistertes Mitglied der Hitlerjugend, hatte heimlich seine Uniform auf die Flucht mitgenommen. Als die Mutter sie in einer Kiste entdeckte, wies sie ihren Sohn strikt an, sich der braunen Kluft so schnell wie möglich zu entledigen. Sollten die Sowjets das Kleidungsstück entdecken, sei die ganze Familie verloren. Der Junge war verzweifelt: Die Uniform war sein bestes Kleidungsstück. Als Bauernsohn war er besonders stolz auf sie gewesen, hatte sie geliebt und gepflegt. Nun suchte er dafür nach einem Versteck – denn verbrennen, das brachte der Fünfzehnjährige nicht übers Herz. In einem Misthaufen vergrub er sie schließlich. Für Helmut Molinnus brach damals eine Welt zusammen. Was für den Jungen oberstes Gesetz war, was ihm Halt und Kraft gegeben hatte, wie er sagt, das galt nicht mehr. Es sollte Jahre dauern, bis er einsah, dass sein Idealismus missbraucht worden war.

Auf der Flucht reichte die Solidarität nicht über die eigene Familie hinaus. Die Konkurrenz um Wasser, einen Schlafplatz oder warmes Essen war hart. Das Bisschen, das man bekam, wurde in der Familie aufgeteilt – man gab nichts ab.

Siegfried Quandt, Jahrgang 1936

Endlos reihten sich die Flüchtlingswagen aneinander. Durch ganz Ostpreußen zog der große Treck – immer in Richtung Westen, doch wohin genau, das wusste keiner. Die Quecksilbersäule war mittlerweile auf Temperaturen von 25 Grad unter null gesunken. Hoher Schnee und heftiges Schneetreiben behinderten die Flucht. In den Schneemassen blieben die Räder der Wagen stecken, brachen die Achsen der Fuhrwerke. Auf eisglatten Straßen rutschten die Pferde immer wieder aus, Wagen stellten sich quer und behinderten die nachfolgenden Karossen. Die ohnehin schmalen Landstraßen und Alleen waren geteilt worden: Eine Seite musste für die Fahrzeuge der Wehrmacht freigehalten werden, die sich ihren Weg zur Hauptkampflinie bahnten. Dabei kam es immer wieder vor, dass schwere Lastwagen und Panzer die Flüchtlinge beiseite drängten, mitrissen und ihre Wagen schwer beschädigten. Die Soldaten aber hatten keine Zeit, sich um das Schicksal der Flüchtlinge zu kümmern. Die militärische Lage war katastrophal – überall waren die deutschen Linien durchbrochen worden, ertranken die Einheiten in der Flut der russischen Übermacht. Die Soldaten kämpften um ihr eigenes Leben – und waren überdies bestrebt, die Front solange zu halten, bis die Zivilbevölkerung halbwegs in Sicherheit war.

»Es gab kein Zurück mehr.«
Oft mussten sich ganze Familien auf einen Wagen zwängen

»Jeder kämpfte für sich allein.« Meist konnten die Flüchtlinge nur retten, was sie auf dem Leib trugen

Trotzdem kam es vor, dass sie anhielten, um mit den erschöpften Flüchtlingen eine warme Suppe zu teilen oder Alte und Schwache einige Kilometer auf den Militärwagen mitzunehmen. Selbst altgediente Landser, die auf ihrem Weg durch Russland schon viel Leid gesehen hatten, packte das Mitleid beim Anblick des Flüchtlingselends. »Wir in unseren Militärfahrzeugen waren ja meist gegen die Witterung geschützt, aber die Flüchtlinge waren ihr hilflos ausgesetzt. Diese armen Leute, die damals mit den Trecks geflüchtet sind! Hinten am Wagen hingen vielleicht ein, zwei Kühe, vorne zogen ein paar magere Pferde. Ach, das war wirklich ein Elend!«, erinnert sich der ehemalige Panzerfahrer Fritz Busse.

Den Glauben an Gott hatte meine Mutter verloren. Sie sagte: »Wenn ein Gott mit ansehen kann, dass unschuldige Menschen so gestraft werden und so leiden müssen, dann kann es doch gar keinen Gott mehr geben.«

Hannelore Thiele,
Jahrgang 1932

Die grimmige Kälte forderte bald erste Opfer. Schon wenige Stunden nach ihrem Aufbruch waren viele Menschen durchgefroren und verzweifelt. Vor allem für Kleinkinder und alte Menschen war die Eiseskälte eine tödliche Gefahr. Ohne ausreichende Kleidung, geschwächt durch die Strapazen der Flucht und mangelnde Ernährung starben die Kleinen zuerst: Babys erfroren in den Armen ihrer Mütter, die sie verzweifelt an den Leib gepresst hiel-

ten. Mit der Wärme ihres eigenen Körpers versuchten sie, die Kinder vor der unerbittlichen Kälte zu schützen. Waren erst einmal alle Windeln durchnässt, keine trockenen Kleidungsstücke mehr zum Wechseln vorhanden, hatten die Jüngsten kaum noch eine Überlebenschance. Eine Spur des Grauens zog sich durch ganz Ostpreußen: Kinderwagen mit kleinen, steif gefrorenen Leibern standen am Wegesrand, in Lumpen gewickelte Kinderleichen ragten aus den Schneeverwehungen. Für eine Bestattung blieb selten Zeit. Im hart gefrorenen Boden wäre ohnehin jeder Versuch, ein Grab auszuheben, gescheitert. Rudi Powilleit, als 16-Jähriger im »Volkssturm« eingesetzt, erinnert sich mit Entsetzen an den Anblick einer jungen Mutter, die ihren Säugling verloren hatte: »Sie hatte das Baby auf dem Arm – das war erfroren, tot. Und die Frau ist richtig durchgedreht, sie schrie und weinte. Aber was sollten wir Jungs denn machen? Es war fatal!«
Der Anblick von Leichen wurde für die Flüchtlinge bald zur grausamen Gewohnheit. Mit jedem Schritt auf ihrem qualvollen Weg in Richtung Westen stumpften viele Menschen ab, blieben Mitleid und Solidarität mehr und mehr auf der Strecke. Die eigene existenzielle Bedrohung machte nicht selten blind für das Leid des anderen. Siegfried Quandt aus Tharau, damals acht Jahre alt, hat die Teilnahmslosigkeit der Menschen auf der Flucht erlebt: »Hilfe gab es nur innerhalb der Familie oder einer Gemeinschaft, nicht aber einem anderen gegenüber. Kostbare Lebensmittel oder heißes Wasser wurden nicht geteilt. Jeder hat nur an sich gedacht.« Bei vielen waren schon nach ein paar Tagen die Vorräte knapp geworden. Nur die Umsichtigsten hatten damit gerechnet, dass die Flucht Wochen, ja Monate dauern könnte. Als die Gläser mit dem Eingemachten, die Fässer mit Gepökeltem zur Neige gingen oder wegen Überladung der Wagen am Wegesrand liegen bleiben mussten, tunkten die Flüchtlinge gefrorenes Brot in heißes Wasser, das sie aus geschmolzenem Schnee gewonnen hatten. Zum klirrenden Frost gesellte sich beißender Hunger. Manchmal gelang es, eine Kuh zu melken, denn überall zogen in jenen Tagen riesige Vieh-

Das Elend der Evakuierten, die in den großen Trecks unendliches Leid erdulden, geht dem Führer sehr zu Herzen. ... Aber was kann man dagegen machen? Wir tun, was man überhaupt tun kann; das andere ist Schicksal. Das deutsche Volk durchlebt jetzt die Probe seiner Bewährung, und die muss es bestehen, wenn es nicht überhaupt sein nationales Dasein verlieren will.

Joseph Goebbels,
Tagebucheintrag
am 25. Januar 1945

»Zurücknahme an allen Fronten« – die Wehrmacht konnte den Flüchtlingen nur selten helfen

herden übers Land oder standen auf verschneiten Wiesen und Feldern und brüllten. Die Bauern hatten die Tiere bei der Flucht losbinden und ihrem Schicksal überlassen müssen. Der überwiegend ländlichen Bevölkerung, die mit den Tieren seit Generationen in Gemeinschaft lebte, war dieser Schritt sehr schwer gefallen. »Was das für die Menschen dort bedeutete, einen Stall mit zwanzig Kühen oder mit zehn Schweinen, Pferden, Hühnern allein zurückzulassen! Und das im Winter, wo sich die Tiere ja nicht selbst verpflegen konnten, wo die Wasserstellen zugefroren waren! Das war wirklich grausam«, fasst Arno Surminski rückblickend zusammen. Da die Tiere nicht gemolken wurden, schwollen ihre Euter an, eiterten und schmerzten. »Meine Mutter schnappte sich einen Behälter und rannte, wie viele andere Frauen auch, hinaus auf die Weide, um wenigstens ein Tier von seinen Qualen zu erlösen«, schildert Ida Slomianka die Szenerie. »Das Brüllen der Kühe war ganz unheimlich und machte uns alle furchtbar nervös.« Trotz einiger Tropfen Milch führte die Mangelernährung bei vielen zu Schwächeanfällen und Magen-Darm-Krankheiten. Besonders ältere Menschen waren den Strapazen der Flucht oft nicht ge-

»Ganze Viehherden irrten umher.« Im November 1944 wird Vieh aus Ostpreußen nach Westen getrieben

wachsen. Im hinteren Teil der Panjewagen unter Decken zusammengekauert, starben sie meist lautlos und unbemerkt. Den Angehörigen blieb nichts anderes übrig, als die Toten notdürftig im Schnee zu verscharren und ein kurzes Gebet zu sprechen, bevor sie der endlose Strom der Flüchtlinge wieder verschluckte.

Auch andere Kolonnen zogen nun über die vereisten Straßen Ostpreußens: Angesichts des bevorstehenden Untergangs wurden in aller Eile Konzentrationslager geräumt und die geschwächten Häftlinge auf Todesmärsche geschickt. Martin Bergau, damals 16, wurde Zeuge eines solch grausamen Zuges. Eines Nachts wurde der Junge von lauten Stimmen, Schüssen und Gewehrfeuer geweckt. Er lief nach draußen, um zu sehen, was geschehen war. Obwohl es noch dunkel war, erkannte er in dem vom Schnee reflektierten Licht eine lange Kolonne, die sich von Süden her durch den Ort langsam fortbewegte. Dann stürzte eine in Lumpen gekleidete Frau in den Vorgarten. Als sie ihn erblickte, machte sie kehrt und rannte wieder auf die Straße zurück – plötzlich fielen Schüsse. Die Frau brach tot zusammen. Martin Bergau wurde von seinem Vater ins Haus zurückgezerrt. Es sei nur ein Transport von Kriegsgefangenen, erklärte er ihm. Doch der Junge hatte längst erkannt, dass es keine Männer waren, die sich dort wimmernd und keuchend über die Straße schleppten: Es waren jüdische Frauen in gestreifter Häftlingskleidung, die von SS-Wachen brutal vorangetrieben wurden. Als der Junge am nächsten Morgen auf die Straße trat, war der Spuk längst vorüber. An der Stelle aber, an der die Frau niedergeschossen worden war, fand er blutige Spuren im Schnee.

Es waren ja nicht nur Deutsche, die auf der Flucht waren, es gab auch Gefangenentrecks, die zu Fuß unterwegs waren, wie die russischen Kriegsgefangenen, die aus Königsberg abtransportiert wurden. Diese armen Menschen hatten weder etwas zu essen noch ein Dach über dem Kopf. Wir hatten ja wenigstens unseren Verdeckwagen, aber die hatten nun gar nichts.

Hannelore Thiele,
Jahrgang 1932

Als um den 23. Januar 1945 die Nachricht durchsickerte, die Russen hätten die Küste bei Elbing erreicht und damit den Landweg nach Westen abgeschnitten, beschlossen viele Flüchtlinge, wieder umzukehren. Auch der Treck, der von den Dönhoff'schen Gütern aufgebrochen war, sah in der Flucht keinen Sinn mehr. »Wenn wir doch unter die Russen fallen, dann schon lieber zu Hause«, lautete der Beschluss. Die Leute glaubten, dass die Sowjets sie in Ruhe lassen würden, wenn sie bereit wären, für

»Wagen an Wagen zog über das Haff.« Blick aus einem Treckwagen

sie zu arbeiten. Wie sich bald herausstellen sollte, war dies eine Illusion.

Marion Gräfin Dönhoff hingegen versuchte, sich allein mit ihrem Pferd bis in den Westen durchzuschlagen. Adelige konnten von den Sowjets keine Gnade erwarten. »Kein großer Abschied«, schrieb die Gräfin Jahre später in ihren Erinnerungen. Doch es war ein zweiter schmerzlicher Abschied für sie – binnen weniger Tage erst von der Heimat, dann von den ihr anvertrauten Menschen. »Ich war ganz verzweifelt, weil ich nicht wusste, was ich tun sollte«, gibt die Gräfin heute zu. »Sollte ich meine Leute im Stich lassen? Das war doch unmöglich!« Als sie ihr Pferd schließlich doch in Richtung Westen lenkte, versuchte sie jeden Gedanken an ihre Schutzbefohlenen zu verdrängen. Tagelang ritt sie im Schneckentempo des dahinkriechenden Flüchtlingsstroms, der zeitweise nur zwei bis drei Kilometer in der Stunde zurücklegte.

Auf den Gutshöfen lebten überwiegend Wohlhabende. Die meisten von ihnen hatten aus der UdSSR verschleppte Menschen beschäftigt und behandelten sie wie Sklaven. Wir haben beobachten können, wie anderthalb Dutzend unserer befreiten Bürger eine Züchtigung ihres Herren vornahmen. Sie führten ihn aufs Feld außerhalb des Gutshofs und ließen ihn nackt und barfuß im Kreis laufen und spornten ihn mit der Peitsche an. Eine moralische Rache für unmenschliche Behandlung.

Grigorij I. Micheenko,
damals Soldat der
Roten Armee

Stundenlang mussten die Menschen in der Kälte ausharren, mit blau gefrorenen Füßen, die entsetzliche Schmerzen verursachten. Der Schnee wirbelte durch die Luft, der eisige Wind riss an ihren Mänteln und Kleidern. Wie ein riesiger Lindwurm sah der Treck aus, der ganz Ostpreußen im weißen Schleier des Morgennebels durchmaß. Den Versuch, auf einen Acker auszuweichen, den Treck links oder rechts zu überholen, gaben die meisten nach kurzer Zeit wieder auf: In den Schneeverwehungen sanken die Pferde bis zum Bauch ein. Ein Fortkommen war unmöglich. Doch plötzlich, nach tagelangem Geschiebe und Gedränge auf engstem Raum, riss der Strom der Flüchtlinge auf einmal ab. Kurz vor Marienburg, an der großen Eisenbahnbrücke über die Nogat, entkam die Gräfin dem »Fleischwolf« und befand sich unversehens allein in der endlos weiten Schneewüste: »Weit und breit nichts. Diese völlige Einsamkeit war eigentlich noch erschreckender als der grauenhafte Strom vorher«, erinnert sich Marion Dönhoff. Ein seltsam schlürfendes, rhythmisches Klopfen weckte schließlich ihre Auf-

»Hals über Kopf geflüchtet« – meist wurde die Zivilbevölkerung erst in letzter Minute evakuiert

merksamkeit. Über die Brücke schleppten sich drei erbarmungswürdige Gestalten in Uniform: Verwundete Soldaten, die sich humpelnd auf den Weg gemacht hatten, ihr Leben zu retten. Das Lazarett, aus dem sie kamen, hatte den Kranken freigestellt, zu gehen und sich aus »eigener Kraft« in Sicherheit zu bringen. Von etwa eintausend Verwundeten waren nur noch diese drei dazu in der Lage gewesen. Wie lange wohl würde ihre Kraft noch ausreichen, um gegen Schnee und Kälte anzukämpfen? »Für mich war dies das Ende Ostpreußens: drei todkranke Soldaten, die sich über die Nogat-Brücke nach Westpreußen hineinschleppten. Und eine Reiterin, deren Vorfahren vor sechshundert Jahren von West nach Ost in die große Wildnis jenseits dieses Flusses gezogen waren und die nun wieder nach Westen zurückritt – sechshundert Jahre Geschichte ausgelöscht«, bilanzierte Marion Gräfin Dönhoff traurig in ihren Erinnerungen.

Die Menschen, die umgekehrt waren und den Sowjets in die Hände fielen, hatten keineswegs das bessere Los gewählt. Das wenige, das die Flüchtlinge noch besaßen, wurde ihnen von den

»Das Schlimmste überstanden?« Flüchtlinge haben das Westufer der Oder erreicht

Rotarmisten genommen. Uhren, Schmuck und Wertgegenstände verschwanden in den Taschen von Stalins Soldaten. In den meisten Fällen blieb es nicht allein bei Plünderungen. Zivilisten wurden wahllos erschossen, Frauen und Mädchen brutal vergewaltigt. Auch Helga Schneider aus Rhein, damals fünfzehn Jahre alt, musste die schreckliche Tortur immer wieder über sich ergehen lassen. Eine Mutter, die versuchte, ihre erst dreizehnjährige Tochter vor den Vergewaltigungen zu schützen, wurde ohne Zögern von den Rotarmisten erschossen. Danach töteten die Soldaten auch das Mädchen mit einem Kopfschuss. Als Helga Schneider sich wehrte, wurde sie an den Füßen gepackt und kopfüber eine Treppe hinabgezerrt. Auf jeder Stufe schlug ihr Schädel hart auf – bis sie endlich das Bewusstsein verlor.
Die Angst vor den Russen saß den Menschen auf der Flucht ständig im Nacken. Die Familie von Arno Surminski geriet mitten auf einem Acker plötzlich unter Beschuss. An den Schenkeln der Pferde lief Blut hinab. Die Tiere waren getroffen worden, der Treck musste anhalten. Die Flüchtlinge rechneten mit dem Schlimmsten, als sich ihnen russische Soldaten näherten. Vater

Surminski hatte als Bürgermeister noch das Parteiabzeichen am Revers stecken und eine Pistole in der Jackentasche – Grund genug, um auf der Stelle erschossen zu werden. Ein junger Offizier trat an den Wagen heran, Surminskis Mutter beeilte sich, eine halbe Flasche Rum hervorzuholen: Der »Friedensrum für den Endsieg«, den sie fünf Jahre lang gehortet hatte. Wortlos ließ der Offizier die Flasche in seine Tasche gleiten, nahm dem Vater das Abzeichen ab, schaute es sich belustigt an und steckte es schließlich ebenfalls ein. Die Pistole des Mannes warf er in hohem Bogen in den Schnee – die Flüchtlinge atmeten auf. Vorläufig schienen sie gerettet.

Weniger friedlich verlief die erste Begegnung mit Soldaten der Roten Armee für den damals achtjährigen Gerd Scheffler und seinen fünf Jahre älteren Bruder Emil, beide aus Sodargen. Die Jungen hatten sich nur für einen Moment vom Wagen ihrer Eltern entfernt, um auszutreten, als ein russischer Vorstoß begann. Von umherfliegenden Granatsplittern und Kugeln getroffen, stürzten die beiden Kinder zu Boden. Halb bewusstlos spürte Gerd Scheffler, der aus über zwanzig Wunden stark blutete, wie ihm russische Soldaten die Stiefel auszogen und auch nach seinem Mantel griffen. Verzweifelt schrie der Junge auf, bis die Sowjets schließlich von ihm abließen.

Stundenlang blieb Gerd Scheffler hilflos in der Kälte liegen – neben ihm der schwer verletzte Bruder, der vor seinen Augen verblutete. »Mir ist so schrecklich kalt«, waren die letzten Worte des dreizehnjährigen Emil, die sein Bruder bis heute nicht vergessen hat. Als deutschen Einheiten Stunden später ein Gegenangriff gelang, fanden sie die beiden Jungen. Für Emil kam jede Hilfe zu spät, Gerd Scheffler aber überlebte.

Man nahm gar nicht mehr die vielen Leichen wahr, weil der eigene Kummer und die eigenen Sorgen blind dafür machten.

Stephanie Lingk, flüchtete über das Haff

Näherte sich das rasselnde Geräusch russischer Panzerketten, brach unter den Flüchtlingen im Treck Panik aus. Wem es nicht rechtzeitig gelang, die Straße zu verlassen, in einem Graben Deckung zu suchen, wurde gnadenlos niedergewalzt. Die schweren Fahrzeuge begruben unter sich Karren und Fuhrwerke, zermalmten Menschen und Pferde. Helga Schneider, die mit ihren Eltern im Auto geflohen war, sind die entsetzlichen Bilder bis heute ins Gedächtnis gebrannt. Ihr Vater hatte sich wegen der

»Sie schossen auf alles, was sich bewegte.« Sowjetische Geschütze an der Frischen Nehrung

verstopften Landstraßen dazu entschlossen, die Autobahn zu benutzen. Doch auch hier war kein Fortkommen möglich, stand Fuhrwerk an Fuhrwerk. Als russische Panzer heranrollten, gab es für die Menschen kaum mehr ein Entrinnen. Dem Vater war es im letzten Moment gelungen, das Auto in einen Graben zu lenken, als auch schon die Gewehrsalven über den Köpfen der Familie einschlugen. »Die Soldaten«, so Helga Schneider, »schossen wahllos in die Menschenmasse.« Als der Trupp vorbeigezogen war, trat eine unheimliche Stille ein. Die Familie wagte es schließlich, ihre Deckung zu verlassen und die Böschung hochzuklettern. Der Anblick verschlug ihnen den Atem: Zerquetschte Leiber und Fuhrwerke übersäten die Straße, Blut und Schmutz hatten die weiße Winterlandschaft in einen wahren »Alptraum« des Grauens verwandelt. Aus einem zerschmetterten Wagen drang leises Wimmern: Eine junge Frau hatte die Katastrophe überlebt – ihre vier kleinen Kinder aber, die sich im Inneren des Wagens befunden hatten, waren von den russischen Panzern zermalmt worden.

»Das verdammte Deutschland« – russische Panzer in einer ostdeutschen Stadt

Nachdem der Fluchtweg über das Land abgeschnitten war, versuchten Hunderttausende über das Eis des Haffs zu fliehen, um

auf der Frischen Nehrung zu den Hafenstädten Danzig und Pillau zu gelangen. In den letzten Januarwochen war das Eis noch stark genug, die schwere Last zu tragen. Doch als die Kälte Anfang Februar immer mehr nachließ, erwuchs für die Flüchtlinge eine neue Gefahr: Die Eisdecke schmolz und wurde mit jedem neuen Tag dünner und dünner. Im Rücken der Flüchtlinge kämpfte die 4. Armee verzweifelt, um Zeit und Raum für die Menschen zu gewinnen, die sich in ihren Trecks auf die Küste zubewegten. In Königsberg, der einst so schönen Hauptstadt Ostpreußens, war unterdessen ein unerbittlicher Festungskampf entbrannt. Seit den letzten Januartagen wurde die Stadt von russischen Truppen belagert. Das Leben in der »Festung« verschlechterte sich für die Menschen täglich – verängstigt hockten sie in den Kellern der Häuserruinen, die seit den schweren Luftangriffen im Sommer 1944 wie schwarze Zahnstümpfe bedrohlich in den Himmel ragten.

Alles strömte zurück nach Königsberg: Flüchtlinge überall, Elend überall, Tote, Verwundete zu Tausenden, zu Hunderttausenden. Es herrschte vollkommenes Durcheinander.

Siegfried Kabbeck, aus Königsberg, Jahrgang 1928

Ende Januar hatten die letzten Züge Königsberg in Richtung Westen verlassen. Auf den Bahnhöfen hatten sich dramatische Szenen abgespielt. Verzweifelt drängten sich die Menschen auf den Bahnsteigen, um in einen der wenigen Eisenbahnwaggons zu gelangen. Mütter hielten ihre Kinder dicht an sich gepresst, um sie in der wogenden Menge nicht zu verlieren. Auch die achtjährige Betty Götzelmann klammerte sich an die Hand ihrer Mutter, als sie plötzlich losgerissen und in die Höhe gehoben wurde. Wie viele andere Kinder wurde sie hastig durch ein Abteilfenster ins Zuginnere geschoben, denn die Türen waren von der drängenden Menschenmasse vollkommen versperrt. Die verwirrten Kinder brachen im Zug in Tränen aus. Allein, ohne ihre Mütter, lagen sie wie Heringe aneinander gepresst in den engen Fluren und Abteilen. Als sich der Zug endlich in Bewegung setzte, brach auf den Bahnsteigen Panik aus: Verzweifelt versuchten Mütter, deren Kinder im Zug gelandet waren, noch einen Platz zu ergattern, klammerten sich von außen an die Waggons oder kletterten auf die Dächer des fahrenden Zuges. Viele verließ jedoch auf der Tage dauernden Fahrt durch Eiseskälte und heftige Schneestürme die Kraft – ihre blau gefrorenen Finger rutschten ab, sie verloren den Halt und stürzten die Böschung hinab.

»Weltuntergangsstimmung« – das zerstörte Königsberg nach den Bombenangriffen von 1944

Unterwegs wurden die Züge immer wieder von Jagdbombern beschossen. Dann stoppten die Wagen auf offener Strecke, schreiend stürzten die Menschen aus den Waggons, um sich irgendwo draußen, in der weißen Winterlandschaft eine Deckung zu suchen. Betty Götzelmann erlebte alles wie im Fieberwahn. Nur schemenhaft sind ihr die schrecklichen Erlebnisse in Erinnerung geblieben. Völlig apathisch, voller Angst um ihre Mutter, von der sie nicht einmal wusste, ob sie den Zug in Königsberg bestiegen hatte, verbrachte sie die scheinbar endlose Fahrt. Als der Zug endlich in Berlin stoppte und sie völlig entkräftet auf den Bahnsteig taumelte, erblickte sie in der Menschenmenge ein blasses, aber strahlendes Gesicht: das Gesicht ihrer Mutter.

Ostpreußens Gauleiter Erich Koch, der die Evakuierung der Bevölkerung bis zuletzt verhindert hatte, nahm am Todeskampf Ostpreußens wenig Anteil. Er hatte sich rechtzeitig in seinen Bunker in Neutief auf der Frischen Nehrung verkrochen. Von dort aus bereitete er heimlich seine Flucht vor. Zwei Eisbrecher, die »Pregel« und die »Ostpreußen«, sowie ein »Fieseler Storch« standen stets bereit, um den Gauleiter in Sicherheit zu bringen. Aus seinem Quartier auf der Nehrung schickte er Funksprüche nach Berlin, die den Anschein erweckten, der Gauleiter halte in Königsberg die Stellung. In der Provinzhauptstadt selbst bestimmten Kochs Funktionäre über Leben und Tod. Der »Volkssturm« unterstand noch immer dem Kommando der Parteiführung – und die predigte auch angesichts der russischen Übermacht noch Parolen vom »End-

Der Bahnhof war überfüllt, die Bahnsteige und Warteräume waren voll mit Frauen und Kindern. Es war im Januar, im strengsten Frost. Sie saßen auf dem Boden und warteten auf einen Zug. Ein Soldat fragte einen Bahnbeamten, wann denn ein Zug kommen würde. Der antwortete: »Es fährt keiner mehr.«

Irmela Ziegler,
Jahrgang 1926

»Die Züge blieben einfach auf den Gleisen stehen.«
Die Verbindung nach Westen war seit Ende Januar 1945 unterbrochen

sieg«. »Der bolschewistische Soldat ist viel schlechter als der deutsche. Vor ihm zurückzugehen oder sich zu ergeben ist sinnlos und ein Verbrechen. Gegen Deserteure, Feiglinge und Schädlinge wird schärfstens vorgegangen. Wer sich hinten herumdrückt und nicht kämpfen will, muss sterben.« Keine leere Drohung – entlang den Alleen, über die die Flüchtlingsströme nach Westen zogen, hingen die Leichen von hunderten, ja tausenden von Soldaten, die es gewagt hatten, ihre ohnehin längst verlorenen Stellungen aufzugeben. Die handgeschriebenen Schilder, die man den Toten um den Hals gebunden hatte, prangerten sie als »Deserteure« und »Verräter« an.

Überall in der Stadt hingen erschossene Soldaten an den Bäumen, mit einem Schild auf der Brust: »Ich bin zu feige zu kämpfen.« Junge Leute von 17, 19 Jahren und auch ältere.

Winfried Hinz, Jahrgang 1927, über die Situation in der Festung Königsberg

Der Mann, der Ostpreußen wirklich verraten hatte, saß indes nur wenige Kilometer entfernt in seinem Bunker. Als in der Nacht zum 23. April die Nachricht eintraf, dass auch die Hafenstadt Pillau spätestens in zwei Tagen in russische Hände fallen würde, entschied sich Erich Koch zur Flucht. Die »Ostpreußen«, der größte Eisbrecher der Königsberger Flotte, lag seit Wochen im

Pillauer Hafen bereit. Nun gab der Gauleiter Befehl, ihn und seine Männer an Bord zu nehmen. Zuvor hatte er sich davon überzeugt, dass die Funkverbindung nach Berlin vom Schiff aus gehalten werden konnte. Auch jetzt noch wollte er seinem »Führer« die Komödie vom »heroischen Endkampf in Königsberg« vorspielen. Erhard Klement, dessen Vater als Erster Ingenieur an Bord der »Ostpreußen« beschäftigt war, befand sich auf dem Schiff, als der Eisbrecher in Hela anlegte. Koch war mit seinem Stab von Neutief auf die Halbinsel geeilt, um hier unbemerkt an Bord zu gehen. Doch zuvor hatte er den Kapitän der »Ostpreußen« angewiesen, die Zivilisten, die sich noch auf dem Schiff befanden, an Land zurückzulassen. Niemand außer der Schiffsmannschaft sollte Zeuge der heimlichen Flucht des Gauleiters werden. Der Erste Ingenieur und der Kapitän der »Ostpreußen« boten Erich Koch die Stirn: Sollten die Zivilisten das Schiff verlassen müssen, würde der Eisbrecher nicht in See stechen. Koch gab schließlich klein bei. Die Zeit drängte und der Gauleiter wollte jegliches Aufsehen vermeiden. Am 27. April gegen 5.30 Uhr morgens begab er sich endlich mit seinem Stab an Bord. Die Männer verschwanden sofort unter Deck. Erhard Klement und sein älterer Bruder, die im Maschinenraum tief unten im Bauch des Schiffs schliefen, hörten die eiligen Schritte der Männer, die über ihnen nervös hin und her liefen. Nach mehreren Tagen Irrfahrt auf der Ostsee und einem gescheiterten Versuch, an der Küste Dänemarks anzulegen, machte die »Ostpreußen« schließlich am 7. Mai 1945 in Flensburg fest – einen Tag vor der Kapitulation. Erich Koch und sein Gefolge verließen das Schiff, wie sie gekommen waren: klammheimlich und unbemerkt. Zuvor hatten die Männer ihre Uniformen gegen zivile Kleidung getauscht. Mit falschen Papieren tauchte der Gauleiter unter, um sich der Verantwortung für seine Verbrechen zu entziehen. Erst im Mai 1949 wurde Erich Koch von britischen Sicherheitskräften verhaftet. Als »Rolf Berger« war er in Hasenmoor bei Hamburg untergekommen. Die Briten übergaben den ehemaligen Gauleiter Ostpreußens schließlich der

Koch hat dem »Führer« vorgelogen, er sei weiter bei der kämpfenden Truppe in Königsberg und die Truppe sei feige und wolle nicht mehr kämpfen. Dabei saß er in einem Bunker in Neutief, an der Spitze der Frischen Nehrung gegenüber von Pillau. Frauen, die bei einem Luftangriff im Bunker Zuflucht suchten, ließ er durch die SS vertreiben. Koch war durch und durch ein Verbrecher.

Hanns-Joachim Paris,
Kriegsberichterstatter

»Froh, endlich auf dem Wasser zu sein.« Tausende versuchten, einen Platz auf den wenigen Schiffen zu bekommen

polnischen Regierung. Am 9. April 1959 wurde er von einem Gericht zum Tode verurteilt. Das Urteil wurde später in eine lebenslängliche Haftstrafe umgewandelt, die Koch bis zu seinem Tod im Jahre 1986 im polnischen Prominentengeängnis Wartenburg absaß. Verschiedene Meldungen, wonach der ehemalige Gauleiter Verwandtenbesuche empfangen, Radio hören, deutsche Zeitungen beziehen und etliche Privilegien genießen durfte, bleiben bis heute unwidersprochen.

Die letzten Tage Ostpreußens waren die traurigsten, die das schöne und stolze Land je gesehen hatte. Zweieinhalb Millionen Menschen auf der Flucht, gefangen im endlosen Strom der Trecks, zusammengepfercht in den Hafenstädten Pillau und Danzig. Wer die Frische Nehrung lebend erreicht und das Glück hatte, auf eines der übervollen Schiffe zu gelangen, die nun täglich in Richtung Westen ablegten, glaubte sich gerettet. »Man holte Luft und dachte: Das Leben geht weiter, es ist doch noch nicht zu Ende«, erinnert sich ein Flüchtling an den Abschied von Ostpreußen. Doch die Menschen irrten. Für Hunderttausende war mit dem Verlassen der Heimat der Leidensweg noch nicht beendet. Auch im »Reich« gerieten sie in die erbarmungslose Mühle des Krieges, wurden von russischen Truppen gefasst oder starben in Lagern an Hunger und Typhus. Davon aber ahnten die Menschen nichts, als sich die Anker der Schiffe lichteten.

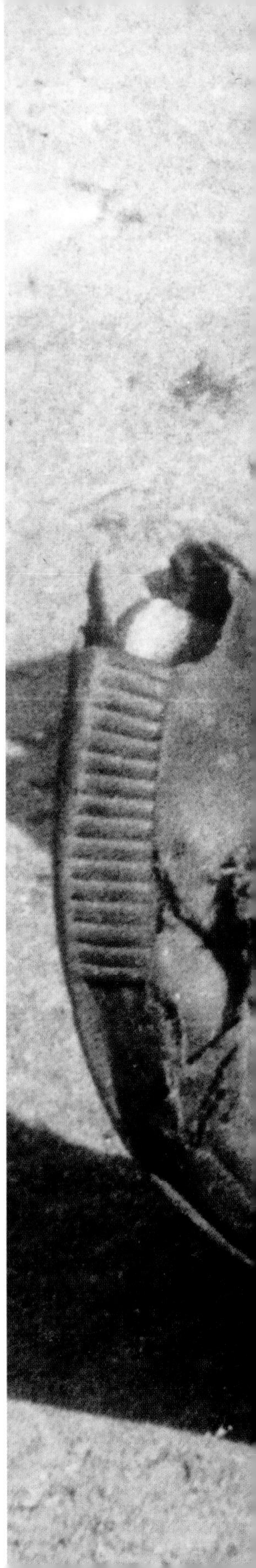

Oben auf dem Schiff, auf Deck, standen viele »Goldfasane«. So nannten wir immer die Politleute mit ihren braunen Mützen und den vielen Goldabzeichen. ... Ich weiß nicht, wie sie das mit ihrem Gewissen vereinbaren konnten. Waren sie doch diejenigen gewesen, die zum Ausharren aufgerufen hatten.

Walter Bremer, als Soldat 1945 in Ostpreußen verwundet

Wir haben anderen Schreckliches zugefügt im Krieg, aber wir haben auch gebüßt: Meist haben Unschuldige gebüßt für das, was andere anderen zugefügt hatten. Daher lasst uns nicht aufrechnen, lasst uns überwinden.

Erich Mende (†), Minister a.D., kämpfte als Offizier in Ostpreußen

»Wochenlang marschiert« – Schuhe, die diesen Namen kaum noch verdienen

Wilhelm Gustloff
Hamburg

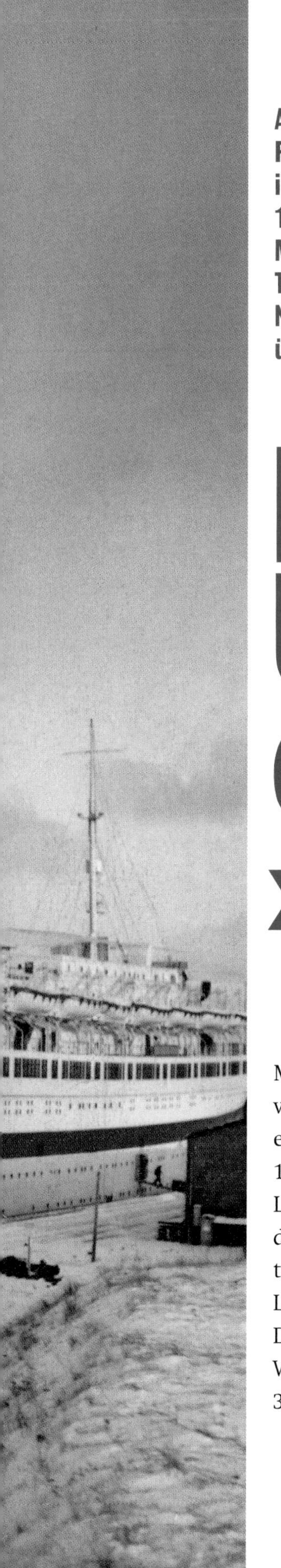

Am 30. Januar 1945 legt der Flüchtlingsdampfer »Wilhelm Gustloff« in Gdingen (Gotenhafen) ab – mit 10 000 statt der zugelassenen 2000 Menschen an Bord. Von sowjetischen Torpedos getroffen, sinkt das Schiff. Nur knapp über 1000 Flüchtlinge überleben.

Der Untergang der »Gustloff«

Manchmal sind es Tage, die das Schicksal von Menschen verändern, manchmal sind es Stunden. In der Nacht zum 31. Januar 1945 waren es wenige Momente, die über Leben und Tod entschieden. Heinz Schulz, damals 2. Offizier auf dem Dampfer »Göttingen«, hat in einem solchen Moment ein Leben gerettet.

Die »Göttingen« war auf dem Weg nach Westen. Zwei Tage zuvor hatte sie mit 3600 Verwundeten und Flüchtlingen an

»Sie war unsere einzige Chance, da raus zu kommen.«
Die »Wilhelm Gustloff« vor Gdingen (Gotenhafen)

Bord im Ostseehafen Pillau abgelegt. Vor der Halbinsel Hela, unweit der Hafenstadt Gotenhafen, hatte sie noch einmal Halt gemacht, um auf einen Geleitzug zu warten. Der Weg über die Ostsee war in diesen letzten Wochen des Zweiten Weltkriegs unsicher geworden.
Am 30. Januar gegen Abend ging die Fahrt weiter. Die Menschen an Bord freuten sich, den Schrecken der heranrückenden Front entronnen zu sein und anderentags ihren Zielhafen Swinemünde zu erreichen. Die »Göttingen« folgte ihrem Geleitfahrzeug, dem Minensucher »M 387«. Heinz Schulz erinnert sich, dass das Schiff vor ihm gegen zwei Uhr morgens plötzlich backbord beidrehte. Der 2. Offizier hatte die Order, sich dicht bei »M 387« zu halten, und lenkte das Ruder befehlsgemäß nach steuerbord. »Das Schiff befand sich mitten in der Drehbewegung und plötzlich waren da diese Menschen! Sie waren teilweise schon unter das Schiff geraten«, so Schulz. »Wir waren einfach in eine treibende Menschenmenge hineingefahren. Ohne jede Vorwarnung.« Friedrich Segelken, der Kapitän der »Göttingen«, bewahrte Ruhe. Was auch immer hier geschehen war, vielleicht konnten noch Menschen lebend geborgen werden. Eiligst ließ er Rettungsmannschaften zusammenstellen. Wenige Minuten später senkte sich das erste Boot über die Bordwand. Im zweiten Boot wurde auch Heinz Schulz zu Wasser gelassen. Der Besatzung bot sich ein schauerlicher Anblick. In gespenstischer Stille bahnte sich das Rettungsboot seinen Weg durch eine Vielzahl von Wrackteilen, Gepäckstücken, Schwimmwesten und Leichen. Heinz Schulz hat die Einzelheiten dieser Nacht noch genau in Erinnerung. »Wir näherten uns drei Flößen, die übereinander festgefroren waren. Menschen konnten wir darauf nicht entdecken.« Als das Boot wieder losfuhr, schlug einer der Riemen gegen den Floßstapel. Was dann geschah, hat der Seemann nie vergessen: »Plötzlich tauchte ein kleiner Kopf auf und eine Kinderstimme sagte: ›Onkel, nimm mich mit.‹ Das war der kleine Winfried Harthun.«
Als Winfried Harthun gerettet wurde, war er gerade sieben Jahre alt. Er stammte aus Gotenhafen an der Ostsee, einer Stadt in der Nähe von Danzig. In den ersten Tagen des Zweiten Weltkriegs, im September 1939, hatten deutsche Truppen die Stadt Gotenhafen, die damals noch Gdingen hieß, eingenommen. Sechs Jahre später – im Januar 1945 – sammelten sich hier er-

»Dann waren wir eingekesselt.« Deutsche Flüchtlinge in Danzig

neut Schiffe. Diesmal jedoch, um die deutsche Zivilbevölkerung und die geschlagenen Reste der einstigen Eroberungsarmee zurück nach Deutschland zu bringen. Eines dieser Schiffe war die »Wilhelm Gustloff«, deren letzte Fahrt als eine der größten Katastrophen in die Geschichte der Seefahrt einging.
Am 12. Januar, dem Neujahrstag des russischen Kalenders, ließ die sowjetische Winteroffensive das, was von der deutschen Ostfront noch übrig geblieben war, wie ein Kartenhaus zusammenbrechen. Die Keile der Roten Armee schoben ein Heer von Flüchtlingen vor sich her, dreieinhalb Millionen Menschen waren es Schätzungen der Wehrmacht zufolge bereits im Januar 1945. Völlig überstürzt hatten sie ihre Häuser und Höfe in

Ostpreußen oder im Memelland zurückgelassen und waren nach Westen geflohen. Im Gegensatz zu ihrem Kriegsherrn, der in seinem Bunker unter der Berliner Reichskanzlei noch immer an eine wundersame Wendung des Kriegsverlaufs glauben wollte, war den verantwortlichen Generälen der Ostfront längst klar, dass sie dem Ansturm der sowjetischen Armee nichts mehr entgegenzusetzen hatten. Sie konnten nicht einmal verhindern, dass die Zivilisten, die auf dem Landweg flüchteten, von den Truppen überrollt wurden. Instinktiv suchten die meisten Flüchtlinge aus Ost- und Westpreußen und bald auch aus Pommern den Weg zum offenen Meer. Die Überfahrt über die Ostsee schien sicherer und würde schlimmstenfalls einige Tage dauern, der Landweg dagegen Wochen. Hunderttausende strömten mit den letzten Zügen in die Danziger Bucht, auf Pferdekarren oder zu Fuß, alle in der Hoffnung, auf einem der hier anlandenden Schiffe eine Passage zu bekommen. Das Schicksal all dieser Menschen lag nun in den Händen der deutschen Marineleitung.

Damit begann die umfangreichste Seerettungsaktion der Geschichte, die bis heute als größte Heldentat der deutschen Kriegsmarine gilt. Auf Anweisung von Großadmiral Karl Dönitz und Konteradmiral Engelhardt, dem die Schifffahrt im Ostseeraum unterstand, wurde aller verfügbare Schiffsraum in die Danziger Bucht beordert: Handelsschiffe, Schulschiffe, Vorpostenboote, Minenräumer – alles, was schwimmen konnte, steuerte die Häfen rund um die Kurische und die Frische Nehrung an. Am 25. Januar 1945 verließen 22 000 Flüchtlinge mit dem ersten organisierten Schiffskonvoi das Hafenstädtchen Pillau. Drei Tage später stieß die Rote Armee in der Nähe der Kleinstadt Elbing zur Küste vor und schnitt damit alle Straßen und Zugverbindungen in den Westen ab. Ostpreußen war eingekesselt. Nur ein einziger Fluchtweg blieb übrig: der Weg über die Ostsee.

Als die Passagiere die »Gustloff« erreichten, waren sie völlig erschöpft. Sie waren zum Teil zwei oder mehr Wochen unterwegs in Eis und Schnee: graue, durchgefrorene Gestalten auf Schlitten, die gebeugt von ihrem Wagen stiegen und glücklich wirkten. Glücklich waren sie, da sie dachten, sie seien jetzt gerettet.

Inge Rothschild,
Marinehelferin

In Gotenhafen, das mit einer vierzehn Kilometer langen Pier über die größte Schiffsanlegestelle der Region verfügte, ballten sich in jenen Tagen tausende von Menschen. Über See erreichten kleinere Schiffe aus Pillau oder Memel die Gotenhafener Anlegestelle Oxhöft und spuckten weitere Massen aus, die hier auf eines der größeren Kriegs- oder Passagierschiffe verladen werden sollten. Ursula Resas, eine Marinehelferin, die von ihrer Einheit nach Gotenhafen kommandiert hatte, erreichte am 24. Januar nach abenteuerlicher Flucht über das zugefrorene Frische Haff die Stadt. Sie hat die Szenen, die sich in Gotenhafen abspielten, noch deutlich vor Augen. »Ich dachte erst, da lägen Bündel auf dem Boden, zugeschneite Gepäckbündel. Dann habe ich gesehen, dass das Menschen waren. Sie lagen einfach da und waren zum Teil mit Schnee bedeckt. Und immer plagte mich der Gedanke, meine Mutter und meine kleinen Geschwister könnten auch darunter sein.«

Ursula Resas' Familie war in den Wirren der Flucht auseinander gerissen worden. Ihre Schwester Rosemarie war wie sie Marinehelferin und ebenfalls nach Gotenhafen versetzt worden. Auch der Vater hielt sich in der Nähe auf. Doch wo der Rest der Familie abgeblieben war, wussten die Schwestern zu diesem Zeitpunkt nicht. Wenigstens hatten sie sich. In Gotenhafen jedoch würden sie sich nicht mehr lange aufhalten können. Der Januar 1945 war so außergewöhnlich kalt, dass das Thermometer teilweise bis unter zwanzig Grad minus sank. Trotz zahlreicher Notunterkünfte in Schulen, Kellern, Kinos oder Restaurants konnten viele Flüchtlinge nicht einmal einen warmen Schlafplatz finden. In den Hafenanlagen richtete man in Schuppen notdürftige Verpflegungsstationen ein. Waltraud Grüter, wie die Resas als Marinehelferin in Gotenhafen, erinnert sich: »Ich habe junge Mütter gesehen, die hatten ihre erfrorenen toten Kinder im Arm. Sie wollten sie nicht hergeben. Sie haben wohl gedacht, dieses Bündelchen würde noch leben. Man hat ihnen die Kinder einfach fortgenommen und an den Straßenrand gelegt.«

Meine Mutter hatte für uns auf der »Gustloff« gebucht. Obwohl wir dann doch noch einen Zug nach Westen bekommen haben, standen wir auf der Passagierliste. Mein Vater hat diese Liste nach dem Krieg eingesehen und musste davon ausgehen, dass wir mit der »Gustloff« untergegangen sind.

Uwe-Karsten Heye, heute Regierungssprecher, damals Flüchtling

Immer mehr Fuhrwerke, Schlitten und Gepäckwagen versperrten die Zufahrtswege zum Hafengelände. An der Pier gab es kaum noch ein Durchkommen. Die Kapitäne der Hafenstadt konnten nur zusehen – noch waren ihnen die Hände gebunden.

Am 21. Januar erließ das Oberkommando der Kriegsmarine unter Großadmiral Dönitz den Befehl, die in Gotenhafen stationierten U-Boot-Lehrdivisionen und Marinehelferinnen nach Westen zu verlegen. Dazu – so die lang erwartete Order – sollten die »nicht kampffähige Bevölkerung« aus dem Danziger Raum und die in Gotenhafen wartenden Flüchtlinge aufgenommen werden. Die Anweisung von Dönitz enthielt genaue Zahlen für den Abtransport. Demnach sollten die »Hansa« 3000, die »Hamburg« 5000, die »Deutschland« 6000 und die »Wilhelm Gustloff« ebenfalls 6000 Menschen aufnehmen. Dazu kamen noch einige kleinere Schiffe, doch alle zusammen würden sie wohl kaum mehr als 30 000 Menschen fassen können. Und bereits jetzt waren doppelt, vielleicht dreimal so viele Menschen in der Hafenstadt. Gleichzeitig mit dem Räumungsbefehl erging die Bestimmung, offizielle Fahrausweise in doppelter Ausführung zu vergeben. Eine Panik in der überfüllten Stadt sollte in jedem Fall verhindert werden. Wie ein Lauffeuer verbreitete sich in Gotenhafen die Nachricht, die Schiffe seien freigegeben. Auch die Wartenden wussten – es würde nicht für alle Platz sein.

An der Pier standen tausende von Flüchtlingen. Und es kamen immer mehr Schiffe an! Was fahrtüchtig war, brachte Flüchtlinge aus Pillau. Die Leute standen an der Pier und wollten alle auf die »Gustloff«.

Waltraud Grüter, Marinehelferin aus Memel

Winfried Harthun kann sich erinnern, dass seine ältere Schwester abends nach Hause kam und freudig berichtete, sie habe Fahrkarten für den Kreuzer »Admiral Hipper« ergattern können. Sie selbst und ihre kleine Tochter hatten die Erlaubnis, an Bord zu gehen, dazu hatte sie Passagen für ihre Mutter und die beiden kleinen Brüder bekommen. Vater Harthun bremste ihre Euphorie. Seine gesamte Familie auf einem Kriegsschiff – wie auf einem Präsentierteller für den Gegner – über die Ostsee zu schicken, erschien ihm viel zu riskant. Auf sein Drängen hin tauschte die Tochter die Karten um. In der örtlichen Kommandantur drückte man ihr neue Passagen in die Hand – auf den Passierscheinen stand der Name des Schiffs: Es war die »Wilhelm Gustloff«.

Unter den Schiffen, die an der Gotenhafener Pier lagen, war die »Wilhelm Gustloff« zweifellos das imposanteste. Auf 208,5 Metern Länge und 56 Metern Höhe vom Kiel bis zum Mast verteilten sich zehn Decks, zwei Promenadendecks und das Sonnendeck

»Die nicht kampffähige Bevölkerung ist zu evakuieren.«
Mutter und Kind bei der Einschiffung

mit eingerechnet. Allein die Schornsteinattrappe – eigentlich war die »Gustloff« ein Motorschiff – ragte dreizehn Meter in die Höhe.

1945 konnte das erst acht Jahre alte Schiff bereits auf eine bewegte Geschichte zurückblicken. Im Mai 1937 war die »Gustloff« vom Stapel gelaufen, als erster Neubau der »Kraft-durch-Freude«-Flotte, die in den Folgejahren tausende deutscher Urlauber an Mittelmeerstrände und nordische Fjorde transportierte. KDF-Chef Robert Ley hob anlässlich der Schiffstaufe zu einer flammenden Rede an: »Mein Führer«, schmetterte er Adolf Hitler und der versammelten Menge entgegen, »Sie führen unser Volk zum Schönen. Sie geben ihm einen neuen Lebensstil und eine innerliche und äußerliche Lebenshaltung, die auf das Schöne hinzielt. Sie geben unserem Volke schöne Autobahnen, große und schöne Bauten in Nürnberg, in München und bald auch hier in Hamburg. Wir wollen, dass jeder stark und gesund wird, denn dann wird Deutschland leben und ewig sein!« Die »Wilhelm Gustloff«, benannt nach einem 1936 ermordeten Schweizer Naziführer, sollte das »Traumschiff« der Arbeiter werden. Ein Schwimmbad, sieben Bars, Tanzräume, eine Bücherei, ein Wintergarten, ein Musiksaal, ein Rauchsalon, ein Bordkino – die »Gustloff« ließ es an nichts fehlen. Das Sonnendeck und die beiden Promenadendecks luden zum Ausblick auf die Wellen ein – das untere war bei kühleren Temperaturen besonders beliebt, da es auf 160 Metern rundum verglast war und so auch bei schlechtem Wetter genutzt werden konnte. Sämtliche Kabinen lagen an den Außenseiten und waren allesamt gleich ausgestattet, mit Ausnahme der größeren »Führerkabine« für Adolf Hitler, die dieser allerdings nie benutzte. Der Nationalsozialismus – so vermittelte es dieses Schiff – sei ein Sozialismus im besten Sinne. Der Propagandafilm »Schiff ohne Klassen«, in dem der »Arbeiter von der Werkbank« seinen Arbeitskollegen in der heimischen Fabrik über Telefon direkt vom Schiff aus von seinen Urlaubserlebnissen berichtete, warb um Reiselustige. Und solcher Luxus war erschwinglich, auch für den Normalbürger. Gerade fünfzig Reichsmark kostete eine fünftägige Tour nach Norwegen. Auch Hitlerjungen und

Die Ausmaße des Schiffs waren unglaublich. Ich war ein Vierteljahr zum Lehrgang auf der »Gustloff«, hatte aber immer noch nicht alles gesehen.

Nikolaus Höbel, Funkmaat auf der »Wilhelm Gustloff«

Mädchen vom »Bund Deutscher Mädel« konnten hier günstige Abenteuerferien erleben. Zur Ausstattung des Schiffs gehörte eine schwimmende Jugendherberge, in der auch die Jüngsten von den vermeintlichen Segnungen des Nationalsozialismus profitieren konnten. Beim Stapellauf und der Jungfernfahrt war die Presse geladen und berichtete pflichtgemäß von den Errungenschaften, die das neue Regime dem einfachen Volk zukommen ließ. Dass das Schiff auch anderen Zwecken zugeführt werden konnte, kam den Chefs der »KDF-Organisation« gelegen. So diente die »Gustloff« als schwimmendes Wahllokal, als Hitler beim so genannten »Anschluss Österreichs« auch die Zustimmung von den damals in England lebenden Deutschen und Österreichern einholen wollte. Wenig überraschend fiel das Wahlergebnis unter denen aus, die zur Stimmabgabe auf die in der Themsemündung ankernde »Wilhelm Gustloff« gekommen waren: 99 von 100 votierten für Hitler. Auch bei der »Heimholung« der Legion Condor, die Hitler zur Unterstützung Francos in den Spanischen Bürgerkrieg geschickt hatte, war die »Gustloff« dabei und transportierte die Soldaten zurück nach Hamburg.

Nach nur anderthalb Jahren beendete jedoch der Zweite Weltkrieg die Karriere der »Gustloff« als Erholungsschiff. Mit dem Überfall Deutschlands auf Polen im September 1939 wurde sie Lazarettschiff und versorgte die deutschen Truppen in Norwegen. Ein Jahr später legte sie an der Pier von Gotenhafen-Oxhöft an und beherbergte von dieser Zeit an als »schwimmende Kaserne« angehende U-Boot-Fahrer. Das Wohn- und Unterrichtsschiff der 2. U-Boot-Lehrdivision erhielt einen Tarnanstrich und hatte sich bis Januar 1945 kaum eine Seemeile bewegt.

Den Flüchtlingen war es egal, wo sie lagen, ob auf der Treppe oder in den Gängen. Die Hauptsache war, dass sie in Sicherheit waren. Jeder hat sich irgendwie gefreut auf die Fahrt über die See nach Westen.

Nikolaus Höbel,
Funkmaat auf der
»Wilhelm Gustloff«

Marinehelferin Waltraud Grüter war zunächst enttäuscht, als sie das Schiff im Frühjahr 1945 sah: »Ich hatte die ›Gustloff‹ als wunderschönen, weißen Dampfer in Erinnerung. Das ›Dritte Reich‹ hatte sich ja kräftig mit ihr gebrüstet. Und jetzt war sie ganz grau und unansehnlich.« Auch viele andere Flüchtlinge kannten das Schiff aus den Wochenschauen der NS-Propaganda und erinnerten sich an seine komfortable Ausstattung. Selbst wenn der Ozeanriese

seine besten Jahre hinter sich hatte – die »Gustloff« würde Sicherheit bieten. Was sollte einem so großen Schiff schon passieren können?
Die Verantwortlichen auf der »Gustloff« jedoch nahmen den Befehl zur Aufnahme einer so großen Passagierzahl mit gemischten Gefühlen entgegen. Das Schiff war lange nicht zur See gefahren, die Stammbesatzung stark reduziert worden. Die meisten ständigen Besatzungsmitglieder waren bereits über fünfzig Jahre alt, kaum einer verfügte über nennenswerte Erfahrungen auf See. Zudem hatte die »Gustloff« im Herbst 1943 einen Bombentreffer abbekommen, der Schaden war nur notdürftig repariert worden. Seine ursprüngliche Geschwindigkeit von 16 Seemeilen würde das Schiff nicht fahren können, so viel war sicher. Immerhin verfügte die »Gustloff« mit Friedrich Petersen über einen Kapitän, der den Ozeanriesen bereits im Mittelmeer geführt hatte und all seine Stärken und Schwächen kannte. In aller Eile wurde das Schiff wieder seetüchtig gemacht. Kabinen und sanitäre Einrichtungen gab es für allerhöchstens 2000 Passagiere. Doch die »Wilhelm Gustloff« würde erheblich mehr Menschen aufnehmen müssen.
Zu den Ersten, die die Order erhielten, mit der »Gustloff« nach Westen zu gehen, gehörten die Soldaten der 2. ULD, der in Gotenhafen stationierten U-Boot-Lehrdivision. Viele von ihnen waren bereits seit längerem in Gotenhafen, die Ausbilder hatten ihre Frauen und Kinder nachgeholt, schienen sie hier doch sicherer zu sein als im »Reich«, das täglich von alliierten Bombenangriffen heimgesucht wurde.
Die 2. ULD bildete vor allem für den neuen U-Boot-Typ XXI aus. Das neuartige Unterseeboot zählte zu Hitlers vermeintlichen »Wunderwaffen«, die gleichsam in letzter Minute eine Wende des Kriegsgeschehens erzwingen sollten. Jürgen Esselmann, Ausbilder der 2. ULD in Gotenhafen, erinnert sich, dass um das U-Boot XXI große Geheimhaltung betrieben wurde. »Nur die Offiziere durften in Danzig die Prototypen begutachten.« Tatsächlich war dieses Modell im Vergleich zu seinen Vorgängern erheblich verbessert worden. U-Boot XXI musste seltener auftauchen, da es mit einer Motorenentlüftung über der Wasseroberfläche ausgestattet und vor allem erheblich schneller war als seine Vorgängertypen. Die bundesdeutsche Marine nutzte dieses Modell in der Nachkriegszeit noch lange, im Zweiten

»Kämpfen für den ›Endsieg‹.« Durchhalteparolen in Danzig

Weltkrieg aber kam es nicht mehr zum Einsatz. Auch Jürgen Esselmanns Schützlinge zogen nicht mehr als U-Boot-Fahrer in den Krieg. Ganz im Gegenteil – immer häufiger waren die jungen Rekruten in den letzten Monaten zum Landeinsatz kommandiert worden, um Panzer- und Schützengräben rund um die Danziger Bucht auszuheben.

In eiligen Lehrgängen wurden auch die Marinehelferinnen der Region zu »Luftraumbeobachterinnen« umgeschult, denn in der Danziger Bucht hatten die Angriffe der Alliierten während der letzten Wochen erheblich zugenommen. Der 19-jährigen Ingeborg Dorn hatte ihre Mutter angeraten, sich doch zum Einsatz bei der Marine zu melden. »Da bist du wenigstens an der frischen Luft«, hatte sie ihrer Tochter gesagt. Zunächst war der Aufenthalt in der Danziger Bucht auch recht kurzweilig gewesen. »Sobald wir Freigang hatten, ging's ab nach Gotenhafen«, erinnert sich Ingeborg Dorn heute. Doch in den ersten Januarwochen hörte man bereits den Kanonendonner der Front. Ingeborg Dorn war wie ihre Kameradinnen erleichtert, als die Order zu ihrer Einschiffung auf der »Gustloff« kam. Immer öfter

hatten Flüchtlinge von Gräueltaten der vorwärts stürmenden Rotarmisten berichtet. Und wer kannte nicht den Namen »Nemmersdorf« und die schrecklichen Geschehnisse, die sich dort abgespielt hatten. »Wir dachten nur, Hauptsache, es geht nach Westen«, erinnert sich die Marinehelferin, »wir hofften natürlich, dass da die Amerikaner sein würden.«
Als Ursula Resas den Einschiffungsbefehl für die »Gustloff« erhielt, atmete sie auf. Ihre Schwester Rosemarie aber sträubte sich. Die Vorstellung, im Bauch dieses Ozeanriesen über die verminte Ostsee zu fahren, war ihr einfach unheimlich. Vater Resas musste erst ein Machtwort sprechen, dann gab seine Tochter schließlich nach. »Er hat auf sie beruhigend eingeredet«, erinnert sich Ursula, »und gesagt: ›Mutti und die kleinen Geschwister sind irgendwo unterwegs, bleibt wenigstens ihr beiden zusammen!‹« An diesen Satz ihres Vaters erinnerten sich die Schwestern wenige Tage später.
Wie Rosemarie Resas beschlich auch Helene Kremmer ein klammes Gefühl, als sie die »Gustloff« sah. Ihr Mann Franz gehörte zur 2. ULD und hatte die Erlaubnis bekommen, seine Frau an Bord zu holen. Sie allerdings hatte die Hoffnung noch nicht aufgegeben, vielleicht doch noch einen der letzten Züge nach Westen zu erwischen. »Ich habe meinen Rucksack gepackt und bin schnurstracks zum Bahnhof«, erzählt sie, »aber dann habe ich die überfüllten Züge gesehen, die toten Kinder und bin schleunigst wieder zurück.«
Auch Irmgard Harnecker drehte sofort wieder um, als sie am Bahnhof mitbekam, wie Leichen aus den Zügen herausgetragen wurden. Ihre Tochter Ingrid war erst zwei Jahre alt. So würde sie das Kind unmöglich nach Westen bringen können. Es gelang ihrem Mann, der in Gotenhafen auf einem Kriegsschiff stationiert war, für Frau, Kind und Schwägerin Passagen auf der »Gustloff« zu organisieren. »Wir haben den Kinderwagen geschnappt, das Kind reingelegt und alles, was wir so packen konnten, und haben das Wägelchen durch den hohen Schnee ans Schiff geschoben«, erinnert sich Irmgard Harnecker.
Am 25. Januar öffnete die »Gustloff« ihre Tore auch für die Flüchtlinge. Zunächst wurde vorgelassen, wer über einen ordentlichen Fahrschein verfügte. Doch die Matrosen und Marinehelferinnen brachten es kaum übers Herz, die durchgefrorenen Menschen zurückzuweisen, die ohne Ausweis um Aufnahme

baten. Die »Gustloff« hatte die Order, vor allem Mütter mit Kindern einzulassen, doch wo war da die Grenze? An der Pier standen auch Frauen mit vierzehn- oder fünfzehnjährigen Söhnen, manche sahen nach der strapaziösen Flucht älter aus, als sie eigentlich waren. Die Mütter versicherten verzweifelt, ihr Bub sei noch ein Kind, sie bräuchten ihn dringend bei der Betreuung der kleineren Geschwister. Ließen die Marinehelferinnen und Einschiffungsmatrosen die Halbwüchsigen auf das Schiff, riskierten sie Ärger mit den Feldjägern, die im überfüllten Gotenhafen nach jungen Männern für den »totalen Kriegseinsatz« suchten.

Langsam und systematisch füllte sich der Bauch des Schiffs mit Menschen. An der Pier stapelten sich die zurückbleibenden Schlitten und Gepäckstücke. Manch einer der wohlhabenderen Flüchtlinge musste mit mehr oder minder starkem Nachdruck davon überzeugt werden, dass für mehrere Taschen oder ausladende Schrankkoffer kein Platz war. Schon bald kam die Nachricht, dass die Kabinen besetzt waren. Doch immer weiter schoben sich die Menschen über das hölzerne Fallreep der »Gustloff«. Jeder Einzelne wurde namentlich registriert und mit der Frage konfrontiert, wer im Fall eines Unglücks benachrichtigt werden sollte. Viele konnten darauf bereits nicht mehr antworten. Angehörige und Freunde waren auf der Flucht oder an der Front vermisst. Immer wieder mussten die Flüchtlinge beiseite treten, wenn ein neuer Transport verwundeter Soldaten von der Front herangefahren wurde oder ein weiterer Zug Marinehelferinnen in die »Gustloff« hastete.

Da kamen Schlitten an, mit der Urgroßmutter, mit der Großmutter, mit neugeborenen Kindern. Die Kinder hatten tiefe Risse in ihren Bäckchen, die waren regelrecht vom Frost zerbissen. Die Menschen, die von den Schlitten stiegen, blickten stumpf und glücklich zugleich.

Ingeborg Dorn,
Marinehelferin auf der
»Wilhelm Gustloff«

Im Schiffsinneren begann die Mannschaft zu improvisieren. Aus der Musikhalle, dem Festsaal, dem Kino und dem Theater verschwand das Mobiliar und wurde durch Matratzen ersetzt. In der Nähe des Krankenreviers entstand eine Entbindungsstation für schwangere Flüchtlingsfrauen. Ingeborg Piepmeyer war bereits im neunten Monat, als sie auf der »Gustloff« um Aufnahme bat. Der Vater des Kindes, das sie erwartete, war an der Ostfront, für eine Hochzeit war keine Zeit mehr geblieben. Die Schwangere hatte mit wachsendem Entsetzen gesehen, wie

»Nur das nackte Leben.« Einschiffung im Januar 1945

sich Gotenhafen mehr und mehr füllte. Wer sollte ihr helfen, wenn das Kind zur Welt kommen würde? Als sie den Aufgang der »Gustloff« passiert hatte, war sie unendlich erleichtert. Hier gab es Ärzte und Schwestern und die improvisierte Wöchnerinnenstation hielt mehr Komfort bereit, als sie zu hoffen gewagt hatte. Am 28. Januar erreichte auch der KDF-Riese seine Kapazitätsgrenzen. Die letzte Kabine wurde besetzt – sie war für die Familie des örtlichen NSDAP-Kreisleiters frei gehalten worden. Jetzt mussten die Gänge herhalten, um den nicht enden wollenden Strom der Flüchtlinge aufzunehmen. Die Stammbesatzung beobachtete mit mulmigem Gefühl, wie ein Fluchtweg nach dem anderen mit Matratzen und Gepäckstücken zugepackt wurde. Sogar das Schwimmbassin funktionierte man zum Schlafsaal um. Hier, im tiefsten Deck des Schiffs, fanden Marinehelferinnen Quartier – einige Meter unter der Wasseroberfläche.

Noch immer galt es den Flüchtlingen Plätze zuzuweisen. Den meisten war es völlig egal, wo sie unterkamen. »Alle waren froh, auf dem Schiff aufgenommen worden zu sein, sie glaubten

einen sicheren Hort gefunden zu haben«, erinnern sich die Marinehelferinnen.
Die Mannschaft der »Gustloff« bemühte sich, den entkräfteten Menschen jede mögliche Hilfestellung an Bord zu geben. Die Schiffsküche produzierte gigantische Mengen Erbsensuppe, es wurden sechzig halbe Schweine, mehrere Tonnen Mehl, Zucker, Milchpulver, Kartoffeln und Brot verladen, die Marinehelferinnen nahmen sich der Kinder an. Einige der kleinen Passagiere hatten bei ihrer Entdeckungsreise auf dem überfüllten Schiff ihre Begleitperson verloren. Über die Lautsprecher tönten schon bald die ersten Suchmeldungen.
Der 1. Offizier der »Gustloff«, der schon 68-jährige Louis Reese, beobachtete die wachsende Passagierzahl mit zunehmender Besorgnis. Während der langen Liegezeit des Schiffs im Hafen hatten viele seiner motorisierten Rettungsboote abgegeben werden müssen, da man sie bei Luftangriffen als Basis für die Nebelwerfer benötigte. Gerade einmal zwölf Rettungsboote waren noch verblieben. Sie würden im Ernstfall höchstens 700 Menschen Platz bieten können. Nun aber drängten sich Tausende auf der »Gustloff«. Nur mit Mühe hatte Louis Reese noch Marinekutter und Korkflöße für etwa 5000 Mann auftreiben können. Die Boote wurden eiligst auf das Sonnendeck verladen und vertäut. Die Flöße, die im Notfall zwei bis zehn Personen Platz boten, stapelte man übereinander. Für die meisten Passagiere würde gesorgt sein, die anderen würden sich im Falle eines Unglücks mit Schwimmwesten behelfen müssen. Diese waren ausreichend vorhanden, zumindest für die offiziell registrierte Anzahl der Passagiere.
Selbst der Kapitän der »Gustloff«, der 63-jährige Friedrich Petersen, war nervös. Er war seit Jahren nicht zur See gefahren und traute sich die Überfahrt mit derart vielen Menschen an Bord einfach nicht mehr zu. Die Kommandantur zeigte Verständnis. Es wurden zwei junge Fahrkapitäne, Heinz Weller und Karl-Heinz Köhler, auf die »Gustloff« kommandiert. Petersens Hauptsorge galt nun der Organisation von Geleit. Da der großen Anzahl von Flüchtlingsschiffen auf hoher See ausreichender Schutz vor U-Booten geboten werden musste, waren nun für die »Gustloff« einfach zu wenig Geleitfahrzeuge vor Ort. Seit längerem hatte es allerdings keinen U-Boot-Alarm gegeben. Am 25. Januar traf zudem die Nachricht ein, dass die 1. ULD auf dem

Die Einschiffung war in den ersten Tagen unglaublich diszipliniert. Die Leute hatten ihren Gutschein und fühlten sich berechtigt, an Bord zu gehen. Sie hatten auch Geduld und warteten darauf, bis wir sie übernahmen. Am zweiten Tag jedoch war der Ansturm bereits groß: Es hatte sich in Gotenhafen herumgesprochen und es kamen nun alle, die vor den Russen Angst hatten. Wir haben die Menschen zunächst abgewiesen, doch sie wollten sich das nicht gefallen lassen. Sie haben gedrängt, Kinder wurden weggestoßen und die Einschiffung wurde geradezu brutal. Mütter haben dann nach ihren Kindern gesucht. Familien wurden getrennt.

Hans-Joachim Elbrecht,
Einschiffungsoffizier auf
der »Wilhelm Gustloff«

»Es würde nicht genug
Platz für alle sein.«
Ansturm auf die
Flüchtlingsschiffe

Schwesterschiff der »Gustloff«, der »Robert Ley«, sicher im Westen angelangt war.
Wie viele Passagiere würde die »Gustloff« aufnehmen? Die Nachricht von der Eroberung Elbings durch die Rote Armee am 23. Januar hatte sich schnell verbreitet. Damit trennten die Rote Armee nur noch wenige Kilometer von Gotenhafen. In wenigen Stunden könnte sie die Hafenstadt erreichen. Wer würde dann bereits auf dem Weg nach Westen, wer an der Pier zurückgeblieben sein? Das Drängen auf der Gangway nahm zu, keiner wollte, dass sich vor ihm die Schiffstür schloss.
Am Spätnachmittag des 29. Januar 1945 wurde die akribische Registrierung der Flüchtlinge eingestellt, die Kladden der Marinehelferinnen waren restlos voll geschrieben. Das saubere Abtippen der Listen unter Deck war längst eingestellt worden. Waldemar Terres, einer der Einschiffungsoffiziere der »Gustloff«, hat sich die Zahl genau gemerkt, die als Letztes auf der Registrierungsliste stand: 7956. So viele Flüchtlinge waren demnach bereits zwanzig Stunden vor dem Auslaufen der »Gustloff« an Bord. Marinehelferin Ingeborg Dorn schätzt, dass nach Ende der Registrierung noch etwa 2000 Menschen aufgenommen wurden. Zuzüglich der Mannschaft müssten damit zum Zeitpunkt des Ablegens über 10 000 Menschen an Bord der »Wilhelm Gustloff« gewesen sein.

Am 30. Januar beschloss man, keine Menschen mehr an Bord zu nehmen, und erklärte, dass das Schiff voll sei. Die Leute unten an der Pier waren wütend, weil sie zum Teil Angehörige an Bord hatten. Einige versuchten, noch heraufzukommen, wurden aber vom Deckoffizier abgewiesen.

**Nikolaus Höbel,
Funkmaat auf der
»Wilhelm Gustloff«**

Korvettenkapitän Wilhelm Zahn, der Transportleiter der 2. ULD, hatte zum Aufbruch gedrängt. Schließlich hatte er den Befehl, seine Männer in den Westen zu bringen, wo sie weiter ausgebildet oder aber noch im Kampf eingesetzt werden sollten. Er befürchtete zudem, dass die Ballung von Schiffsraum in Gotenhafen dem Gegner nicht verborgen geblieben war. Die Gefahr eines Luftangriffs auf den Hafen stieg mit jedem weiteren Tag. Am Abend des 29. Januar fiel dann die Entscheidung: Die »Gustloff« würde am Mittag des nächsten Tages auslaufen. Mit ihr würden der Dampfer »Hansa« und drei Geleitsicherungsboote der U-Boot-Waffe den Weg über die Ostsee nehmen.
Die Flüchtlinge an der Pier bemerkten, dass sich das Schiff langsam auf das Ablegen vorbereitete. Jetzt wurde es ernst. Am

30. Januar gegen Mittag zog die »Gustloff« die Verbindungstreppen zum Kai ein und schloss das Tor zum Einschiffungsdeck. Zurück blieb eine Pier, die noch immer schwarz von Menschen war. Alle, die an diesem Morgen an der Einschiffung beteiligt waren, erinnern sich genau daran, wie sie die Wartenden zurücklassen mussten. Man würde zurückkommen, es kämen weitere Schiffe, versicherte die Mannschaft. Ob das wirklich stimmte, wusste keiner. Aber irgendwie musste man die Menschen doch trösten. Für viele Flüchtlinge am Kai entschied sich in diesem Moment ihr Schicksal – zum Guten, doch das konnte niemand ahnen.

Helfer an Land schlugen die vereisten Trossen los, die den Ozeanriesen gehalten hatten. Vier Schlepper drehten das Schiff in Position und zogen es in Richtung offene See. Einige Flüchtlinge kamen noch einmal an Deck, um den Zurückbleibenden zuzuwinken. »In diesem Moment ist mir klar geworden, dass das wohl ein Abschied für immer sein würde«, erinnert sich Friedel Junkuhn, die mit ihrer Familie einige Tage zuvor aus Westpreußen geflohen war.

Wenige Minuten später hielten die Schlepper bereits wieder inne, die »Gustloff« wurde langsamer. Seitlich hatte ein kleines Motorschiff aus Pillau namens »Reval« angelegt, über und über beladen mit Flüchtlingen. Und wieder wurden Fallreepe heruntergelassen. Wie die Katzen krabbelten noch einmal mehrere hundert Menschen an Bord des ehemaligen Vergnügungsdampfers. Die damals vierzehnjährige Ursula Birkle war mit ihrer Mutter in Pillau gestrandet, und hatte nur mit größter Mühe eine Passage auf der »Reval« ergattern können. Sie erinnert sich: »Als wir auf Gotenhafen zusteuerten, sahen wir da die große ›Gustloff‹, die im Begriff war, auszulaufen. Wir wussten, es war unsere einzige Hoffnung, da noch draufzukommen. Direkt hinter uns wurden die Leitern eingezogen und die Fahrt ging los.«

Am 30. Januar ging es dann endlich los, nachdem wir tagelang auf die Abfahrt gewartet hatten. Wir waren in euphorischer Stimmung. Für uns war die »Gustloff« ein sicherer Hort.

Ursula Schulze, geborene Resas, Marinehelferin

Begleitet von schweren Schnee- und Hagelschauern glitt die »Wilhelm Gustloff« schließlich am 30. Januar gegen 13 Uhr aus dem Hafenbecken von Gotenhafen-Oxhöft und nahm Fahrt auf. Kapitän Friedrich Petersen wusste noch nicht, wohin es gehen

sollte. Erst auf See – so hatte man ihm gesagt – würde er sein Ziel erfahren: wahrscheinlich Kiel oder Flensburg. Zwei Tage, länger nicht, würde es dauern, bis seine Passagiere sicher im Westen angelangt seien.
Wenige Seemeilen weiter westlich versuchte zur gleichen Zeit ein anderer Kapitän seine Mannschaft bei Laune zu halten. »Wir durften weder rauchen noch auf die Toilette gehen. Zigaretten gab's nur, wenn das Boot auftauchte. Dann konnten wir auch über die Ventilation etwas frische Luft schnappen, das war's«, erinnert sich Elektriker Alexej Astachow. Sein Mannschaftskamerad, Funker Iwan Schnapzew, ergänzt: »Wir hatten unter Deck nie genug Luft. Wenn man ganz ruhig dalag und sich kaum bewegte, war es zu ertragen. Aber sobald man sich in der Koje wälzte, ging einem schon die Puste aus.« Beide gehörten zur Mannschaft von »S 13«, einem russischen U-Boot unter dem Kommando des 32-jährigen Kommandanten Alexander Marinesco. Fast zwanzig Tage waren sie nun schon unterwegs – ohne nennenswerte Ereignisse. Wäre es nach den Befehlen der sowjetischen Marineobrigkeit gegangen, hätte die Fahrt schon eine Woche länger angedauert. Am 2. Januar 1945 hatte »S 13« den Befehl erhalten, auszulaufen. Doch der Kommandant war nicht zum Dienst erschienen, sondern auf ausgedehnte Zechtour gegangen. Nur mit Mühe konnte ihn die Militärpolizei aufspüren, man verdächtigte ihn bereits der Spionage. Zurück an Bord drängte man Marinesco, sein Kommando niederzulegen. »Die Mannschaft war gegen seine Suspendierung«, erinnert sich Elektriker Astachow, der noch heute große Stücke auf seinen damaligen Chef hält. »Wir sagten, wenn der Kommandeur nicht mit auf See kommt, gehen wir auch nicht.« Nach längeren Debatten konnte das Boot am 11. Januar endlich auslaufen. Marinesco würde Erfolge aufweisen müssen, wollte er seinen angeschlagenen Ruf rehabilitieren. Einen Tag vor dem Beginn der russischen Winteroffensive reihte sich »S 13« wieder in die aktive Truppe ein. Es war zu erwarten, dass der deutsche Schiffsverkehr in Richtung Westen in den nächsten Tagen stark zunehmen würde. Ungefährlich war die Mission nicht. Die Konvois aus der Danziger Bucht verfügten über massives Geleit, das Gewässer war flach und zudem stark vermint. Während die Rote Armee durch Ostpreußen vorwärts stürmte, wartete »S 13« auf die erste Feindberührung. Bis zum 30. Januar 1945.

Für Waltraud Grüter war dieser 30. Januar ein ganz besonderer Tag. Die Marinehelferin feierte ihren 21. Geburtstag. Am Morgen hatte sie einen befreundeten Fähnrich auf dem Gang getroffen. Der junge Mann hatte am Tag zuvor großzügig seine Kabine für Waltraud und eine ihrer Marinekameradinnen zur Verfügung gestellt. »Na, dann wirst du ja heute volljährig«, sagte er jetzt augenzwinkernd, »das müssen wir auf jeden Fall feiern.« »Der Tag versprach schön zu werden und ich war sehr gespannt auf den Abend«, erinnert sich Waltraud Grüter heute schmunzelnd. Zunächst einmal aber hatten die Marinehelferinnen alle Hände voll zu tun. Außerhalb des Hafenbeckens war die »Gustloff« von hohem Seegang empfangen worden. Viele seekranke Passagiere brauchten Hilfe. Im peitschenden Schneesturm fiel das Thermometer immer weiter und zeigte bereits am Nachmittag erhebliche Minusgrade. Das Oberdeck der »Gustloff« war schon bald von einer dicken Eisschicht überzogen. Das schlechte Wetter machte vor allem dem Geleit zu schaffen, die kleinen Schiffe konnten bei diesem Wellengang einfach nicht mithalten. Bereits nach halbstündiger Fahrt musste Korvettenkapitän Zahn nach Gotenhafen melden, er habe die Torpedoboote zurückgeschickt und erbitte neues Geleit. Als die »Gustloff« wenig später die Halbinsel Hela passierte, wartete hier schon die »Hansa«, die als Weggefährtin für die Überfahrt vorgesehen war. Das Schiff machte keine Fahrt, wie die Männer auf der Brücke der »Gustloff« überrascht feststellten. Bald kam dann der Funkspruch, den sie befürchtet hatten. »Hansa manövrierunfähig – Maschinenschaden«, kabelte das unweit liegen gebliebene Schiff. Die Führung der »Gustloff« musste eine Entscheidung treffen. Sollte man auf neues Geleit warten und riskieren, dass auf dem überfüllten Schiff Unruhe ausbrach oder der liegende Riese aus der Luft angegriffen würde? Zu allem Überfluss meldete »TF 1«, das die Gotenhafener Schiffsleitung als Ersatz für die ausgefallenen Torpedoboote geschickt hatte, dass es ebenfalls wegen eines technischen Schadens nicht einsatzbereit sei. Die Kapitäne entschlossen sich dennoch weiterzufahren. Als einziges Schiff begleitete sie das kleine Torpedoboot »Löwe«, das sich vor dem Bug der »Gustloff«

Marinesco war ein besonderer Mensch. Er war für uns wie ein Vater. Wenn er etwas versprochen hatte, dann tat er alles, um das zu erreichen, worum man ihn gebeten hatte. Er war für seine Mannschaft immer da und die Mannschaft stand auch hinter ihm.

**Alexej Astachow,
Mannschaft des U-Boots
»S 13«**

seinen Weg durch die Wellen bahnte. »Ein Hund führt einen Riesen durch die Nacht«, kommentierte Kapitän Petersen sarkastisch.

Maschinenmaat Heinz-Günther Bertram trat gegen 19 Uhr seinen Dienst auf der Brücke an. Als er um 13 Uhr seine letzte Schicht beendet hatte, hatte der Kommandostand noch gesummt wie ein Bienenstock. Nun aber war die Atmosphäre ganz anders. »Die Offiziere waren alle versammelt und es wurde leise gesprochen. Es war richtig gespenstisch«, so Bertram, »alles war abgedunkelt, nirgends war ein Licht. Selbst das Rauchen an Oberdeck war verboten.« Nichts ließ darauf schließen, dass es auf der Brücke in den letzten Stunden erhebliche Auseinandersetzungen unter den Kapitänen gegeben hatte. Die Kommandostruktur war nicht ausreichend geklärt worden, bevor man den Hafen verlassen hatte. Kapitän Petersen war ein Handelsschiffskapitän. Die auf der »Gustloff« stationierte 2. U-Boot-Lehrdivision aber unterstand Korvettenkapitän Zahn, hinzu kamen noch die beiden Fahrkapitäne. Wer befahl hier wem? Eine schwierige Situation, in der wichtige Entscheidungen getroffen werden mussten. Wie schnell sollte das Schiff laufen? Petersen und der 1. Offizier Reese, die den technischen Zustand der »Gustloff« am besten kannten, wollten ihr nur zwölf Seemeilen zumuten. Kapitän Zahn war das zu wenig. Als U-Boot-Fahrer wusste er, dass mindestens fünfzehn Seemeilen vonnöten waren, um einem gegnerischen U-Boot-Angriff zu entkommen. Doch Petersen blieb hart: Die »Gustloff« würde nicht schneller laufen. Noch erregter verlief die Auseinandersetzung um den einzuschlagenden Fahrweg. Kapitän Petersen plädierte für »Zwangsweg 58«, eine uferferne, aber minengeräumte Strecke. Je weiter vom Land entfernt, umso besser, glaubte der Kapitän, der die größte Gefahr für die »Gustloff« in den russischen Geschützen an der Küste vermutete. Der 1. Offizier Reese aber warnte und trat mit Nachdruck für den Küstenweg ein. Mit ihrem vergleichsweise geringen Tiefgang würde die »Gustloff« auch in Küstennähe unversehrt ihren Weg finden. Im Falle eines Unglücks könnte man die Passagiere dort

Unter Deck herrschte ein furchtbarer Gestank. Durch den beginnenden Seegang wurden viele seekrank. Überall waren die Türen zu den Kabinen offen, in denen Mütter stillten und die Kinder wickelten. Während der Fahrt haben wir gesehen, dass sich Leute auf die Tische und Stühle gestellt haben, um ein bisschen frische Luft zu schnappen.

Hans-Joachim Elbrecht,
Einschiffungsoffizier auf
der »Wilhelm Gustloff«

sicher an Land bringen. Doch er konnte sich nicht durchsetzen, die Entscheidung fiel schließlich für »Zwangsweg 58«.
In die ohnehin schon gespannte Stimmung platzte gegen 18 Uhr die Nachricht eines Funkmaats, der meldete, ein Minensuchverband käme der »Gustloff« direkt entgegen, es bestünde die akute Gefahr einer Kollision. Nach hitzigen Debatten entschied sich die Schiffsführung für das Setzen von Positionslichtern, um in der Dunkelheit nicht von den Minensuchern gerammt zu werden. Heinz Schön, Zahlmeisteraspirant auf der »Wilhelm Gustloff«, hat sein gesamtes Leben lang die Geschichte des Schiffs recherchiert und alle Dokumente und Aussagen zusammengetragen. Ihn macht bis heute stutzig, dass angeblich keiner der Funker von »Gustloff« oder »Löwe« einen solchen Funkspruch entgegengenommen habe. Tatsächlich ist der gemeldete Minensuchverband der »Gustloff« in dieser Nacht auch nie begegnet. Woher die Nachricht von der Kollisionsgefahr aber kam, konnte bis heute nicht geklärt werden. War es Sabotage oder ein schlichtes Missverständnis? Heinz Schön ist sich sicher: Die Positionslichter waren das entscheidende Glied in der Kette, das zur Tragödie der »Wilhelm Gustloff« führte.
Als die Lichter auf der »Gustloff« angingen, glaubte Dr. Ralph Wendt, der sich gerade an Oberdeck aufhielt, seinen Augen nicht zu trauen. Der junge Mann war als Stabsarzt auf die »Gustloff« kommandiert worden. »Bettnässer« waren die Kapitäne der »Gustloff« in seinen Augen. »Unmöglich, im Feindgebiet mit gesetzten Positionslaternen zu fahren. Für mich als Schnellbootfahrer war das ein Ding der Unmöglichkeit.« Inzwischen war die Nacht über die »Wilhelm Gustloff« hereingebrochen, das eisige Schneetreiben ließ nach. Als es ein wenig aufklarte, konnte die Brückenbesatzung einige hundert Meter weit sehen – und gesehen werden.
Auf »S 13« schlug der Ausguck gegen 19 Uhr Alarm. Da war etwas, ein Schiff oder ein Verband von Schiffen, auf jeden Fall sähe er Lichter, die nicht zur Küste gehörten. Kapitän Marinesco versetzte die Funkstation in Alarmbereitschaft. Der Funker Ivan Schnabzew erinnert sich: »Ich konnte das Rotieren zweier Schiffsschrauben hören. Das Schiff vor uns musste also sehr groß sein.« Die Männer von »S 13« waren wie elektrisiert. War das die Chance, auf die sie gewartet hatten? Alexej Astachow berichtet: »Marinesco ist durch das Boot geeilt und hat gesagt: ›Wir

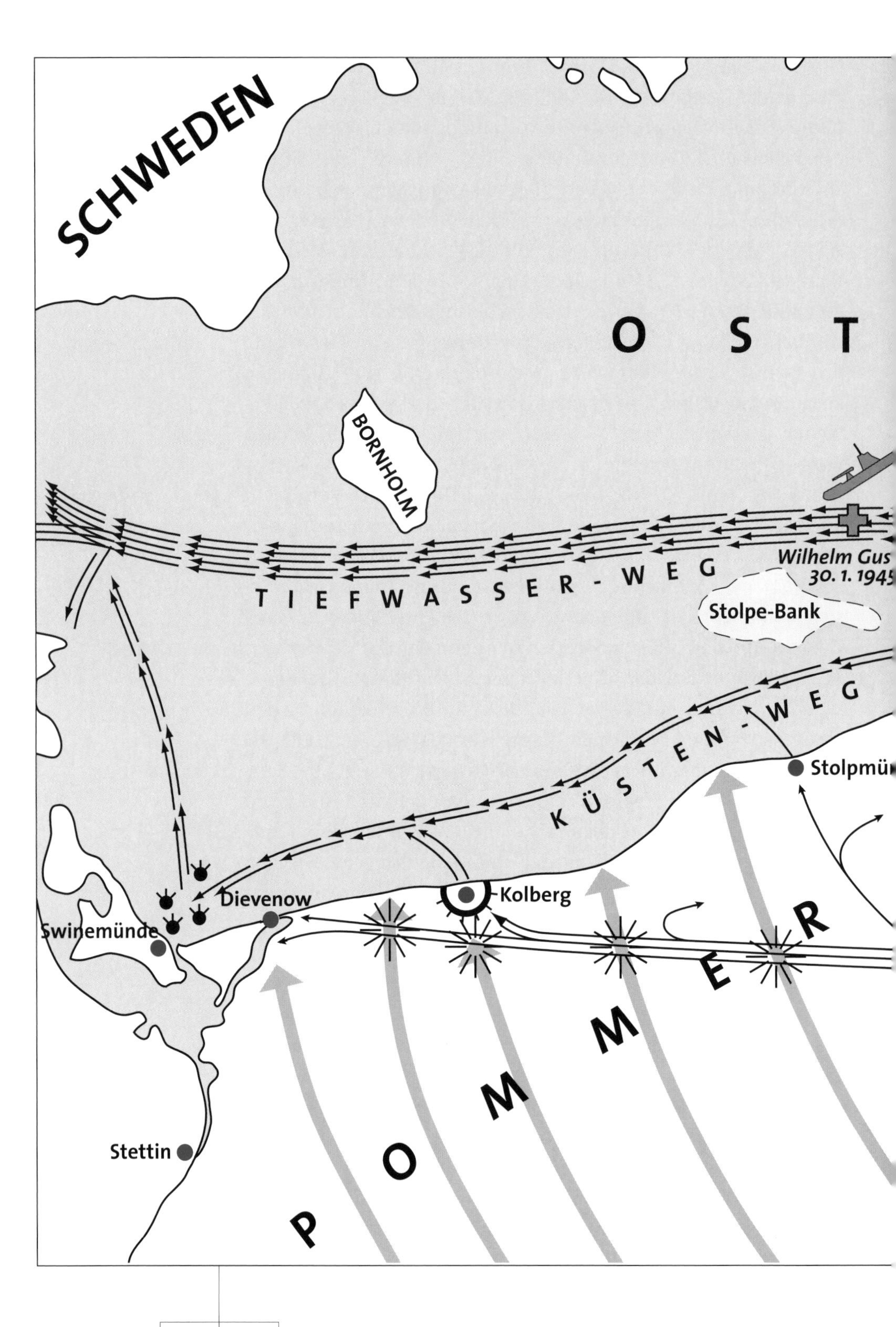
SCHWEDEN
O S T
BORNHOLM
Wilhelm Gus
30. 1. 1945
TIEFWASSER-WEG
Stolpe-Bank
KÜSTEN-WEG
Stolpmü
Dievenow
Kolberg
Swinemünde
Stettin
POMMER

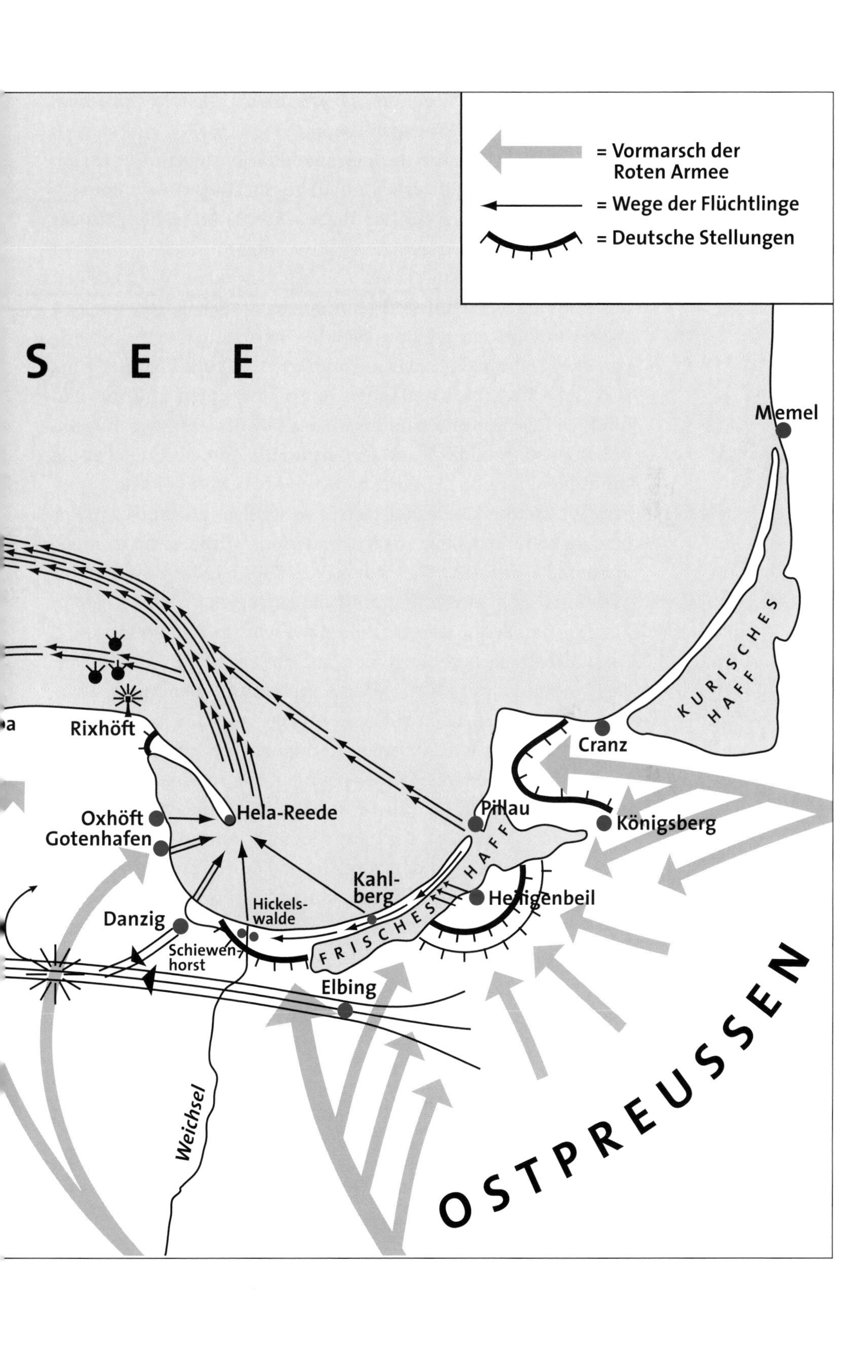
= Vormarsch der Roten Armee
= Wege der Flüchtlinge
= Deutsche Stellungen
S E E
Memel
KURISCHES HAFF
Cranz
Rixhöft
Pillau
Königsberg
Oxhöft
Hela-Reede
Gotenhafen
Kahl-
berg
FRISCHES HAFF
Heiligenbeil
Hickels-
walde
Danzig
Schiewen-
horst
Elbing
Weichsel
OSTPREUSSEN

gehen in die Offensive, aber ich kann euch nicht versprechen, dass wir hier lebend rauskommen.‹«

»S 13« lief über Wasser, der Kommandant hatte den Gedanken, abzutauchen, schnell verworfen, denn nur über Wasser bot sich die Chance, den Bug des feindlichen Schiffs zu treffen. Zudem ließen die gesetzten Positionslichter nicht unbedingt darauf schließen, dass an Bord dieses Schiffs besondere Wachsamkeit herrschte. Er entschloss sich, in einem großen Bogen um den Riesen und seinen kleinen Begleiter herumzulenken und sich von der Landseite zu nähern. Von hier – so kombinierte er ganz richtig – würde niemand einen Angriff vermuten und vor dem dunklen Küstenhintergrund wäre das U-Boot so gut wie unsichtbar. Dennoch war das Manöver riskant. Die Annäherung über die Landseite würde »S 13« noch näher an die verminte Küste heranbringen, wo die Meerestiefe teilweise weniger als dreißig Meter betrug. Sollte das Boot entdeckt werden, würde es nicht mehr abtauchen können. Der russische Kommandant Alexander Marinesco entschied sich, das Risiko einzugehen.

Zur gleichen Zeit wurde es an Bord der »Gustloff« langsam ruhig. Die Flüchtlinge bereiteten sich auf die Nacht vor. Die letzten Tage waren geprägt von nervöser Hektik und der Angst, abgewiesen oder doch noch vor dem Ablegen von der Roten Armee eingeholt zu werden. Manche unterhielten sich leise und tauschten Informationen aus: Woher kommen Sie, wohin soll der Weg gehen? Erst wenige Tage zuvor war den Flüchtlingen auf brutale Weise klar geworden, dass sie plötzlich mitten im Kriegsgeschehen waren, das in den vergangenen Jahren so weit entfernt zu sein schien. »In der Danziger Bucht war doch auch während des Krieges immer tiefster Friede gewesen«, erinnert sich Irmgard Harnecker. Nun wussten viele der »Gustloff«-Passagiere nicht mehr, was aus ihrem Zuhause geworden war. Flüchtlingsmädchen Friedel Junkuhn hatte noch auf dem Weg nach Gotenhafen geglaubt, wenige Tage später wieder in ihren Heimatort zurückkehren zu können: »Wir dachten, das sei wie in diesen Filmen mit dem alten Fritz oder der Schlacht von Leuthen, die wir immer zu sehen bekamen. Da wurde der Feind zurückgeschlagen und die Leute konnten wieder zurückgehen.«

Jetzt – auf hoher See – erkannte nicht nur Friedel Junkuhn, dass das wohl eine Illusion gewesen war. Und doch war da diese große Erleichterung, dem Schrecken der heranrückenden Front ent-

ronnen zu sein und nicht zu denen zu gehören, die noch immer in der Kälte an der Gotenhafener Pier standen.
In einem der Säle knisterte ein Volksempfänger. »Heute vor zwölf Jahren, am 30. Januar 1933, hat mir die Vorsehung das Schicksal des deutschen Volkes in die Hand gelegt«, rauschte es aus dem Äther. »Hitlers Stimme klang seltsam dumpf, wie aus einer Geisterwelt«, erinnert sich Obersteuermann Rudolf Geiss, »die hörte sich nicht mehr so an, wie wir sie kannten.« Knapp einen Monat zuvor, am Neujahrstag, hatte sich der seit dem 20. Juli 1944 wie vom Erdboden verschluckte Hitler erstmals wieder öffentlich gemeldet, um das Volk zum letzten Mal für sein Hirngespinst vom »Endsieg« zu mobilisieren. An Bord der »Gustloff« nahmen nur noch wenige die Phrasen wahr, die man schon seit zwölf Jahren zu hören bekam. »Uns hat das nicht mehr berührt«, so Rudolf Geiss.

Ich erwarte von jedem Deutschen, dass er deshalb seine Pflicht bis zum Äußersten erfüllt, dass er jedes Opfer, das von ihm gefordert wird und werden muss, auf sich nimmt.

Rundfunkansprache Hitlers, 30. Januar 1945

Die Marinehelferinnen konnten jetzt ein bisschen verschnaufen. Die Passagiere hatten ihren Platz, die Schwimmwesten waren verteilt. Waltraud Grüter legte sich kurz hin, schließlich war sie später noch verabredet. Der Fähnrich hatte versprochen, Sekt für den Abend zu organisieren, und auch ihre Kabinennachbarin zum Geburtstagsfest eingeladen. Es versprach ein unterhaltsamer Abend zu werden.
Auf der Entbindungsstation lag Ingeborg Piepmeyer erschöpft in ihrer Koje. Kaum zwanzig Stunden zuvor hatte sie einen Jungen entbunden, der nun friedlich neben ihr schlief. Die Geburt war unproblematisch verlaufen und Ingeborg hatte sich entschlossen, dem Kleinen den Namen Egbert zu geben. Seit der Einschiffung waren drei weitere Babys auf der »Gustloff« zur Welt gekommen.
Marinehelferin Ingeborg Dorn machte sich auf der Entbindungsstation nützlich. Sie fand es dort recht spannend, schließlich hatte sie noch nie bei einer Geburt zugeschaut. Eine weitere Frau lag bereits in den Wehen. Gemeinsam mit Dr. Helmut Richter, dem verantwortlichen Arzt der Station, bereitete sie sich vor, jeden Moment das Baby begrüßen zu können. Stabsarzt Ralph Wendt war ebenfalls auf die Entbindungsstation beordert worden. Er hatte noch nicht sonderlich viel Erfahrung in Sachen Geburtshilfe, aber danach hatte ihn niemand gefragt.

Die Fahrt nach Pillau erschien mir endlos. Im Zug war es eiskalt. Draußen schneite es ununterbrochen. Und in Pillau erwartete uns ein überfülltes Flüchtlingslager.

Ursula Birkle,
Flüchtling

»Der kälteste Winter seit Jahrzehnten.«
Der Hafen von Pillau im Januar 1945

Auch Winfried Harthuns Mutter entspannte sich ein wenig. Sie hatte die Familie zusammenhalten können. Die Tochter war in einer Kabine untergekommen, sie selbst hatte sich mit der kleinen Enkelin und den beiden Söhnen auf einem Matratzenlager in einem der großen Säle eingerichtet. Dem älteren Sohn war übel, er war zum ersten Mal auf See. Der kleine Winfried war erschöpft nach den Aufregungen des Tages. Er hatte ausgiebig das Schiff erkundet. Jetzt beschwerte er sich nicht, als ihn seine Mutter früh schlafen legte.

Gegen 20.45 Uhr hatte »S 13« sein Umkreisungsmanöver abgeschlossen. Das Boot lief nun auf Parallelkurs zwischen der »Gustloff« und der Küste, etwa 2000 Meter vom Schiff entfernt. Alexander Marinesco wies seine Mannschaft an, die vier Torpedos klarzumachen. Gegen 21.05 Uhr näherte sich das U-Boot seinem Zielobjekt bis auf etwa 700 Meter. 55.07 Grad Nord, 71.41 Grad Ost trug Marinesco einen Tag später ins Logbuch ein. Dann lief der Bug des Zielobjekts in das Fadenkreuz des Periskops. Es war 21.15 Uhr, als ein ohrenbetäubender Knall die »Wilhelm Gustloff« erbeben ließ. Bevor die Passagiere realisierten, was geschehen war, erfolgte eine zweite Explosion, dann die dritte.

Jeder der Überlebenden der Gustloff erinnert sich noch heute genau, wie er diesen Moment erlebte. Obermaschinist Johann Smrczek hatte gerade seinen Dienst im Maschinenraum angetreten. Die Erschütterung der ersten Detonation warf ihn fast zu Boden. Automatisch fiel sein Blick auf das Pendel, das die Lage des Schiffs anzeigte: Es war mit einem Schlag auf acht Grad geschnellt. Dann kam auch schon das Kommando von der Brücke: »Maschine Stop!« Noch bevor er den Befehl bestätigen konnte, fiel mit dem zweiten Treffer das Licht aus. Smrczek gehörte zur Stammbesatzung der »Gustloff«. Seine Aufgabe war es, im Katastrophenfall das Notstromaggregat auf dem Oberdeck anzuwerfen. Die dritte Detonation hörte er noch lauter als die ersten beiden. Danach war Stille. Atemlos lauschte der Maschinist. Er wusste, dass es sich bei drei so dicht hintereinander liegenden Explo-

Da kam der erste Torpedo. Ich hatte den Türgriff in der Hand, doch die Tür ging nicht auf. Wir hatten ja sofort Schlagseite. Dann kam der zweite Torpedo und die Klinke sprang aus der Tür. Beim dritten Torpedo sprang die Tür von allein auf. Vor der Tür lag ein Skelett aus einem Glaskasten der Medizinischen Schule, das umgekippt war. Da habe ich mir gedacht: »Inge, jetzt steigst du über den Tod.« Das hat mir geholfen, die ganze Zeit. Ich habe mir gesagt: »Ich schaffe es!«

Inge Rothschild,
Marinehelferin

sionen nur um einen Torpedofächer handeln konnte – und der bestand in der Regel aus vier Torpedos.

Ursula Resas befand sich im Unterdeck, wo sie mit ihrer Schwester einen Platz im Vorführraum neben dem Kino gefunden hatte. Sie kümmerte sich um ihre Schwester Rosemarie, die seekrank auf ihrer Pritsche lag. »Mit der Detonation fiel der Feuerlöscher von der Wand, Rosemarie hatte den ganzen Schaum im Gesicht. Ich wischte ihr den Schaum weg und sagte noch, wir sind bestimmt auf eine Mine gelaufen, dann kam auch schon die zweite Detonation.«

Ihre Marinekameradinnen im Schwimmbad des E-Decks waren zu diesem Zeitpunkt bereits rettungslos verloren. Der erste Treffer war im Vorschiff eingeschlagen und hatte den Wohntrakt der Stammbesatzung getroffen. Der zweite detonierte knapp unterhalb des Schwimmbeckens: das Todesurteil für die dort untergebrachten Mädchen. Der dritte Treffer lag mittschiffs, in der Nähe des Maschinenraums, und riss die Bordwand bis zur Reling auf. Tonnenweise drangen die Wassermassen in die Öffnungen des Schiffs ein und schossen mit ungeheurer Wucht in die höher gelegenen Decks hinauf. Binnen weniger Minuten senkte sich das Vorschiff um mehrere Meter ab. Als die Kapitäne auf die Brücke gestürzt kamen, versank der vordere Bereich des Schiffs bereits unter den heranrollenden Brechern.

Als ich in den Speiseraum gelangte, war der an Backbord schon ungefähr zwei Meter hoch voll Wasser. Alle Leute sind auf die Wasserseite gerutscht. Das Schiff war schon so schräg, dass sich die Tische und Bänke selbständig machten und auf die Menschen da unten prallten. Es war ein unheimliches Geschrei. Ich habe mir das nicht lange angesehen. Helfen konnte man nicht mehr.

Johann Smrczek,
Obermaschinist auf der
»Wilhelm Gustloff«

Den kleinen Winfried Harthun hatte der erste Treffer aus dem Schlaf gerissen. Bevor er richtig zu sich kommen konnte, zog ihn seine Mutter von der Koje hoch. »Sie hat mir einen Schultornister aufgesetzt«, erinnert er sich, »da hinein packte sie das Silberbesteck.« Als die Harthuns auf den Gang eilten, herrschte hier bereits heilloses Chaos. Aus den Kabinen rannten notdürftig bekleidete Menschen, die meisten von ihnen noch mit schlaftrunkenen Gesichtern.

Irmgard Harnecker hatte die kleine Tochter gegriffen, ihre Schwester riss die Tasche mit den wenigen Habseligkeiten hoch. Noch hatten die Schwestern den Ernst der Lage nicht erkannt. »Als wir auf den Gang traten, haben wir gedacht, warum schrei-

Überall waren offene Koffer, Taschen flogen herum, Kinder waren da, Kinder wurden platt getreten. Ich sah ein Baby in einem Korbwagen, es blutete und regte sich nicht mehr. Die Leute sind einfach darübergestiegen. Wer da hinfiel, der kam nicht mehr auf die Füße, der war verloren.

Heinz-Günther Bertram, 2. U-Boot-Lehrdivision auf der »Wilhelm Gustloff«

en die denn alle so«, erinnert sich Irmgard Harnecker, »wir haben doch nicht geglaubt, dass wir untergehen.«
Auf der kleinen Entbindungsstation musste Dr. Ralph Wendt die Nerven behalten. Schließlich lag eine seiner Patientinnen in den Wehen. Was sollte er mit der Frau tun? Ingeborg Dorn berichtet: »Wir hatten den Arzt gerade gerufen, weil wir dachten, das Köpfchen des Babys würde gleich kommen.« »Die Frau ist eigentlich ganz ruhig geblieben«, berichtet Dr. Wendt heute. »Glücklicherweise hatten die Wehen durch den Schrecken gleich wieder ausgesetzt.« Er packte die Frau in warme Kleidung und half ihr auf den Gang, in der Hoffnung, einen Platz in einem Rettungsboot zu finden.
Ingeborg Piepmeyer war bereits wieder ein wenig bei Kräften. Auch sie bewahrte einen klaren Kopf. »Ich kann mich erinnern,

»Kapitän auf Bewährung« – Kommandant Alexander Marinesco

»Wir gehen auf Angriff.« Das sowjetische U-Boot »S 13«

dass ich Egbert ein grünes Mützchen und ein grünes Jäckchen angezogen hatte.« Sie packte den Kleinen in ein Kopfkissen und folgte den anderen Patientinnen. Das Laufen fiel ihr so kurz nach der Entbindung noch schwer, doch irgendwie schaffte sie es, sich den Gang hinaufzuziehen und das Oberdeck zu erreichen. Sie solle über eine Strickleiter in ein Rettungsboot klettern, wies man die junge Mutter an. Doch um sich festzuhalten, brauchte sie beide Hände. Als sie sich Hilfe suchend umblickte, sagte ein Matrose beruhigend, sie solle ihm den Säugling geben, er würde ihn gleich herunterreichen. Kaum war Ingeborg Piepmeyer im Boot angekommen, legte es ab – ohne den Jungen.

Während die Evakuierung der Entbindungsstation relativ geordnet verlief, war in den tiefer gelegenen Decks die Hölle los. In panischer Furcht versuchten die Passagiere einen Weg zum Oberdeck zu finden. Bereits nach wenigen Minuten waren die engen Schiffsflure hoffnungs-

Als wir die »Wilhelm Gustloff« versenkten, ging Marinesco durch das Boot und machte allen Mut, weil die Atmosphäre so geladen war. ... Wir befanden uns in einer Tiefe von dreißig bis vierzig Metern, über uns Zerstörer und sehr viele Deutsche, die auf der Wasseroberfläche waren. Vielleicht hat uns das gerettet, dass die Deutschen diese Stelle nicht so bombardieren konnten, um ihre Kameraden nicht zu töten. Wir haben die Zeit genutzt um wegzukommen.

Alexej Astachow,
Mannschaft des U-Boots »S 13«

»Hauptsache, es ging nach Westen.« Flüchtlinge nach ihrer Ankunft in Dänemark

los verstopft. Auch Ursula Resas war mit ihrer Schwester auf den Gang gestürzt. Sie ist noch heute erschüttert, wenn sie an die Szenen denkt, die sich dort vor ihren Augen abspielten. »Tiere in Not sind schlimm, aber Menschen in einer solchen Situation sind schlimmer als Tiere. Es hieß nur noch: ›Rette sich, wer kann.‹«

Den meisten Soldaten gelang es, Ruhe zu bewahren. Viele von ihnen waren erfahrene Seemänner. Nach Monaten an Bord kannten die Männer der 2. U-Boot-Lehrdivision das Schiff und seine Wege in- und auswendig. Jürgen Esselmann lief nach den Detonationen sogar noch einmal in seine Kabine, um einige Habseligkeiten, darunter zwei Teddybären, die ihn auf allen Reisen begleitet hatten, zu holen. »Mir war klar, dass das Schiff sank«, erinnert er sich heute, »aber ich kannte die ›Gustloff‹ und konnte ungefähr absehen, wie lange das Schiff noch schwimmen würde. Ich hab mir gedacht, geh noch mal runter und zieh dir was Warmes an und rette ein paar Sachen, die du ansonsten nie wieder sehen wirst.« Und doch hatte er die panische Reaktion der Passagiere unterschätzt. Auf dem Rückweg musste er bereits über Menschen steigen, die von den Flüchtenden tot getrampelt worden waren. Inmitten des Chaos hörte er eine weinende Kinderstimme. »Das Kind müssen wir rausholen«, rief er vorbeilaufenden Kameraden zu. Die »Gustloff« hatte mittlerweile erhebliche Schräglage, sodass der andere Matrose ihn an den Füßen festhalten musste, während er unter den Leichen nach dem Kind fischte. »Ich habe mich ganz lang gemacht und konnte den Jungen rausziehen«, erinnert sich Esselmann, »er hatte eine Kopfverletzung und weinte bitterlich.« Auf dem Arm des U-Boot-Fahrers beruhigte sich das Kind ein wenig, sodass Esselmann es sicher an Deck bringen konnte.

Hier war mittlerweile der Kampf um die Rettungsboote voll entbrannt. Theoretisch hatte die ›Gustloff‹ Rettungsmöglichkeiten für 5000 Menschen – ohnehin nur für jeden zweiten an Bord. Tatsächlich aber war ein Großteil der Flöße an Deck festgefroren, die Verankerungen der Rettungsboote waren von einer zentimeterdicken Eisschicht überzogen. Nur mit Gewalt konnten die Matrosen die Metallösen vom Deck losbrechen. Keines der Boote war ausgeschwungen, wie es die Richtlinien eigentlich bei einer solchen Fahrt verlangt hätten. Vor den Davits stauten sich bereits die verängstigten Flüchtlinge. Mit entsicherten Pistolen bemühten sich die Matrosen, die aufgebrachte Menge in Schach zu halten. Als die ersten Männer versuchten, vor Frauen und Kindern einen Platz zu ergattern, fielen die ersten Warnschüsse.

Ich habe gesehen, wie sie ein Rettungsboot zu Wasser lassen wollten, aber der rechte Flaschenzug war festgefroren. Der linke löste sich und alle Frauen und Kinder fielen übereinander und dann ins Wasser.
Da gab es keine Chance mehr, sich irgendwo festzuhalten.

Inge Rothschild,
Marinehelferin

Ursula Birkle und ihre Mutter hatten Glück. Sie waren schnell aus dem Unterdeck nach oben gelaufen und bekamen nun einen Platz in einem der großen Boote zugewiesen. Sie berichtet, dass das Rettungsboot höchstens zur Hälfte besetzt war, als es gefiert wurde. »Mit einem Ruck ließ man uns an der langen Schiffswand zu Wasser. Diese Schiffswand wurde immer länger und länger.« Starr vor Schrecken musste das Mädchen mit ansehen, wie die Trosse des Nachbarboots mit einem schrillen metallischen Knall auseinander barst und die hilflosen Flüchtlinge in die Tiefe stürzten.

Auch andere Überlebende berichten, dass die Evakuierung der Menschen in ein heilloses Chaos ausartete. Oberfähnrich Hans-Joachim Elbrecht hatte den Eindruck, dass auch die Schiffsleitung auf die trügerische Sicherheit des großen Schiffs vertraut hatte. Allerdings wurden die Rettungsmaßnahmen auch zusätzlich dadurch erschwert, dass ein Großteil der Stammbesatzung der »Gustloff« im Vorschiff untergebracht gewesen war, das den ersten Torpedotreffer abbekommen hatte. Sofort hatten sich die Schotten geschlossen, um ein Vordringen des Wassers in das Schiff zu verhindern. Die Männer, die sich am besten auf dem Schiff auskannten und Hilfe hätten leisten können, waren bereits wenige Minuten nach der ersten Detonation tot.

Die Schiffsführung selbst schwebte in der Illusion, an Bord in Sicherheit zu sein. Deshalb hat sie es auch versäumt, irgendwelche Rollenverteilungen für Notsituationen an Bord vorzunehmen. Es war nichts vorbereitet. Auch hatte man nicht dafür gesorgt, die Rettungskutter zu enteisen oder uns zu zeigen, wie man sie bedient. Es ist nur ein einziger Rettungskutter zu Wasser gekommen, weil dort gerade ein paar Seemänner von der Stammcrew waren. Und in diesem Boot haben dann ausgerechnet drei Kapitäne gesessen.

**Hans-Joachim Elbrecht,
Einschiffungsoffizier auf
der »Wilhelm Gustloff«**

Während es auf dem Oberdeck gelang, wenigstens einige der Flüchtlinge zu evakuieren, bahnte sich im Schiffsinneren ein Drama an. Im trügerischen Glauben, hier an Deck zu gelangen, waren hunderte von Passagieren in das verglaste untere Promenadendeck geströmt. Jürgen Esselmann sah mit Schrecken, wie ein Passagier nach dem anderen in das Deck stürzte, das sich nun als tödliche Falle entpuppte. »Ich habe denen nur im Vorbeilaufen zugeschrien: ›Umdrehen, Leute, da kommt ihr nicht mehr raus!‹ Aber die Masse Mensch zu besänftigen oder zur Vernunft zu bringen, ist einfach nicht möglich.« Ursula Resas und ihre Schwester waren der Menge gefolgt. Als sie ihren Fehler erkannten, wollten sie umdrehen, doch der Rückweg war versperrt. »Da standen Soldaten mit entsicherten Pistolen, sie haben uns zurückgedrängt«, so Ursula Resas. Die Matrosen wollten verhindern, dass noch mehr Menschen auf das Oberdeck liefen, auf dem ohnehin ein wilder Kampf um die wenigen Rettungsboote entbrannt war.

Hans-Günther Bertram stand jenseits der Glasfront des Promenadendecks. Der Anblick, der sich ihm hier bot, erfasst ihn noch heute mit Grauen. »Das Schiff ging immer tiefer und tiefer. Ich konnte die Leute hinter den Glasscheiben hängen sehen. Sie schnappten nach Luft, das Wasser stieg immer höher.« Sein Ka-

merad Elbrecht griff zu einem Eispickel und versuchte, das dicke Sekuritglas von außen kaputtzuschlagen. »Von innen schossen Soldaten in die Scheiben, aber sie gingen einfach nicht kaputt, die Menschen waren gefangen in einem gläsernen Sarg.« Ursula Resas versuchte, mit ihrem Schuh das Fenster zu zertrümmern – vergeblich. Den Schrei ihrer Schwester hat sie nie vergessen: »Ulla, jetzt müssen wir sterben, Ulla, jetzt müssen wir sterben!«
Auch auf dem Oberdeck spitzte sich die Situation bedrohlich zu. Die »Gustloff« hatte mittlerweile erhebliche Schlagseite. Binnen kürzester Frist neigte sich das Schiff um fast dreißig Grad. Auf dem völlig vereisten Deck glitten die Flüchtenden hilflos aus. Wer sich noch halten konnte, hangelte sich an der Reling entlang. Mit Entsetzen sahen diejenigen, die in den Ausgängen zurückgeblieben waren, wie sich durch den immer stärkeren Neigungswinkel des Schiffs die auf dem Brückendeck positionierte Flak löste, donnernd auf die Reling zuschoss und die Menschen mit sich in die Tiefe riss.
Immer wieder beschworen die Schiffslautsprecher die Menschen, Ruhe zu bewahren, das Schiff werde nicht untergehen, Rettung sei längst unterwegs. Doch wer konnte das glauben in Anbetracht der eisigen Wellen, die bereits in regelmäßigen Abständen über das Deck brachen. Viele Zeitzeugen erinnern sich, dass sie Schüsse hörten oder das Mündungsfeuer von Pistolen aufblitzen sahen. Helene Kremmer stand an Deck neben einer Familie. »Vater, jetzt schieß«, hörte sie die Frau aufschreien. Dann fiel ein Schuss. »Das Kind war in der Mitte und ich dachte: ›Um Gottes willen, der erschießt auch noch das kleine Kind und womöglich auch mich!‹ Da bin ich gesprungen.«
Inzwischen hatten auch der kleine Winfried Harthun und seine Familie das Oberdeck erreicht. Die Mutter musste sich um drei Kinder gleichzeitig kümmern. Sie hielt die Jungen dicht an ihrer Seite, das Enkelkind auf dem Arm. Als sie an der Reling ein angefrorenes Floß vorfand, setzte sie ihren Jüngsten hinein. »Bleib da drin und rühr dich nicht«, habe sie zu ihm gesagt, erinnert sich Winfried Harthun. Es war

An den Ausgängen standen Frauen, Kinder und alte Männer. Man konnte ihnen nicht sagen, dass sie ins Wasser springen sollten. Jeder wartete, dass das Schiff weiter runterging. Dann wurde eine Gruppe nach der anderen vom Wasser erfasst. Wenn die Wellen kamen, schrien die Menschen auf, die es erwischt hatte. Dann war die nächste Gruppe dran, und wieder die nächste. Diejenigen, die zuletzt aufgeschrien hatten, waren dann schon unter Wasser. Es war entsetzlich.

Hans-Joachim Elbrecht,
Einschiffungsoffizier auf der »Wilhelm Gustloff«

das letzte Mal, dass er die Stimme seiner Mutter hörte. Als sich die »Gustloff« abermals neigte, löste sich sein Floß und rutschte quer über das Oberdeck. »Ich habe mir später immer wieder die Frage gestellt, was in meiner Mutter vorgegangen ist, als sie ansehen musste, wie ihr Jüngster auf das Wasser zurutschte. Sie war immer so besorgt gewesen um uns, auch um die kleine Enkeltochter. Auf der ›Gustloff‹ hatte sie wie eine Glucke immer dafür gesorgt, dass keiner von uns abhanden kam.« Auf der anderen Seite des Schiffs prallte das Floß gegen die Reling und Winfried Harthun stürzte ins Meer.

Die Leute, die ins Wasser fielen, sind sofort erstarrt und waren gleich tot. Leichen in Schwimmwesten trieben wie Bündel auf der Wasseroberfläche. Bewegungen oder Schreie oder dergleichen konnte ich nicht wahrnehmen, da war nichts mehr zu hören.

Johann Smrczek, Obermaschinist auf der »Wilhelm Gustloff«

Der Moment, in dem sie in die Ostsee eintauchten, ist aus der Erinnerung vieler Überlebender wie ausgelöscht. Die meisten Passagiere haben die Temperatur des Wassers nur wenige Minuten überlebt. Bei einer Lufttemperatur von minus 18 Grad lag die des Wassers etwa beim Gefrierpunkt. Viele waren durch die Torpedotreffer im Schlaf überrascht worden und nur mit einem Nachthemd oder einer dünnen Jacke bekleidet. Die meisten Flüchtlinge hatten ihre Schwimmwesten als Kopfkissen benuzt und es nicht mehr geschafft, die rettende Schwimmhilfe anzulegen. Im Wasser um die sinkende »Gustloff« hallten die Schreie der ertrinkenden und erfrierenden Menschen. Diejenigen, die einen Bootsplatz ergattert hatten, versuchten, so schnell wie möglich vom Todesschiff wegzurudern. Sie befürchteten, beim Untergang des Schiffs vom Sog erfasst zu werden. Noch hielt sich die »Gustloff«, doch ihr Bug neigte sich tiefer und tiefer in die Ostsee. Im Schiffsinneren machte sich das in Gotenhafen abgeschraubte Mobiliar selbstständig und zerquetschte die zusammengedrängte Menge. Johann Smrczek hatte seit dem ersten Treffer überlegt, wie er auf das Oberdeck gelangen könnte, um seinen Auftrag, nämlich das Stromaggregat anzuwerfen, zu erfüllen. Vielleicht würde die Notbeleuchtung die panischen Menschen etwas beruhigen. Im Gegensatz zu den Flüchtlingen kannte er die Notausgänge des Schiffs. Die Schornsteinattrappe der »Gustloff« hatte im Inneren eine eiserne Sprossenleiter, die direkt über alle Decks nach oben führte. Der erfahrene Seemann erklomm eine Stufe nach der anderen. Als er fast im Freien angelangt war, hörte er hinter der Wand die Stimmen der Offiziere auf der Brücke. »Wie sieht's aus?«, rief er laut. »Ganz schlecht«, kam kurz angebunden eine Stimme zurück.

Auf die Frage, welches Bild ihnen als Erstes in Erinnerung kommt, wenn sie an das Unglück der »Wilhelm Gustloff« zurückdenken, antworten die meisten Überlebenden übereinstimmend: »Das war der Moment, in dem das Schiff versank.« Der Ozeanriese hatte den schlimmsten Treffer im Vorschiff erhalten. Minute um Minute war der Bug gesackt, bis sich das Heck jetzt mit einem gigantischen Ruck in die Höhe hob. Die »Gustloff« schien kurzzeitig zu erstarren, um dann in nur wenigen Augenblicken mit dem Vorschiff voran in den Fluten zu versinken. Die Schiffbrüchigen auf dem Wasser hielten inne. Aus bis heute nicht geklärten Gründen sprangen im Moment des Untergangs alle Lichter des Ozeanriesen an. »Plötzlich erstrahlte die ›Gustloff‹ in einem gleißenden Lichtschein«, berichtet Waltraud Grüter. Im gleichen Augenblick heulte die Schiffssirene auf und verstummte gurgelnd, als der Schornstein in die eiskalten Fluten eintauchte.

Bei Ingeborg Dorn ist der Anblick des sterbenden Dampfers in der Erinnerung ausgelöscht, doch etwas anderes hat sie nie

»Kaum noch ein freier Platz« – Flüchtlinge auf der »Wedel«

mehr losgelassen. »Es war der Schrei, dieses dumpfe Schreien der Menschen, die noch im Schiff waren. Das habe ich noch immer im Ohr. Es war der Todesschrei der ›Gustloff‹.«
Als der einstige Stolz der KDF-Flotte ohne Turbulenzen im Meer versank, war es 22.15 Uhr. Der Sog, den die Flüchtlinge befürchtet hatten, blieb wegen der geringen Wassertiefe aus. Seit dem Einschlag der Torpedos war gerade eine Stunde vergangen. Für einen Augenblick war es still geworden, nun waren erneut Schreie zu hören.
Wie viele Menschen mit dem Wrack der »Gustloff« in die Tiefe gezogen wurden, kann nur erahnt werden. Tausende trieben in den Wellen – wenige in Rettungsbooten oder auf Flößen, die meisten klammerten sich an Wrackteile oder hingen hilflos in ihrer Schwimmweste. Wer noch in der Lage war zu schwimmen, versuchte zu den Booten oder Flößen zu gelangen. Ursula Birkle bemühte sich, die flehenden Menschen in ihr Boot zu ziehen. Obwohl das Mädchen nicht sonderlich kräftig war, gelang es ihm, drei Schwimmenden ins Trockene zu helfen. »Das eine war ein junges Mädchen, der andere ein Soldat, der nur noch ein Bein hatte, der Dritte war, glaub ich, auch ein Mann. Aber dann schimpften die Leute im Boot und sagten, ich solle aufhören, wir würden alle untergehen, wenn noch mehr Leute an Bord kämen.« Das Mädchen hatte die Hilflosigkeit der Menschen im Wasser gesehen und spontan zugepackt. Die Erwachsenen handelten vielfach rationaler. Helene Kremmer bekennt heute: »Da war jemand, der meinen Fuß festgehalten hat. Ich hab mich gewehrt und der Person mit meinem Stiefel auf den Kopf getreten.« Auch Soldat Rudolf Geiss wollte sein eigenes Leben nicht riskieren, als drei Schwimmer um Aufnahme auf sein Floß baten: »Wir haben sie abgewehrt. Wenn die drei sich drangehängt hätten, wären wir alle umgekippt.«
Für die Hilflosesten unter den Opfern gab es kaum Rettung: Zahllose Kinder trieben in den Wellen, weinend, stumm vor Schrecken – oder schon tot. »Ich habe meinem Kind niemals das Lied ›Alle meine Entchen‹ vorsingen können«, berichtet Ursula

Neben mir im Wasser hing einer mit amputiertem Bein und hielt sich auch an dem Floß fest. Eine ältere Frau, die keinen Griff mehr gefunden hatte, klammerte sich an seinen Hals. Sie ist dann irgendwann verstorben, blieb aber an dem Mann hängen. Er selbst konnte sich vor Kälte nicht mehr bewegen und ist dann auch gestorben.

Heinz-Günther Bertram, 2. U-Boot-Lehrdivision auf der »Wilhelm Gustloff«

Resas heute, »die Köpfchen der Kinder waren ja schwerer als die Füßchen. Diejenigen, die Schwimmwesten umhatten, lagen mit den Köpfchen im Wasser und ihre Füße ragten in die Höh.«
An Bord der »S 13« hatten die Soldaten atemlos gelauscht, nachdem der Feuerbefehl ergangen war. Iwan Schnabzew erinnert sich: »Wir hörten den ersten Einschlag, dann den zweiten, dann den dritten, aber wo blieb der vierte? Was war mit dem vierten Torpedo?« Das vierte Geschoss war im Rohr stecken geblieben. Die erfahrenen U-Boot-Männer wussten, dass sie verloren waren, sollte der Torpedo innerhalb des Bootes krepieren. Die Besatzungsmitglieder von »S 13« berichten heute übereinstimmend, das U-Boot sei so schnell wie möglich untergetaucht und abgelaufen. Zeitzeugen von der »Gustloff« widersprechen dieser Darstellung. Horst Mankowka, Mitglied der 2. ULD, erzählt: »Ich stand an der Reling, die ›Gustloff‹ hatte schon starke Schlagseite. Da entdeckte ich plötzlich ein U-Boot. Ich dachte erst, es seien Deutsche, und habe zu den Frauen neben mir gesagt: ›Beruhigt euch, es sind schon Rettungsschiffe da.‹ Dann aber sah ich, wie vom Turm drei Mann herunterkletterten, nach vorne liefen und an der Kanone hantierten. Da habe ich gewusst, das müssen Russen sein. Es hat nicht lange gedauert, bis die drei zum Turm zurückliefen und das U-Boot weg war.« Ursula Birkle bestätigte im Interview Mankowkas Aussage: »Da war etwas langes Schwarzes, das mit einem Mal aus dem Nichts auftauchte. Wir haben Geschützrohre gesehen, die auf uns gerichtet waren. Dann war das Boot bereits wieder verschwunden.« Iwan Schnapzew hat die Momente nach der Torpedierung anders in Erinnerung: »Wir tauchten sofort in die Tiefe runter. Diejenigen, die oben Wache standen, haben gerade noch gesehen, wie die ›Wilhelm Gustloff‹ nach steuerbord kippte. Wir sind dann abgetaucht und haben uns davongemacht.« Die Geschichten unterscheiden sich. Natürlich wollen es sich die Russen, die damals an Bord von »S 13« waren, nicht zum Vorwurf machen lassen, tatenlos zugesehen zu haben, wie Tausende hilfloser Zivilisten in der eisigen Ostsee ertranken. Dass »S 13« aufgrund des stecken gebliebenen Torpedos noch länger am Schauplatz des Dramas

Einmal schrie ein kleiner Junge, der auf einem anderen Floß stand: »Wo ist meine Mami, wo ist meine Mami?« Einer aus unserem Boot rief zurück, sie würde auf einem anderen Floß sein und bestimmt gleich kommen, um ihn zu beruhigen. Dann war wieder alles still.

**Johann Smrczek,
Obermaschinist auf der
»Wilhelm Gustloff«**

Als ich im Wasser wieder anfing zu denken, kam mir in den Sinn, dass man es bei diesen Wassertemperaturen höchstens zehn oder fünfzehn Minuten aushalten könnte, bevor Herzstillstand oder Kreislaufversagen eintreten würden. Das war für mich das Signal zu schwimmen, so gut und so schnell ich konnte. Plötzlich trieb vor mir in der Dunkelheit ein Floß. Ich versuchte mich festzuhalten, aber man schlug denen, die sich festhielten, auf die Finger oder drückte ihre Köpfe unter Wasser, bis sie losließen. Mein Glück war, dass ich um Hilfe rief. Ein Kollege erkannte meine Stimme und half mir hoch. Vor uns, nur einen Steinwurf entfernt, tauchte die Silhouette eines Dampfers auf. Wir brüllten, knieten uns auf den Floßrand und winkten mit den Händen. Aber das Schiff verschwand wieder im Dunkeln. Uns wurde klar, dass es jetzt keine Rettung mehr geben würde. Wir waren so steif gefroren, dass wir uns eine halbe Stunde später fast nicht mehr bewegen konnten. Wir konnten nur noch lallen, gar nicht mehr sprechen. Und die Arme hochreißen oder auf dem Floßrand knien war auch nicht mehr möglich. Wir saßen nur noch zusammengekauert und ganz eng aneinander gerückt und warnten uns gegenseitig vor dem Einschlafen, denn das war das Hauptproblem.

Nikolaus Höbel,
Funkmaat auf der
»Wilhelm Gustloff«

»Alle verfügbaren
Schiffe in die Danziger
Bucht.«
Die Seebrücke im
Frühjahr 1945

manövrierte, ist anzunehmen, doch Männer wie Iwan Schnabzew oder Alexej Astachow waren unter Deck längst mit anderen Dingen beschäftigt – der Sorge um das eigene Überleben. Nicht lange nach dem Untergang der »Gustloff« hörten sie erneut Detonationen. Jetzt wurde »S 13« gejagt.

Die »Wilhelm Gustloff« hatte kein SOS absetzen können, da der Funkraum bei der Torpedierung erheblichen Schaden genommen hatte. Man hatte lediglich Leuchtraketen als Notsignal aufsteigen lassen. Doch Torpedoboot »Löwe«, nur wenige Meter vom Schauplatz der Katastrophe entfernt, setzte sofort auf allen Frequenzen Funksprüche ab. Man befand sich direkt auf »Zwangsweg 58«, der auch von anderen Konvois aus der Danziger Bucht genommen wurde. Das sollte sich als vorteilhaft erweisen. Die Ersten, die der Notruf der »Löwe« erreichte, waren der Kreuzer »Admiral Hipper« und sein Geleitschiff, das Torpedoboot »T 36«. Beide waren mehrere Stunden nach der »Gustloff« in Gotenhafen ausgelaufen, jedoch mit erheblich mehr Tempo. Der Konvoi befand sich zum Zeitpunkt des Unglücks nur etwa dreißig Minuten entfernt, in östlicher Richtung. Als »Hipper« den Schauplatz erreichte, hielt sich die »Gustloff« gerade noch über Wasser. Der Kreuzer hatte zahlreiche Flüchtlinge an Bord, aber es hätte genügend Platz gegeben, um in einem Notfall wie diesem Hunderte unterzubringen. Doch die »Hipper« drehte ab und nahm eilig Fahrt in Richtung Westen auf. Wer im Wasser noch bei Bewusstsein war, konnte es nicht fassen. Heinz-Günther Bertram erinnert sich: »Wir sahen, wie das Kriegsschiff an uns vorbeifuhr. Die Brüder ließen uns einfach hängen.« Die »Hipper« war mit einer Bordwandhöhe von 16 Metern sehr hoch. Es wäre sicherlich schwer gewesen, die entkräfteten Schiffbrüchigen bis auf diese Höhe zu ziehen. So zumindest rechtfertigte die Schiffsführung später ihr Verhalten. Ausschlaggebend aber war wohl die Tatsache, dass der große Kreuzer ein ideales Ziel für einen Feind bot, von dem man annehmen musste, dass er sich noch in der Nähe befand. Der Kapitän entschied sich, das Leben der Flüchtlinge an Bord nicht zu gefährden und mit Höchstkraft weiterzulaufen – ohne einen einzigen Schiffbrüchigen aufzunehmen.

Wir wussten nicht, wer auf der »Wilhelm Gustloff« war. Als wir zu unserer Basis zurückgekehrt waren, haben wir es aus schwedischen Zeitungen ausführlich erfahren.

Iwan Schnapzew,
Funker auf dem
U-Boot »S 13«

Mit der »Hipper« erreichte auch deren Geleitschiff, das Torpedoboot »T 36«, den Schauplatz. Es stand unter dem Kommando des erst 27-jährigen Kapitänleutnants Robert Hering. 250 Flüchtlinge drängten sich an Bord, darunter auch Herings Mutter. Vorsichtig tasteten sich die Retter an das untergehende Schiff heran, Kapitän Hering wusste, dass jede unbedachte Wendung des Schiffs Menschenleben kosten konnte. Der Besatzung bot sich ein schauerlicher Anblick. »Die ›Gustloff‹ war hell erleuchtet«, erinnert sich der heute hochbetagte Robert Hering, »das Oberdeck, die Brücke, wir konnten alles genau sehen. Menschen fielen hinunter, hüpften oder sprangen hinunter. Das Schiff war umgeben von Hunderten von Menschen, die gerettet werden wollten. Hunderte von Toten trieben im Wasser. Man konnte die einen kaum von den anderen unterscheiden.« Hering war sich der Verantwortung bewusst, die er auch für die Menschen an Bord seines eigenen Schiffs trug. Er versuchte zunächst, möglichst nah an die »Gustloff« heranzufahren. Vielleicht würde es möglich sein, die Menschen direkt zu übernehmen. Doch sehr schnell war klar, dass die »Gustloff« in wenigen Momenten untergehen würde. Es blieb also nichts anderes übrig, als Abstand zu halten und sich auf eine Rettung aus der See vorzubereiten. »Das war eine verteufelte Situation, denn was der ›Gustloff‹ passiert war, das konnte uns ja auch passieren«, erinnert sich Hering, »aber ich entschied: Retten geht vor.« Einer von Herings damaligen Matrosen, Seekadett Erich Lemke, bewundert seinen damaligen Chef noch heute für den Mut, den er in dieser schwierigen Lage bewies: »›Hipper‹ ist im Zickzackkurs abgebraust und hat Hering ganz allein die Verantwortung überlassen. Er hat sie ganz allein übernommen.« Robert Hering wehrt bescheiden ab, wenn er auf seine Heldentat angesprochen wird. »Das kann ich nicht ab, wenn man mir so dankt«, sagt der Mann, dem Hunderte in dieser Nacht ihr Leben verdankten. »Für mich war das Schlimmste, dass ich eigentlich nur tatenlos mit den Händen in der Manteltasche auf der Brücke stehen konnte. Die Leute haben mich beschimpft, ich solle doch etwas tun, aber ich konnte nur das Schiff auf Position halten und meine Männer ausschicken.«

Die Fahrt ging nach Westen. Es wurde dunkel, es wurde Nacht. Gegen 21 Uhr sahen wir Seenotzeichen am Horizont, ganz schwach, und in derselben Minute kam ein Funkspruch, Torpedotreffer. Wer? – Die »Gustloff«. Da wussten wir Bescheid.

Robert Hering, Kapitän des Torpedoboots »T 36«

Ich konnte mich auf ein schmales Schlauchboot retten. Darauf saß ich dann ein paar Stunden, meine Beine hingen im Wasser. Ständig tauchten Tote aus dem Wasser hoch, starrten mich aus großen, weiten Augen an und waren wieder weg.
Mit mir auf dem Floß saß ein kleiner schwarzer Hund – ich habe keine Ahnung, wo der herkam. Er hat mir die ganze Zeit über Gesellschaft geleistet. Als ich dann von einem Minensuchboot gerettet wurde, wurde er zurückgelassen. Er wird wohl ertrunken sein.
Wir haben wirklich gedacht, wir seien sicher auf der »Gustloff«. Wir haben uns ganz frei auf dem Schiff bewegt, als wenn nichts wäre. Weil wir dachten, es sei alles gut.
Ich kann diese Katastrophe nicht vergessen. So etwas können Sie einfach nicht vergessen, das werden Sie nie wieder los.
Ich brauche bloß den Fernseher anschalten und ein bisschen Wasser sehen. Sofort sind die schrecklichen Bilder da.

Margot Käune,
Flüchtling aus
Gdingen

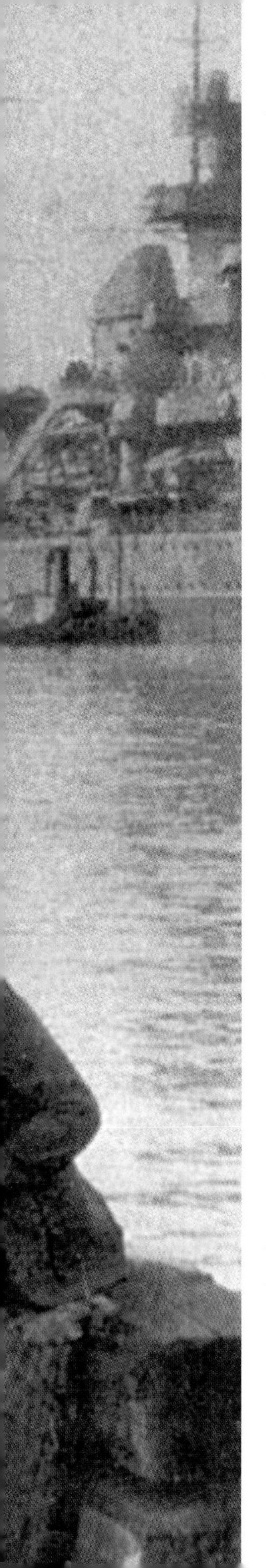

Wenige Minuten nachdem »T 36« die »Gustloff« erreicht hatte, war diese auch schon versunken. Neben dem kleinen Torpedoboot »Löwe«, war »T 36« nun die einzige Hoffnung für Tausende von Menschen. In aller Eile befahl der Kapitän, rings um das Boot breite Seefallreepe auszubringen, von denen aus die Seeleute, im Wasser stehend, die hilflosen Flüchtlinge auffischten und an Bord hoben.

Die entkräfteten Schiffbrüchigen waren kaum noch in der Lage, sich zu bewegen. Für die Retter war das Knochenarbeit. Im Turnus wechselten sie sich in der vordersten Reihe ab, hoben und zogen die Menschen aus den Wellen. Deren Kleider waren zum Teil so voll Wasser gesogen, dass auch die kräftigen Seeleute von »T 36« Schwierigkeiten hatten, die Körper hochzuheben. Einige Frauen hatten Pelzmäntel an, die sich im Wasser in aalglatte Felle verwandelt hatten, an denen die Hände der Retter immer wieder abglitten. Gelang es, einen Schiffbrüchigen über die Bordwand zu hieven, wurde er sofort von Matrosen und andern Flüchtlingen in Empfang genommen, in aller Eile ausgezogen und trockenfrottiert. Robert Herings Mutter übernahm unter Deck resolut das Kommando und organisierte die Helfer. Mit Schnaps oder heißem Tee versuchte man, die vor Schreck und Kälte starren Menschen ins Leben zurückzuholen. Auch Dr. Ralph Wendt gehörte zu den wenigen Glücklichen, die schnell aus dem kalten Wasser gezogen wurden. Kaum an Bord von »T 36«, meldete er sich als Arzt wieder einsatzbereit. Man rief ihn unter Deck, da liege eine junge Frau in den Wehen und brauche Hilfe. »Ich bin runter und sah die

»Endlich in Sicherheit.« Deutsche Flüchtlinge in Dänemark

Frau, die ich kurz vorher auf der ›Gustloff‹ in das Rettungsboot gesetzt hatte«, erinnert sich Wendt noch heute ungläubig. »Oh, Herr Doktor, jetzt ist alles in Ordnung«, seufzte die Frau erleichtert. Wendt war ein wenig unsicher. Schließlich war er Soldatenarzt und kein Gynäkologe. »Nach kurzer Zeit wurden die Wehen heftiger und dann haben wir einen Buben entbunden. Er war kerngesund. Ich habe die Nabelschnur mit einem Küchenmesser durchgeschnitten und mit meinem Verbandszeug abgenabelt. So ist die Natur. Das Leben hört nie auf, es geht immer weiter.«

Ich war so unglaublich schwach und müde, als ich es auf die »T 36« geschafft hatte. Ich habe nur noch einen warmen Raum gesucht und die Tür hinter mir zugemacht. Ich hatte die Küche erwischt, die knüppelvoll war, weil jeder an Bord die Wärme suchte. Alle waren klatschnass, wurden gerubbelt und unter heiße Duschen gestellt. Ich habe mich auf einen großen Kessel gesetzt, der noch ganz warm war. Vier Stunden später war ich wieder trocken.

Hans-Joachim Elbrecht, Einschiffungsoffizier auf der »Wilhelm Gustloff«

Nicht alle Schiffbrüchigen waren durchnässt, einige wenige gelangten trockenen Fußes in ein Rettungsboot und konnten von dort eigenständig an Bord von »T 36« klettern. Darunter waren auch Männer, über deren Anwesenheit in einem Rettungsboot die Besatzung des Torpedobootes recht erstaunt war. Kapitän Hering erinnert sich: »Wie durch ein Wunder erschien bei mir auf der Brücke der Kapitän der ›Gustloff‹. Da staunt man: Der Mann war trocken! Und dann kam auch noch der Kommandant der ULD!« U-Boot-Ausbilder Jürgen Esselmann will heute keinen Stab über das damalige Verhalten der Schiffsleitung brechen: »Der Grundsatz, dass der Kapitän mit seinem Schiff untergehen muss, ist in der Seefahrt doch schon lange passé.« Hans-Joachim Elbrecht ist da kritischer: »Das war also nicht gerade das vornehme Verhalten eines Seeoffiziers. Erst einmal kommen doch Frauen und Kinder!« Erich Lemke half Korvettenkapitän Wilhelm Zahn, dem Kommandanten der 2. ULD, an Bord. »Der war völlig verzweifelt«, erinnert er sich. Auch die beiden Fahrkapitäne überlebten das Unglück. Einer von ihnen nahm sich wenige Jahre später das Leben. Korvettenkapitän Zahn sprach trotz zahlreicher Anfragen bis zu seinem Tod nicht mehr öffentlich über die Tragödie der »Gustloff«.

Kapitän Hering hatte den Funkern an den Horchgeräten höchste Wachsamkeit eingeschärft, denn noch immer schwebte sein Schiff in größter Gefahr. Er musste damit rechnen, dass das rus-

sische U-Boot noch in der Nähe war. Und tatsächlich fingen die Akustiker immer wieder Signale auf, allerdings unklar und gestört, da auf dem Wasser Wrackteile und Boote schwammen. Hering versuchte, anhand der Meldungen die ungefähre Position des Gegners auszumachen und den Bug von »T 36« genau dorthin auszurichten. Die Spitze des Schiffs, so seine Überlegung, würde einem Torpedo die kleinstmögliche Angriffsfläche bieten. Zudem entschloss sich der Kapitän die an Bord befindlichen Wasserbomben abzuwerfen, obwohl er damit rechnen musste, dass dadurch auch Menschen im Wasser zu Schaden kommen könnten. Wäre das Schiff jedoch torpediert worden, hätte dies das Ende für alle Passagiere bedeutet. Erich Lemke denkt noch oft an die Menschen, die möglicherweise durch die Wasserbomben des Rettungsschiffs gestorben sind. »Vielleicht ist ihnen ein viel grausamerer Tod erspart geblieben.«
Als die Männer von »S 13« die ersten Detonationen der Wasserbomben hörten, wussten sie, in welcher Gefahr sie schwebten. Kapitän Marinesco beschloss, direkt an der Untergangsstelle der »Gustloff« zu tauchen. Hier – inmitten der Trümmer – würde sie der Gegner akustisch am wenigsten orten können. Crewmitglied Fjodor Danilow erinnert sich: »Durch die Wasserbomben wurde das Boot von unten hochgerissen, regelrecht emporgeschleudert.« Doch keine der Bomben erreichte ihr Ziel. Ganz im Gegenteil – das russische U-Boot geriet erneut in eine günstige Schussposition.

Eine junge Frau schwamm im Wasser und vor ihr ein volles Rettungsboot. Sie hob ihr Kind aus dem Wasser in die Höhe und bettelte und flehte: »Nehmt doch wenigstens mein Kind mit!« Aber jeder war sich selbst überlassen – da reagierte kein Mensch.

**Nikolaus Höbel,
Funkmaat auf der
»Wilhelm Gustloff«**

Um 0.25 Uhr ertönte auf »T 36« der Schrei: »Torpedos auf Kollisionskurs!« Nur knapp konnte Hering das Schiff hart nach steuerbord drehen und der Attacke entkommen. Es wurde allerhöchste Zeit, abzulaufen. Mit 564 Schiffbrüchigen an Bord verließ »T 36« den Unglücksort und folgte der »Hipper«. Zurück blieb Torpedoboot »Löwe« inmitten eines Leichen- und Trümmerfelds, das weiter und weiter auseinander glitt. Und noch immer trieben Menschen auf der Ostsee. Einige von ihnen waren noch bei Bewusstsein und mussten mit ansehen, wie sich die Lichter der Suchscheinwerfer entfernten. Für sie begann eine endlose Zeit des Wartens.

»In den Kabinen, auf den Gängen, an Deck« – ein überfülltes Flüchtlingsschiff im Frühjahr 1945

Waltraud Grüter hatte sich beim Untergang des Schiffs in ein Boot retten können. Zu Anfang konnte sie die Menschen um sich herum noch wahrnehmen. »Doch dann wurde einer nach dem anderen ruhig. Die Leute schrien irgendwann nicht mehr um Hilfe. Und dann sackten sie in sich zusammen. Sie waren vor Erschöpfung und Kälte gestorben.« Die Marinehelferin versuchte, sich in ihre eigenen Gedanken zu flüchten. »Ich habe ganz intensiv gebetet«, erinnert sie sich heute »und ich habe mir drei Sachen geschworen. Das Erste war, dass ich aufhöre zu rauchen. Und tatsächlich habe ich nie wieder in meinem Leben eine Zigarette angefasst. Das Zweite war, dass ich nicht mehr so überheblich sein will. Und das Dritte war, dass ich meinen Freund heirate. Ich habe mich daran gehalten und bin bis heute darüber sehr froh.« Sie kann sich nur noch bruchstückhaft daran erinnern, wie die Stunden verstrichen. Als ein Soldat sie an der Schulter rüttelte, schreckte sie hoch. Sie solle mithelfen die Leichen aus dem Boot zu werfen, hörte sie eine Stimme sagen. Waltraud Grüter packte mit an. Dann versank sie wieder in eine Art Dämmerschlaf.

Unweit der Marinehelferin trieb auch Ursula Resas auf der Ostsee. Sie hatte ihre Schwester aus den Augen verloren, als das Wasser in das Promenadendeck eindrang. In letzter Minute hatte das Glas, das ihr den Ausweg versperrte, nachgegeben. Sie konnte sich an ein Floß klammern, doch nur ihr Oberkörper lehnte auf dem Floß, ihre Beine hingen im Wasser. Vielleicht hat Ursula Resas dadurch ihr Leben gerettet, denn das Wasser war fast zwanzig Grad wärmer als die Luft. Dennoch hatte sie den Eindruck, dass ihre Kräfte mit jeder Minute schwanden. Immer wieder waren Scheinwerfer über sie hinweggeglitten, jetzt war alles dunkel. »An Rosemarie habe ich in dieser Situation nicht denken können«, sagt Ursula Resas heute, »ich habe an überhaupt nichts gedacht. Heute bin ich überzeugt davon, dass sich die Seele in solch einem Moment selbst schützt. Manche Leute sagen, ihr Leben sei an ihnen vorbeigezogen. Ich konnte nichts denken. In meinem Gehirn war es absolut leer.«
Winfried Harthun war nach seinem Sturz in die Ostsee sofort von helfenden Händen auf ein Floß gezogen worden, das nach wenigen Minuten bereits an Torpedoboot »Löwe« herandriftete. Er erinnert sich: »Das Schiff hatte Netze an den Seiten heruntergelassen und Strickleitern und alle fingen an, hinaufzuklettern. Als ich versuchte, die Stricke hinaufzukrabbeln, zog mich jemand zurück, und ich hörte eine Stimme: ›Frauen und kleine Kinder zuerst.‹ Das Schiff lief dann wieder ab und der Einzige, der noch auf seinem Floß saß, war Klein-Winfried.«
Eine halbe Stunde etwa hatte er noch Rufkontakt zu einem vorbeitreibenden Ruderboot, dann wurde es still. Erst nach einiger Zeit stellte der Junge fest, dass er noch einen Begleiter hatte. In der Halteleine des Floßes hatte sich ein Soldat verfangen und trieb hilflos in den Wellen. Der Siebenjährige war viel zu schwach, um den erwachsenen Mann auf das Floß zu ziehen. Noch einige Zeit redete der Soldat auf das Kind ein, das sich Schutz suchend immer tiefer in das Floß drückte, dann war es wieder still. Der Soldat war gestorben und seine Leiche begleitete den Jungen durch die Nacht.
Torpedoboot »Löwe« nahm gegen 2.30 Uhr morgens Kurs nach Westen. Das kleine Schiff war mit über 470 Schiffbrüchigen an Bord bis in den letzten Winkel besetzt, die Matrosen am Ende ihrer Kräfte. Drei weitere Schiffe, das Motorschiff »MS Gotenland« mit seinen Geleitbooten »M 341« und »M 387«, waren mitt-

lerweile eingetroffen, um die Rettungsaktion fortzusetzen. Die »Gotenland«, tags zuvor aus Pillau ausgelaufen, war mit 3300 Menschen bereits völlig überfüllt. Trotzdem ließ der Kapitän Boote aussetzen und immer noch wurden Lebende inmitten der Trümmer gefunden. Doch mit der Zeit erhielten die Matrosen in den Rettungsbooten kaum noch Antworten, wenn sie den Schiffbrüchigen zuriefen.

An Bord der Rettungsschiffe kamen die Überlebenden langsam wieder zu sich. Sie waren gerettet, doch wo waren all die anderen? Ingeborg Piepmeyer hatten die Matrosen des Torpedobootes »Löwe« heraufgezogen. Verzweifelt versuchte die junge Mutter, sich einen Weg durch die Gänge zu bahnen. Vielleicht hatte sich ja doch jemand ihres Kindes angenommen und es gerettet. Plötzlich rief man sie in die Kammer des Kapitäns. »An seinem grünen Mützchen und dem Jäckchen habe ich Egbert sofort wiedererkannt«, berichtet sie. »Ich hab ihn in die Arme geschlossen und war überglücklich.«

Irgendwann saß ich endlich in einem Boot. Rechts von mir war ein junges Mädchen, das nach seiner Mama weinte. Links von mir kauerte ein junger Mann, der sich über mich übergab. Um uns herum waren Menschen, die in das Boot wollten, doch es hieß: »Das Boot ist voll.« Man schlug ihnen mit dem Ruder auf die Hände, bis sie losließen.

Inge Rothschild,
Marinehelferin

Ursula Resas an Bord von »M 387« suchte noch immer nach ihrer Schwester. »Bleibt wenigstens ihr zusammen«, hatte der Vater den Schwestern in Gotenhafen mit auf den Weg gegeben. Seit den dramatischen Minuten auf dem verglasten Promenadendeck hatte sie Rosemarie nicht mehr gesehen. Ein Feldwebel hielt die aufgebrachte junge Frau fest und blickte ihr prüfend ins Gesicht. Er hatte im hinteren Schiffsteil ein weinendes Mädchen entdeckt, das nach seiner Schwester rief. Und die sah dieser Frau sehr ähnlich. »Dann ging er zurück und holte die Rosemarie«, erinnert sich Ursula Resas. »Ich bin aufgesprungen, habe überhaupt nicht gemerkt, dass ich splitternackt war, weil mir die Decke weggerutscht ist. Wir sind uns in die Arme gefallen und haben gleichzeitig gelacht und geweint. Wir waren gerettet!«

Auf Bitten von Helene Kremmer hin, die sich nach ihrer Rettung auf »T 36« aufhielt, funkte die Besatzung des Torpedoboots die anderen Schiffe an, ob sich ein Obermaat Franz Kremmer unter den Geretteten befände. Die Antwort war immer die gleiche: »Nein.« Entmutigt sank Helene in eine Art Dämmerschlaf. »Auf

einmal klopfte mir jemand auf die Schulter«, erinnert sie sich, »und dann hörte ich seine Stimme: ›Ja Hella, da bist du ja.‹ Ich habe ihn nur angeschaut, kein Wort mehr rausgebracht. Und dann hat er meine Hand genommen.« Auch ihr Mann hat diesen Moment bis heute nicht vergessen können. »Ich hatte sie an Deck allein gelassen. Nie hätte ich zu hoffen gewagt, dass ich sie noch einmal lebend wiedersehe«, sagt Franz Kremmer.
Doch solche glücklichen Geschichten waren die Ausnahme. Stellvertretend für Tausende von Tragödien steht das Schicksal von Irmgard Harnecker. Sie hat ihre kleine Tochter Ingrid nicht wiedergefunden. Der Moment, in dem ihr das Kind aus den Armen glitt, ist in ihrem Gedächtnis ausgelöscht. Ihre Wahrnehmung setzte erst wieder ein, als sie allein im Wasser trieb. An ein »Schweben« im Wasser kann sie sich erinnern, sie habe den Eindruck gehabt, die »Stimmen von Engeln« zu hören. Wie durch ein Wunder überstand sie im Schockzustand die Stunden im Eiswasser. Für sie begann in dieser Nacht die Suche nach ihrem Kind, die über Jahre andauern würde. Manchmal gab es wieder Hoffnung, einmal war ein Kind gefunden worden, das ein Muttermal über dem Knie hatte – genau wie die kleine Ingrid. Doch sie war es nicht. Bis heute hat Irmgard Harnecker den Verlust ihres Kindes nicht verwunden.
Gegen vier Uhr morgens war für den kleinen Winfried Harthun endlich die Zeit des Wartens vorbei. Durch die Hartnäckigkeit des 2. Offiziers der »Göttingen«, Heinz Schulz, hatte man auch den Jungen noch gefunden. Harthun selbst kann sich heute nur noch bruchstückhaft an seine Entdeckung erinnern. »Ich kann nicht ausschließen, dass ich da etwas gerufen habe«, sagt er, »mir ist vor allem in Erinnerung, dass ein Tauende in meinen Schoß fiel. Ich war wohl noch halb am Schlafen und habe das Seil einfach wieder zurückgeworfen.« Als ihn die Mannschaft der »Göttingen« in Empfang nahm, war der Junge in erstaunlich gutem Zustand. Während der vergangenen Stunden war er immer wieder eingenickt. Ein Tiefschlaf hätte in der schneidenden Kälte seinen sicheren Tod bedeutet. Die Matrosen kümmerten sich nun rührend um das Kind, steckten ihm Zuckerwürfelchen zu und taten ihr Möglichstes, um den Kleinen davon abzulenken, dass seine Angehörigen wahrscheinlich die Katastrophe nicht überlebt hatten. Nach Hamburg müsse er, so viel hatte sich der Junge gemerkt.

Winfried war nicht der letzte Überlebende, der gerettet wurde. Vorpostenboot »1703«, das die Unglücksstelle gegen fünf Uhr morgens erreichte, fand neben den Leichen einer Frau und eines jungen Mädchens einen Säugling. Er lebte und wurde später von seinem Retter adoptiert. In der Dämmerung verließ »1703« den Schauplatz. Mittlerweile trieben Öllachen, Gepäckstücke und Leichen über Kilometer verstreut auf dem Meer. Der Suchscheinwerfer des ablaufenden Schiffs streifte das Trümmerfeld. Es gab nichts mehr zu retten.

Als wir erfuhren, dass so viele Menschen ertrunken waren, hatten wir großes Mitleid mit ihnen. Das waren doch lebendige Menschen gewesen! Jeder dachte: »Was ist, wenn wir an ihrer Stelle gewesen wären?« Sie hatten keine andere Wahl, genauso wie wir. Wenn wir uns geweigert hätten, wären wir an die Wand gestellt worden.

**Alexej Astachow,
Mannschaft des U-Boots
»S 13«**

Das sowjetische U-Boot »S 13« verließ am Morgen die pommersche Küste und nahm Kurs in tieferes und damit sichereres Gewässer. In der darauf folgenden Nacht funkte es seinen Erfolg nach Osten. Der Name des versenkten Schiffs fiel nicht, Alexander Marinesco hat ihn höchstwahrscheinlich zu diesem Zeitpunkt selbst nicht gewusst. In Kronstadt wurde die Abschussmeldung zurückhaltend aufgenommen. Der Kapitän von »S 13« genoss nach seinen Eskapaden in Finnland nicht gerade viel Vertrauen bei der Marineobrigkeit, zudem hatte er schon einmal die Versenkung eines Dampfers von 5000 Tonnen gemeldet, der sich später als kleiner Frachter herausgestellt hatte.

Kaum zwei Wochen später meldete »S 13« erneut einen Erfolg. Das Boot hatte die »Steuben« versenkt, ein Lazarettschiff, das ebenfalls auf dem Weg aus der Danziger Bucht nach Westen gewesen war. Nachdem Marinescos Meldungen einer Überprüfung standgehalten hatten, wurden ihm und seiner »S 13« die Abschüsse zugestanden. Der Kommandant erhielt den »Orden der Roten Fahne«, eine Standardauszeichnung, die bis dahin schon 250 000 Mal vergeben worden war. Den Titel »Held der Sowjetunion«, mit dem Marinesco gerechnet hatte, bekam er nicht. In den ersten Nachkriegsmonaten kämpfte der U-Boot-Kommandant verbissen um seine Anerkennung als Kriegsheld, bis er Anfang 1946 verbittert die sowjetische Marine verließ. Er hat nie wieder wirklich Fuß gefasst. In den fünfziger Jahren wurde er für einen längeren Zeitraum nach Sibirien verbannt. Erst nach seinem Tod wurde er von der Sowjetunion für seine

»Verdienste« im Zweiten Weltkrieg geehrt. Im Westen galt er seit 1945 als skrupelloser Kriegsverbrecher, der wissentlich unschuldige Flüchtlinge ermordet hatte. »Er hat ein Ziel vor sich gesehen und er hat dieses Ziel versenkt – das ist genau das, was zu dieser Zeit von ihm als Marineoffizier verlangt wurde«, sagt Marinescos Tochter Tatjana heute. Auch wenn viele der Flüchtlinge immer noch sehr emotional auf die Frage nach der Schuld des Sowjetkapitäns reagieren, bleibt festzustellen, dass die Versenkung der »Wilhelm Gustloff« kein »Kriegsverbrechen« im engeren Sinne war. Das Schiff transportierte Soldaten und war bewaffnet. Nach Kriegsrecht war der Abschuss demnach »legal«, wenn ein solcher Ausdruck in Anbetracht des Ausmaßes der Tragödie überhaupt statthaft ist. Den Schmerz derer, die beim Untergang der »Gustloff« ihre Angehörigen verloren, kann diese formale Feststellung nicht lindern, doch heute, fast sechzig Jahre nach der Katastrophe antworteten fast alle Überlebenden, sie könnten sich vorstellen, mit den überlebenden Besatzungsmitgliedern von »S 13« über die Vergangenheit zu sprechen.

Die Rettungsschiffe brachten die Schiffbrüchigen nach Kolberg, Swinemünde und Saßnitz. Nur 1239 Menschen konnten registriert werden. Für viele von ihnen begann erneut eine Reise ins Ungewisse. Winfried Harthun wurde auf der »Göttingen« in die Obhut einer jungen Frau gegeben, die wie er nach Hamburg wollte. Auch sein Bruder hat den Untergang der »Wilhelm Gustloff« überlebt, im Westen konnten beide den Vater wiedertreffen. Doch Mutter, Schwester und die kleine Nichte wurden nie gefunden. Die meisten der überlebenden Soldaten erhielten schnell neue Kommandos. Zahlmeisteraspirant Heinz Schön wurde auf den Dampfer »General San Martin« befohlen. Sein Ziel: Gotenhafen. Denn noch immer warteten in der Danziger Bucht hunderttausende von Menschen. Elf Flüchtlingstransporte hat Heinz Schön bis zum Kriegsende noch miterlebt und dabei 22-mal die Untergangsstelle der »Wilhelm Gustloff« überquert. Bis Anfang April gelang es der deutschen Kriegsmarine, insgesamt rund 2,5 Millionen Menschen auf dem Seeweg über die Ostsee nach Westen zu evakuieren. 33 000 Flüchtlinge, Soldaten und Marineangehörige kamen dabei ums Leben.

Es war kein Kriegsverbrechen. Wir sind anfangs abgedunkelt gefahren, hatten Geschütze an Bord, und es waren Soldaten auf dem Schiff.

Winfried Harthun, Jahrgang 1937, Flüchtling aus Gdingen

»Endlich gerettet!« Ausschiffung von Flüchtlingen aus Ostpreußen

Das Wrack der »Wilhelm Gustloff« liegt noch heute in knapp sechzig Metern Tiefe vor Stolpmünde in der Ostsee. In den vergangenen sechs Jahrzehnten wurde bei zahlreichen Expeditionen nach dem Ozeanriesen getaucht. Er wurde fotografiert und gefilmt. Man vermutete hier Schätze, geheime Dokumente und sogar das auf mysteriöse Weise verschwundene »Bernsteinzimmer«. Das Wrack ist mittlerweile in vier Teile zerfallen – es wurde bereits in den fünfziger Jahren gesprengt, da es ein Hindernis auf dem viel befahrenen Seeweg darstellte. Ein Großteil des Schiffs ist von Schlamm bedeckt, der riesige Schornstein allerdings ist noch immer gut erkennbar. An vielen Stellen sind Löcher in den Rumpf geschnitten. Die Schatzsucher haben deutliche Spuren hinterlassen, jedoch keinerlei spektakuläre Funde gemacht. In den letzten Jahren ist es ruhiger geworden um das

Wrack der »Gustloff«. Es ist so stark verrostet, dass ein Eindringen in den Schiffsrumpf lebensgefährlich wäre. Das Interesse an den Überresten des »Stolzes der KDF-Flotte« allerdings ist nach wie vor ungebrochen. Auch während der Dreharbeiten zu unserem Film »Die große Flucht – Der Untergang der Wilhelm Gustloff« gingen immer wieder Angebote verschiedenster Unterwasserfilmfirmen ein, die den Tauchgang noch einmal wagen wollten. Das Wrack der »Wilhelm Gustloff« wird jedoch aller Wahrscheinlichkeit nach keine Schätze preisgeben und keine Geheimnisse mehr lüften. Es ist zur Gedenkstätte erklärt worden, im Andenken an über 9000 Menschen, die hier zu Tode kamen. Über die Hälfte von ihnen waren Kinder.

Pelz

Als vermeintlich sicherer Hort im Luftkrieg ist Breslau durch die Aufnahme von Evakuierten zur Millionenstadt angeschwollen. Erst als die Sowjets schon vor den Toren der schlesischen Hauptstadt stehen, erhält die Zivilbevölkerung die Erlaubnis zum Auszug aus der verbissen verteidigten »Festung Breslau«. Die Flucht wird für viele zum Weg in die bittere Katastrophe.

Die Festung Breslau

Am 1. Januar 1945 meldete sich der Diktator erstmals wieder zu Wort. Seit dem Attentat vom 20. Juli 1944 war er nicht mehr öffentlich aufgetreten. In seiner traditionellen Neujahrsansprache versuchte er nun noch einmal, die Deutschen für den »Endsieg« zu mobilisieren: »Wir sind zu allem entschlossen. Mein Glaube an die Zukunft unseres Volkes ist unerschütterlich.« Einige hörten längst nicht mehr

»Dem Durchhaltewahn geopfert.« Die schlesische Hauptstadt kapitulierte erst nach Berlin

hin, doch viele, allzu viele an der Front und in der Heimat, ließen sich noch einmal täuschen.
Seinem Generalstab hämmerte Hitler gebetsmühlenhaft ein, Russlands Armeen seien »ausgeblutet«. Und die eigenen? Die noch verfügbaren Reserven der Wehrmacht hatte der Kriegsherr kurz vor Weihnachten an die Westfront geschickt – doch die Ardennenoffensive endete im Bombenhagel der amerikanischen und britischen Kampfflugzeuge. Gegen den Rat seiner höchsten Militärs hatte der Diktator die Ostfront entblößt. Als der Chef des Generalstabs, Heinz Guderian, bedrohliche Zahlen von sowjetischen Truppenkonzentrationen vorlegte, herrschte ihn der selbst ernannte Feldherr wütend an: Dieses Dossier sei »der größte Bluff seit Dschingis Khan«, der »idiotische Bearbeiter« der düsteren Prognose gehöre »in ein Irrenhaus«.
Tatsächlich hatte Stalin an der Weichsel die gewaltigste Streitmacht der Weltgeschichte zusammengezogen. Allein die Armeen der Marschälle Schukow und Konjew waren mit 2,2 Millionen Soldaten, 6000 Panzern und fast 5000 Flugzeugen schlagkräftiger als die gesamte deutsche Wehrmacht. In wichtigen Frontabschnitten betrug das Verhältnis bei der Infanterie elf zu eins, bei den Panzern sieben zu eins und bei der Artillerie zwanzig zu eins zugunsten der Sowjets. Um die Jahreswende 1944/45 stand die Rote Armee an der Linie Goldap (Ostpreußen) – Warschau. Von den Brückenköpfen an der südlichen Weichsel setzte Stalin in der Nacht zum 12. Januar zur entscheidenden Großoffensive an. Aus vielen tausend Geschützen und den berüchtigten »Stalinorgeln« brach ein Feuersturm über die deutschen Stellungen herein. Der russischen »Dampfwalze«, wie es im Kommissjargon hieß, konnten die geschwächten Divisionen der Wehrmacht kaum standhalten. Nach wenigen Tagen war die gesamte deutsche Heeresgruppe A zerschlagen, in der Mitte der Ostfront klaffte eine riesige Lücke. Der Weg in die deutschen Ostgebiete war frei – und damit auch für diese Regionen der Weg in die Apokalypse des totalen Krieges.

Am 13. Januar hat man schon die Bomben und die Schüsse gehört von der Front. Das war ein Rumpeln um Breslau herum! Die Stadt sollte als Festung ausgewiesen werden, darum mussten die ganzen Leute später auch weg.

**Bernhard Seidel,
damals neun Jahre alt,
aus Breslau**

Unterteilt in die Provinzen Nieder- und Oberschlesien, umfasste Schlesien damals eine Fläche von 33 000 Quadratkilometern, das

»Jetzt müssen alle ran!« »Volkssturmmänner« aus Gleiwitz sollen bei Ratibor die Sowjets stoppen

entspricht ungefähr den Niederlanden oder dem Bundesland Nordrhein-Westfalen. Die Tieflandbucht rechts und links der Oder bildete den Kern des Landes, das heute auf polnisch Śląsk heißt. Im Südwesten und Süden liegt ein Kranz von Mittelgebirgen mit dem legendären »Riesengebirge«. Mit 4,6 Millionen Einwohnern war Schlesien 1939 die bevölkerungsreichste Provinz im Osten, die Hauptstadt Breslau mit 630 000 Einwohnern neben Berlin die größte deutsche Stadt östlich der Elbe. In Schlesien lag damals auch das einzige bislang noch intakte Industriegebiet Deutschlands.
Kein Sowjetsoldat werde je Schlesiens Grenze passieren, hatte Gauleiter Karl Hanke Anfang des Jahres noch vollmundig verkünden lassen. Doch am 19. Januar war es so weit: Die Rote Armee überschritt die Grenze der Ostprovinz. Am 20. Januar 1945 gingen bereits Kreuzburg und Rosenberg verloren. Der sowjetische Vorstoß zielte nun auf die Linie Beuthen – Gleiwitz – Alt – Cosel sowie in Richtung Oder, Höhe Glogau. Von den Brückenköpfen bei Brieg und Steinau ausgehend sollte später die Umklammerung Breslaus erfolgen. Unmittelbar nach dem Grenzübertritt der Roten Armee erlebte Schlesien die erste gro-

ße Fluchtwelle. »Viele machten sich auf eigene Faust auf den Weg«, sagt Joseph Irrek, der damals in Gleiwitz lebte, »in der Ferne waren schon die Kampfgeräusche zu hören.« Doch erst als die sowjetischen Panzer zum Sturm ansetzten, rang sich Gauleiter Hanke dazu durch, zumindest die rechts der Oder gelegenen Landkreise evakuieren zu lassen. Bis zur letzten Minute waren die Menschen zurückgehalten worden, dann konnte die Evakuierung nicht schnell genug gehen. Die Bevölkerung zwischen Oppeln und Glogau wurde zunächst mit Eisenbahnzügen, Omnibussen und Fuhrwerken auf das linke Oderufer gebracht. Dort formierten sich große Trecks, die zum Teil eine Länge von bis zu 16 Kilometern erreichten. Hankes langes Zaudern hatte den überstürzten Aufbruch tausender Menschen zur Folge, die fehlende Organisation stürzte die Flüchtenden ins Chaos – es kam zu ähnlich erschütternden Szenen wie in Ostpreußen.

Dieser Abschied von meinen geliebten Puppen, die mich da aus dem Regal anlächelten, das hat mich ein Leben lang begleitet. Es ist für mich irgendwie ein Symbol dieses Aufbruchs, die brennende Geburtstagskerze und der Verlust meines geliebten Spielzeugs.

Ursula Brauburger, Jahrgang 1939, über ihren sechsten Geburtstag

Auch im Dorf Klein-Zöllnig, dreißig Kilometer östlich von Breslau, waren die Menschen bis zuletzt ahnungslos. »Unser Bürgermeister hat ja noch am 19. Januar verkündet: ›Leute, ihr braucht nicht zu packen, es besteht überhaupt kein Anlass wegzugehen.‹ Also wurde erst mal nichts unternommen«, erinnert sich Ursula Brauburger, »aber auf einmal tauchten versprengte deutsche Soldaten auf, und da wurden wir unruhig.«

Klein-Zöllnig war ein idyllischer Ort und ist es noch heute. Zwar haben vier Jahrzehnte Sozialismus ihre Spuren hinterlassen, doch blieb die historische Substanz weitgehend erhalten. Eine Allee, kopfsteingepflastert, führt durch das ganze Dorf, mündet an den Enden in weite Felder. Man sieht für die Gegend typische Höfe und kleine Häuschen mit Gemüsegärten. Neben der Dorfkirche, einem Bau von Schinkel, steht das alte Schulhaus, in dem Ursula Brauburger, geborene Scholz, damals wohnte. Ihr Vater war Dorflehrer und Kirchenkantor. Er und die anderen wehrfähigen Männer kämpften im Krieg. Doch sonst schien nichts die Idylle im Dorf stören zu können. Das Inferno des Krieges war weit weg – bis zu jenen Tagen: »Wir konnten uns gar nicht vorstellen, dass wir all das hinter uns lassen müssen«, sagt Ursula

»Am Ende wurden Kinder auf dem Bahnsteig tot getreten.«
Nur wenige schafften noch vor der Massenflucht die Ausreise

»Wir wussten ja nicht, was uns bevorsteht.« Für hunderttausende Schlesier begann im Januar 1945 die Flucht

Brauburger. Sie freute sich sehr auf den kommenden Tag, den 20. Januar 1945, ihren sechsten Geburtstag. In den Annalen von Flucht und Vertreibung sollte dieses Datum eine Wende markieren – nicht nur für Klein-Zöllnig. »Plötzlich tauchte der Nachtwächter auf, den gab es da noch, und er weckte ganz früh morgens alle Haushalte. Steinchen wurden ans Fenster geworfen, und er sagte: ›Wir machen weg!‹, so ungefähr war der Ausdruck, ›wir machen weg!‹«

Ursula Brauburgers Mutter versuchte, ihrer Tochter wenigstens einen Moment lang die Illusion des Freudentags zu erhalten. »Mutti kam zu mir, nahm mich an der Hand und führte mich zu meinem Geburtstagstisch. Dort stand eine brennende Kerze, eine Lebenskerze von meinem Patenonkel, und ein Schulranzen lag da, weil ich ja Ostern in die Schule kommen sollte, und noch ein paar Kleinigkeiten und zwei Kuchen.«

Kurz Zeit später überschlugen sich die Ereignisse. Packen, sofort. Hektik in allen Räumen, überall aufgeregte Menschen. Nur ein Spielzeug durften die Kinder mitnehmen. Für viele Jungen und Mädchen war dies der erste schmerzhafte Moment der Flucht.

Klein-Zöllnig war bis sieben Uhr zu räumen: »Deswegen verlief alles in der Januardunkelheit, bei irrer Kälte. Über Feldwege hinweg tastete man sich in Richtung Breslau«, beschreibt Ursula Brauburger. Was ihnen bevorstand, ahnten die Flüchtlinge in diesem Moment noch nicht. »Dass die Reise vierzehn Monate dauern würde, und wir größte körperliche und seelische Qualen erleiden würden, damit haben wir überhaupt nicht gerechnet. Ich weiß noch, dass meine Mutter unter die Betten im Schlafzimmer Schuhe geschoben hatte – damit wir sie leichter wiederfinden, wenn wir wiederkommen.«

Aber es war ein Aufbruch ohne Wiederkehr. Am 21. Januar erreichte der kleine Treck aus Klein-Zöllnig die schlesische Hauptstadt. Hier herrschten Panik und chaotische Zustände. Der Befehl zur Evakuierung hatte auch die Breslauer unerwartet getroffen. Nun sollten Hunderttausende über Nacht die Metropole verlassen.

In den ersten Kriegsjahren war das Leben in der Hauptstadt kaum beeinträchtigt worden. Nur einmal, im November 1941 – russische Bomberpiloten schienen sich verirrt zu haben – starben bei einem Luftangriff zehn Menschen. Neidvoll blickte das gesamte Reich auf den »Luftschutzkeller Deutschlands«. Aus den

Städten im Westen, die bereits unter den Bombenangriffen der Briten und Amerikaner zu leiden hatten, wurden viele Menschen nach Breslau und in die Provinz Niederschlesien evakuiert. Auch Verwaltungen, Kulturgüter und wichtige Rüstungsfabriken hatte man dorthin verlagert. So war Breslau allmählich zur Millionenstadt angewachsen. Dennoch verlief der Alltag normal: Die Versorgung mit Wasser, Strom und Gas funktionierte wie in Friedenszeiten, das Telefonnetz war intakt, die Straßenbahnen fuhren. Und die Märkte gaben her, was die Lebensmittelkarten versprachen. Noch im Frühjahr 1944 galt Breslau als »offene Stadt«, in der keine besonderen militärischen Maßnahmen für den Verteidigungsfall getroffen werden mussten.

Die Breslauer glaubten, dass ihre Stadt den Krieg überstehen werde. Denn sie war ja den gesamten Krieg über nicht bombardiert worden, bis auf einen kleinen russischen Angriff. Deswegen hatte man gehofft, dass nichts passieren würde.

Horst Gleiss, Jahrgang 1929, aus Breslau

Im Juli 1944 war Joseph Goebbels mit seiner Frau nach Breslau gereist. In der berühmten Jahrhunderthalle hielt er vor 12 000 Menschen eine aufpeitschende Rede, in der er die Schlesier zu absoluter Hingabe und Opferbereitschaft aufforderte. Die Ansprache wurde mit tosendem Beifall quittiert. Etwa einen

Monat später, im August, erklärte Hitler Breslau in einem Geheimbefehl zur »Festung«. Starke feindliche Angriffs- und Belagerungskräfte sollten gebunden werden, um den Vormarsch der Roten Armee auf die Reichshauptstadt so lange wie möglich aufzuhalten – ein Todesurteil für viele historische Städte im Osten, wie Königsberg, Kolberg, Glogau oder Breslau. Sie wurden geopfert in einem längst verlorenen Krieg, damit Berlin als Zentrum der Macht noch länger leben konnte.

Dass Breslau alles andere war als eine »Festung«, schien den NS-Diktator nicht zu interessieren. Es gab nichts, womit man die Metropole wirkungsvoll hätte verteidigen können. Als Ende September 1944 Generalmajor Krause als erster Festungskommandant die Stadt inspizierte, mangelte es an allem: an Fernmeldeverbindungen, Logistik, Lazaretten, Luftschutz, Möglichkeiten zur Luftversorgung, Betriebsstoffen, Waffen, Munition, vor allem aber an Truppen. Im Siegesrausch vergangener Jahre hatte niemand in Erwägung gezogen, dass die Stadt jemals zur Front werden könnte.

Die Breslauer, die zunächst nichts von den Festungsplänen erfahren sollten, spürten seit Herbst 1944, dass sich etwas veränderte: »In das uns so vertraute Straßenbild, in unser häusliches Leben, begann sich etwas Fremdes einzuschleichen. Wir sahen

»Breslau soll ein Bollwerk sein.« NS-Gauleiter Hanke fordert die Verteidigung der Stadt um jeden Preis

ganze Rinderherden, die zum Schlachthof getrieben wurden. Man sah Lkw-Kolonnen, die geheimnisvolle, mit Planen verdeckte Ladungen transportierten. Andere Lastautos beförderten Kisten und Säcke mit Lebensmitteln, die in Kellern untergebracht wurden. Aus Museen, Privathäusern und Kirchen wurden Kunstgegenstände und Kostbarkeiten hinausgebracht. Entfernt wurden auch Denkmäler, die man außerhalb der Stadt in der Erde vergrub«, so die Schilderungen des polnischen Arztes Stefan Kuczynski, der seit dem Ersten Weltkrieg in Breslau lebte.

»Plötzlich wurden Viehherden durch die Stadt getrieben« – Vorbereitungen für die »Festungszeit«

Festungskommandant Krause schlug Gauleiter Hanke bereits im Dezember 1944 vor, die Breslauer Zivilbevölkerung evakuieren zu lassen. Doch Hanke lehnte strikt ab. Von derlei »defätistischen Maßnahmen« wollte er nichts wissen. Bornierte Eitelkeit und ungebrochener Fanatismus hinderten ihn daran, seine Aussage – »über Schlesien kommen sie nicht hinaus« – zu revidieren. Unvermindert drosch die Propaganda »Endsieg-Parolen«, allen voran Hanke.

Karl Hanke zählte zu den wohl skrupellosesten Helfern Hitlers. Einst persönlicher Referent von Goebbels, später Staatssekretär im Propagandaministerium, machte der Diktator den SS-Mann nicht nur zum Gauleiter Niederschlesiens, er erhob ihn auch in

»Pure Illusion« – Panzergräben waren für die Rote Armee kein Hindernis

Männer von Breslau!

Unsere Gauhauptstadt Breslau ist zur Festung erklärt worden. Die Evakuierung der Stadt von Frauen und Kindern läuft und wird in Kürze abgeschlossen sein. Ich habe den Gauamtsleiter für Volkswohlfahrt mit der Durchführung dieser Aktion beauftragt. Für die Betreuung der Frauen und Kinder wird geschehen, was möglich ist.

Unsere Aufgabe als Männer ist es, alles zu tun, was die Unterstützung der kämpfenden Truppe erfordert.

Ich rufe die Männer Breslaus auf, sich in die Verteidigungsfront unserer Festung Breslau einzureihen! Die Festung wird bis zum Äußersten verteidigt.

Wer die Waffe nicht führen kann, hat in den Versorgungsbetrieben, im Nachschub, bei der Aufrechterhaltung der Ordnung mit allen Kräften zu helfen. Niederschlesische Volkssturmmänner, die an der Grenze unseres Gaues bolschewistische Panzer mit Erfolg bereits bekämpften, haben bewiesen, daß sie unsere Heimat bis zum Letzten zu verteidigen bereit sind. Wir werden ihnen nicht nachstehen.

Breslau, den 21. Januar 1945.

Hanke

Gauleiter und Reichsverteidigungskommissar

»Bis zum Äußersten« – Gauleiter Karl Hankes Aufruf zur Verteidigung Breslaus vom 21. Januar 1945

den Rang eines »Reichsverteidigungskommissars«. Das hieß, er hatte von nun an auch ein Mitspracherecht in militärischen Fragen. Doch Hanke machte Fehler. So ließ er etwa an der ehemals deutsch-polnischen Grenze Befestigungsanlagen bauen, die viel zu weit von Breslau entfernt lagen. Und da er den Glauben an den Sieg – und zwar noch vor der Stadtgrenze – so lange wie nur irgend möglich aufrechterhalten wollte, ließ er erst am 17. Januar 1945 sämtliche in der Stadt stationierten Ersatztruppenteile in Alarmbereitschaft versetzen. Jetzt musste alles ganz schnell gehen. Fronturlauber auf der Durchreise, versprengte und anderweitig verfügbare Soldaten fasste das Festungskommando in vier Regimentern zusammen. Zusätzlich verstärkt durch den »Volkssturm«, das letzte Aufgebot der 16- bis 60-Jährigen, stand schließlich eine improvisierte Streitmacht von 50 000 Mann bereit. Gegen eine vielfache Übermacht.

Die Breslauer Zivilbevölkerung wurde viel zu spät auf die drohende Gefahr aufmerksam gemacht: »Erst als die ersten Trecks kamen, habe ich gedacht, jetzt wird's uns bald auch so gehen, dass wir wegmüssen. Mein Vater hat immer gesagt, wenn die Trecks kommen, dann kommen wir auch dran«, erinnert sich Hannchen Köhler aus Breslau.

Nachdem Hanke die Evakuierung endlich verfügt hatte, rechtfertigte er die Maßnahmen mit einer neuen Propagandaphrase: »Dass wir Frauen und Kinder in Sicherheit bringen«, sei nicht etwa »gleichbedeutend mit der Aufgabe unserer Gemeinden. Im Gegenteil: Weil wir nicht mehr mit der direkten Sorge um unsere Frauen und Kinder belastet sind, werden wir unsere Heimat umso entschlossener verteidigen.«

Die Evakuierung kam im denkbar ungünstigsten Moment. Die ersten schlesischen Trecks vom Land erreichten die Hauptstadt am 20. Januar. Bei schneidender Kälte überquerten Alte, Kranke, Frauen und Kinder im Schritttempo die Oderbrücken. Die Stadt

»Platz schaffen für den Kampf« – Frauen, Alte und Kinder müssen Hals über Kopf die Stadt verlassen

füllte sich mit Flüchtlingen. Nur wenige Bewohner hatten Breslau bereits verlassen, in völlig überfüllten Zügen nach Sachsen, Bayern und Berlin. Nun begann der Exodus von über 600 000 Menschen. Hanke trieb seine »Parteisoldaten« an, dafür zu sorgen, dass die Stadt so schnell wie möglich geräumt werde. »Die Bevölkerung hat das alles über sich ergehen lassen müssen. Sie hat ja keine Wahl gehabt – nicht nur, weil es den Befehl gab. Es war da natürlich auch die Angst vor dem Kampfgeschehen, die Furcht vor dem Krieg«, sagt die Zeitzeugin Ursula Bader. Auf dem »Freiburger Bahnhof«, dessen Gleise in den Westen führen, drängten sich am 20. Januar Tausende Menschen. Es kam zu einer Massenpanik. »Ich bin Richtung Freiburger Bahnhof. Dort sollte ein Zug für Flüchtlinge mit Kleinstkindern stehen. Das war ein Gedrängle, jeder dachte nur, fort, fort, fort mit dem Zug.« Gertrud Eichner war ebenso fassungslos wie Hans-Joachim Terp: »Ich habe versucht, meine Mutter auf den Bahnhof zu schaffen. Aber wie das aussah, das kann ich Ihnen gar nicht beschreiben. Der Bahnsteig war kaum zu betreten, weil die Massen sich nur so reinwälzten. Kinder wurden überrollt und zertreten. Ein Eisenbahner erzählte mir: ›Gestern haben sie 24 Kinder hier weggeholt, tote Kinder.‹ Sie waren einfach auf den Treppen zertrampelt worden. Es war grausam.«

Sobald man wusste, dass sowohl die Flüchtlinge als auch die Einwohner aus Lauban fortmussten, haben die Fleischer alle Pökelkammern geöffnet. Wir stürzten uns auf das Fleisch, auf das gepökelte und rohe Fleisch. Das haben wir in unsere Netze gepackt. In der Eisenbahn haben wir dann davon gelebt. Ich hatte meinen Mund und die Lippen so aufgerissen von dem Salz, dass ich kaum sprechen konnte. Aber was sollten wir machen? Hauptsache, wir hatten irgendetwas zu essen.

Gertrud Eichner,
aus Breslau

Den ersten Toten sollten noch unzählige folgen. Elisabeth Kleinert hatte das Glück, in einem Waggon Platz zu finden, doch auch hier spielten sich erschütternde Szenen ab: »Es war ein Lazarettzug, mit vielen schwangeren Frauen. Einige haben sofort entbunden. Vielleicht wegen des Schrecks und der Aufregung. Viele Kinder sind tot auf die Welt gekommen. Andere Mütter konnten nicht stillen, die Kleinen sind einfach verhungert. Später sind sehr viele tote Kinder aus dem Zug geworfen worden, er hat ja nicht mehr gehalten. Sie haben die Babys in Decken gehüllt und rausgeschmissen.«

Trotz der vielen langen Trecks, die sich langsam aus der Stadt quälten, hielten sich noch hunderttausende Zivilisten in Breslau auf. Und immer noch drängten neue Flüchtlinge nach. Hanke musste handeln, wollte Platz schaffen für die große Entscheidungsschlacht um die Festung – ein Rauswurf ohne Rücksicht. Die Flüchtlinge blieben ganz auf sich gestellt. »Plötzlich hieß es: ›Kein Zug mehr für Flüchtlinge, kein Platz mehr in Breslau, weiterziehen‹«, erzählt Ursula Brauburger. »Aber wohin? Und doch nicht heute, doch nicht jetzt, wo alle müde sind, Hunger haben und frieren.«

Aber die Flüchtenden konnten kein Mitleid erwarten, im Gegenteil. Am 20. Januar 1945 und am darauf folgenden Tag tönte folgende Durchsage aus den öffentlichen Lautsprechersäulen: »Achtung! Achtung! Frauen mit Kindern begeben sich zum Fußmarsch auf die Straße nach Opperau in Richtung Kanth! Sie sammeln sich auf den Plätzen der Südvorstadt.«

Bei 20 Grad unter null, eisigem Wind und hohem Schnee sollten sich tausende Mütter mit Kindern und Säuglingen, mit ihrer letzten Habe, mit Kinderwagen, Handwägelchen, Schlitten, Rucksäcken und ohne Versorgung auf den Weg machen in die kalte Winternacht. Der Text auf dem Plakat vom 21. Januar, in

»Nur das Nötigste mitnehmen« – Flüchtlinge mit ihren letzten Habseligkeiten

22 Jahre nachdem ich im Volkssturm auf den Fluchtstraßen diese steif gefrorenen Kinderleichen aufsammeln musste, bin ich mit meinem Mann und meinen drei Kindern in Kopenhagen im Wachsfigurenkabinett gewesen. Märchenfiguren waren dort ausgestellt. Doch auf einmal stand da eine Vitrine mit Wachsköpfen, etwa säuglingskopfgroß. Sie waren bleich und hatten Augenhöhlen mit starren Glasaugen. Ich konnte nur noch einen Schrei ausstoßen und bin vor dieser Vitrine zusammengebrochen. Mein Mann hat mir später erzählt, dass man mich sofort ins Krankenhaus gebracht hatte. Dort bekam ich eine Beruhigungsspritze, weil ich dauernd schrie: »Bringt doch endlich die toten Kinder weg. Bringt die Kinder weg!«

Vera Eckle,
Jahrgang 1926,
aus Breslau

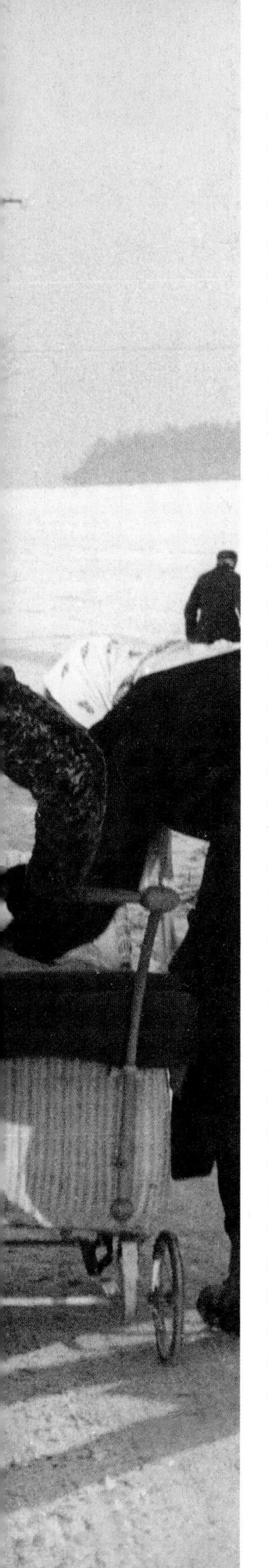

dem Hanke Breslau nun auch öffentlich zur Festung erklärte, klang unter diesen unmenschlichen Bedingungen wie blanker Hohn: »Männer von Breslau! Unsere Gauhauptstadt ist zur Festung erklärt worden. Die Evakuierung der Stadt von Frauen und Kindern läuft und wird in Kürze abgeschlossen sein. ... Für die Betreuung der Frauen und Kinder wird geschehen, was möglich ist.«
Tatsächlich interessierte Hanke das Los der Frauen und Kinder nicht im Geringsten, ihm ging es nur um die militärische Mobilmachung. Der »Todesmarsch der Breslauer Mütter«, dieses Martyrium ließ den Gauleiter im Gegensatz zu vielen Augenzeugen unberührt. Das BDM-Mädchen Vera Eckle wurde am 22. Januar zu einem »Versorgungseinsatz« abkommandiert. Sie konnte noch nicht ahnen, was sie dort erleben würde. »Um fünf Uhr in der Früh wurde ich abgeholt und ein Volkssturmmann sagte: ›Los, steig ein!‹. Es waren offene Lastwagen, hinten auf der Ladefläche lagen graue Decken. Wir fuhren etwa eine halbe Stunde in Richtung Kanth. Dann machte der Wagen Halt. Uns kamen Menschen entgegen, Massen von Frauen, Kindern, Säuglingen, Schubkarren, Kinderwagen, Leiterwagen. Man kann es nicht beschreiben, wenn man es nicht selbst erlebt hat. Ein Schneesturm tobte, der Schnee lag meterhoch, es war eiskalt. Die Kinder hatten mehrere Kleider übereinander angezogen, stolperten hilflos neben ihren Müttern her. Hier eine alte Frau, die kaum noch atmen konnte, da ein alter Mann auf Krücken, der dauernd ausrutschte, weil es so glatt war. Es war ein fürchterlicher Anblick. Dann schrie

»Flucht bei Minus 20 Grad.«
Beim »Todesmarsch der Breslauer Mütter« starben Tausende an Hunger und Kälte

der Volkssturmmann: ›Raus, los, runter Mädels, nehmt die Decken mit und sammelt mal die Puppen auf!‹ – ›Welche Puppen denn, was meint der?‹, habe ich mich gefragt. Und in dem Moment bin ich bereits über ein Bündel vor mir gestolpert. Ich habe es aufgehoben und es im selben Moment wieder fallen lassen: ›Um Gottes willen, das sind ja Kinder, Kinderleichen!‹, habe ich geschrien. Es war das grauenvollste Elend, das ich je in meinem Leben gesehen habe. Ich war wie betäubt und habe die ganze Zeit nur geweint.«

Der »Volkssturmmann«, der sich Vera Eckle gegenüber als überzeugter Nazi zu erkennen gab, herrschte das entsetzte Mädchen an: »Jawohl, das sind Kinder, die die deutschen Frauen wegschmeißen, um ihr eigenes Leben zu retten; diesen Anblick dürfen wir unserem Führer nicht zumuten, also sammelt sie ein, möglichst schnell.«

Auf den Straßen lagen überall die erfrorenen Kinder und Alten. ... Wir haben dann die Plattenwagen gesehen, auf die sie die Toten geschmissen hatten. Die Via Regia war zur Via Dolorosa geworden. Es war ein Elendsweg für die Schlesier und die Breslauer. Es war grauenvoll.

Hans-Joachim Terp,
Jahrgang 1928,
aus Breslau

Vera Eckle schäumte innerlich vor Wut und Verzweiflung über so viel Verlogenheit. Bei diesen Temperaturen, ohne Verpflegung, war die Überlebenschance für einen Säugling gleich null. Die Mütter konnten, dem eisigen Wind ausgesetzt, ihre Kinder kaum stillen. »Ich habe die Bäume an der Chaussee gezählt und mich von Baum zu Baum geschleppt. Frauen saßen auf ihrem Schlitten und wollten sich ausruhen. Aber die Kälte trieb sie immer weiter, bis auf die, die einfach sitzen blieben und mit ihren Kindern erfroren sind. Mutterliebe ist die größte Liebe. Aber wie groß die Liebe sein mag, wir sind doch nur schwache Geschöpfe. ... Ich habe versucht, Gabi die Brust zu geben. Aber sie nahm sie nicht. Und die Milch in der Flasche war wie Eis. Ich habe vor Elend ständig vor mich hin geweint, und ein paar Mal war ich auch so weit, dass ich mich am liebsten einfach in den Schnee gelegt hätte.« Zeilen einer Breslauerin an ihre Mutter, in einem Brief vom 29. Januar. »Als ich Gabi später auspackte und mich freute, dass ich ihr nun etwas zu trinken geben konnte, da war sie ganz still, und die Frau neben mir sagte: ›Sie ist tot.‹«

Unzählige Male sollten sich solche Szenen in jenen Tagen wiederholen. Der »Todesmarsch der Breslauer Mütter« kostete laut inoffiziellen Schätzungen etwa 18 000 Menschen das Leben. Die

Toten blieben meist im Straßengraben und am Wegrand liegen. Suchkommandos wurden später zusammengestellt, um die Leichen zu bergen, die zu Hunderten auf nahe gelegenen Friedhöfen in Massengräbern verscharrt wurden.
Immer mehr Hiobsbotschaften vom Flüchtlingselend drangen in die Stadt, von erfrorenen Alten, Frauen und Kindern, und von Trecks, die zwischen die Fronten gerieten. Hubertus Kindler, der als Soldat mit seiner Einheit mehrfach die Wege der Flüchtlinge kreuzte, schildert, was er erlebte: »Wir überquerten gerade eine Straße, als wir die Überreste eines Trecks sahen. Und ungefähr 500 Meter weiter hinten stand ein zerstörter sowjetischer Panzer. Er hatte vor seiner Zerstörung den ganzen Treck überrollt. Es war furchtbar anzuschauen. Menschen, Tiere, Betten, Hausrat, Heu, Stroh, Hafer – alles war durcheinander und alles dampfte noch, war noch warm. Sie haben einfach auf alles geschossen, auch auf die Pferde, auf alles, was sich regte. Einige Überlebende standen am Straßenrand, weinten und begriffen gar nicht, was geschehen war.«
Und auch das berichtet Kindler: »Wir waren fassungslos, als dann auf der linken Seite der Straße die NS-Parteibonzen mit ihren Autos und Lastwagen, vollbepackt mit allem Möglichen, ihre Frauen in Pelzmänteln, an uns vorbeifuhren. Wenn dann mal ein Fuhrwerk im Weg war, haben die Begleitkommandos gleich zur Waffe gegriffen. Sie haben die armen Leute gezwungen, Platz zu machen – richtig radikal. Wir hatten eine unglaubliche Wut.«
Während die ersten Nazis bereits die Flucht ergriffen, verschärfte sich der Terror der Gauleitung zusehends. Wer sich einer Anordnung widersetzte, musste mit standrechtlicher Erschießung rechnen. Am 27. Januar fand im Herzen Breslaus eine makabre Hinrichtung statt. Auf Hankes Befehl wurde der Zweite Bürgermeister, Dr. Wolfgang Spielhagen, am Denkmal des Preußenkönigs Friedrich Wilhelm III. auf dem »Ring« vor dem Rathaus erschossen – ohne Gerichtsurteil. Die Begründung ist ein Zeugnis von der Willkür jener Tage. Spielhagen hatte seine Familie nach

Die Ortsführer kamen in die Häuser und Wohnungen und befahlen: »Morgen um 12 Uhr muss dieses Haus geräumt sein.« Da war es natürlich dem letzten klar, dass wir rausmussten. Unsere Mutter hat gesagt: »Zieht so viel an, wie ihr könnt« – Unterwäsche, Hemden, drei-, viermal übereinander. Danach haben wir aus dem Keller noch jede Menge Kompott geholt: »Esst, so viel ihr könnt, wer weiß, wann wir wieder was kriegen!«

Christoph Seidel, damals sieben Jahre alt, aus Breslau

Berlin gebracht – ohne Erlaubnis –, war aber wieder zurückgekehrt. Dies nahm Hanke zum Vorwand, sich eines kritischen Kopfes zu entledigen, denn Spielhagen hatte Hanke vorgehalten, der Kampf um die Festung sei sinnlos, und ihm geraten, Breslau zur »offenen Stadt« zu erklären. Das war sein Todesurteil. Zur Abschreckung wurde Spielhagens Leiche in einem Wagen zur Oder gebracht und von einer Brücke ins Wasser geworfen. Doch Hankes harte Linie verfehlte ihre Wirkung bei weiten Teilen der Zivilbevölkerung – noch immer harrten zu viele Menschen in der Stadt aus. Es hatte sich schnell herumgesprochen, welches Schicksal die Menschen bei der Flucht durch Eis und Schnee heimsuchte. Dann lieber mit Nahrungsmitteln versorgt sein, ein Dach über dem Kopf haben und auf den Schutz der Festung bauen – trotz der Furcht vor der heranrückenden Roten Armee. Am 6. Februar ließ der neue Festungskommandant, Generalmajor von Ahlfen, Folgendes bekannt machen: »Breslauer und Breslauerinnen! Immer wieder wird an den Bahnhöfen und Ausfallstraßen festgestellt, dass bereits aus Breslau evakuierte Volksgenossen und Volksgenossinnen zurückkehren, um Sachen

zu holen. ... Die Ordnungsstreifen auf den Bahnhöfen und Straßen der Festung Breslau haben den Auftrag, die ohne Erlaubnis zurückkehrenden Personen festzuhalten und im Fußmarsch aus dem Festungsbereich herauszuführen.« Nur einen Tag später verschärfte sich der Ton: »Alle Frauen mit Kindern und Frauen über vierzig Jahre haben Breslau zu verlassen.«
Unzählige Familien wurde von Abgesandten der NS-Ortsgruppenleitung persönlich aufgesucht und unter Druck gesetzt: Wer bleiben wolle, erhalte keine Lebensmittelmarken mehr, die Häuser würden zu Verteidigungszwecken in die Luft gesprengt; und wenn die Rote Armee doch noch einmarschiere, seien vor allem Frauen und Mädchen in Gefahr. Aber auch der Psychoterror half nicht – etwa 200 000 Zivilisten blieben in der Stadt zurück. Zu diesem Zeitpunkt war die Einkesselung Breslaus nur noch eine Frage von Tagen. Die Rote Armee schlug einen Bogen um die Stadt, umschloss sie und marschierte mit anderen Truppen Richtung Westen weiter, während die anglo-amerikanischen Armeen zum Sprung über den Rhein ansetzten. In wenigen Wochen würden sich die alliierten Streitkräfte auf deutschem Boden treffen.

»Jede Straße eine Festung« – Straßenbahnen dienen in Breslau als Barrikaden

So drängte die Zeit, als sich die »Großen Drei«, der Brite Winston Churchill, US-Präsident Franklin D. Roosevelt und Sowjetdiktator Josef Stalin Anfang Februar 1945 zu ihrer zweiten großen Kriegskonferenz trafen. Angesichts der bevorstehenden Niederlage Hitler-Deutschlands herrschte Klärungsbedarf über das weitere Vorgehen in Europa. Der Tagungsort in Jalta auf der Krim war für eine internationale Konferenz alles andere als ideal. Im Liwadija-Palais, der einstigen Winterresidenz des Zaren Nikolaus II., fehlte es an allem, was zur Unterbringung und Versorgung größerer Delegationen notwendig war. Im Konferenzsaal herrschte drangvolle Enge. Die Stimmung war gereizt – Winston Churchill etwa war allein schon der Konferenzort suspekt, da das Treffen auf sowjetischem Boden Stalin einen Heimvorteil bot.

Das Chaos im Umfeld schlug sich auch auf den Verlauf der Gespräche nieder. Es gab in Jalta weder eine Vorbereitung einzelner Runden noch eine feste Tagesordnung. Außerdem führte der Zustand des schwer kranken US-Präsidenten Roosevelt zu unzähligen Unterbrechungen, sodass viele Diskussionen zusammenhangslos verliefen und immer wieder um die gleichen Fragen kreisten.

Welche Fülle menschlichen Elends! Ich glaube nicht, dass die Fundamente einer neuen Welt nach dem Kriege besser werden, wenn man fünf Millionen Deutsche von einem Ufer der Oder auf das andere bringt – das ist nicht die Art von Regelungen, die die Atlantik-Charta versprach.

Der konservative Abgeordnete Raikes in der Unterhausdebatte nach Churchills Rede über die Zukunft Polens am 15. Dezember 1944

Acht Konferenztage standen dem mächtigen Trio bevor, in denen sich die Debatten vorrangig um drei Komplexe drehten: die Behandlung Deutschlands, die Zukunft Polens und die Gründung der Vereinten Nationen auf der Basis der »Atlantik-Charta«. Am 14. August 1941 hatten der britische Premierminister Churchill und der amerikanische Präsident Roosevelt diese Charta verkündet. Unter anderem waren sie darin übereingekommen, »territoriale Veränderungen, die nicht mit dem frei geäußerten Willen der Betroffenen übereinstimmen«, abzulehnen. Dies war ein hoher moralischer Anspruch. Doch bald schon kamen Einschränkungen. So wurde zum Beispiel erklärt, die Charta gelte nicht für feindliche Länder. Außerdem hatte Stalin der »Atlantik-Charta« nur pro forma zugestimmt. Die Absicht, sie ernsthaft anzuwenden, hatte er nicht. Das wurde auch auf der Konferenz

von Jalta deutlich. Denn der Kremlchef präsentierte sich unnachgiebig, vor allem in der Polenfrage. Er wollte die »Westverschiebung« festschreiben, wollte die nach dem Hitler-Stalin-Pakt 1939 Moskau zugeschlagenen Gebiete Polens so weit wie möglich behalten. Dieser »Raub« Stalins wurde von den Westmächten geduldet, Kritik ziemte sich nicht unter Waffenbrüdern. Die polnische Ostgrenze sollte nun auf der 1919 in Versailles von Lord Curzon vorgeschlagenen Linie festgelegt werden. Dies bedeutete, dass Polen auf einen Teil seines bisherigen Staatsgebietes verzichten musste. Dafür sollte es sich im Westen bis zu Oder und Neiße ausdehnen dürfen. Bislang deutsche Gebiete würden damit polnisch werden. Churchill wandte ein, ein beachtlicher Teil der britischen Öffentlichkeit wäre entsetzt, »Deutsche in großer Zahl auszuweisen«. Stalin entgegnete, in den fraglichen Gebieten seien die meisten Deutschen ohnehin schon vor der Roten Armee geflüchtet. Eine falsche Behauptung mit fatalen Folgen. Zwar waren tatsächlich fast vier Millionen Deutsche aus den betreffenden Ostprovinzen geflohen, doch mindestens fünf Millionen lebten noch dort.
Offiziell einigte man sich in Jalta zunächst nur auf die vage Formulierung, dass »Polen im Norden und Westen einen beträchtlichen territorialen Zuwachs erhalten muss«. Was dies konkret bedeutete, stand für Stalin längst fest. Polen sollte für seine von den Sowjets okkupierten Gebiete mit Pommern, Ostpreußen und Schlesien entschädigt werden. Damit war die Oder-Neiße-Grenze, ein Wunschkind Stalins, und die Zwangsumsiedelung von Millionen Deutschen so gut wie besiegelt, auch wenn Churchill noch skeptisch davor warnte, »die polnische Gans so mit deutschem Futter zu mästen, dass sie an Verstopfung eingeht«.
Der schon vom Tod gezeichnete Roosevelt widersetzte sich Stalin in diesen Punkten ebenfalls nicht entschieden. Zumal er anderes im Sinn hatte als das ihm fremde und komplizierte polnische Problem. Amerikas Präsident sorgte sich vor allem um die Lage im Pazifik, er wollte, dass Moskau Tokio den Krieg erklärt. Hinzu kam, dass er glaubte, Stalin durch ein Entgegenkommen in der territorialen Frage bewegen zu können, in Polen eine demokratisch gewählte Regierung zuzulassen, anstatt ein kommunistisches Marionettenregime von des Kremls Gnaden zu installieren. Auch als Gründer der Vereinten Nationen wollte der Mann

Oder
STEINAU
23.1.
TRACHENB
25.1.
8.2.
WOHLAU
27.1.
DYHERNFURTH
26.1.
TREBNITZ
28.2.
25.1.
AURAS
Katzbach
9.2.
LIEGNITZ
NEUMARKT
10.2.
15.2.
13.2.
LEUTHEN
BRESLAU
10.2.
STRIEGAU
SCHWEIDNITZ
= Sowjetische Angriffe

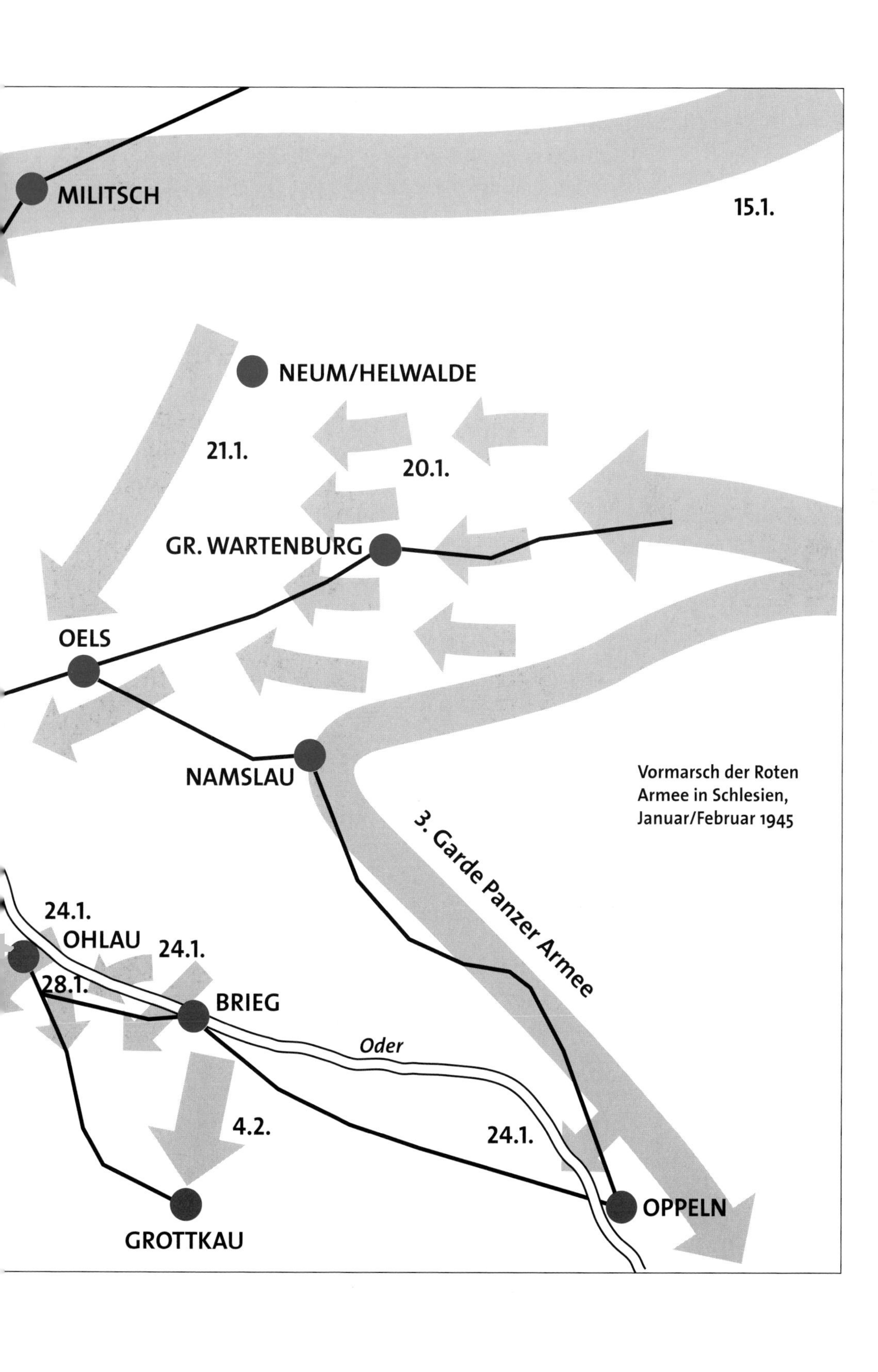

Vormarsch der Roten Armee in Schlesien, Januar/Februar 1945

aus dem Weißen Haus in die Geschichte eingehen. Ihm schwebte die Vision von der »Einen Welt« vor und er hoffte auf eine künftige Friedensordnung mit Beteiligung der Sowjetunion.
Noch aber hatten die »Großen Drei« das Hitler-Reich nicht bezwungen. Es sollten weitere drei Monate des totalen Kriegs folgen– mit hunderttausenden Opfern auf beiden Seiten und ungeheuren Verwüstungen. Große Städte wie Breslau und Dresden waren bislang weitgehend unzerstört geblieben. Nach Jalta sollten auch sie der Vernichtung anheim fallen.
Der Untergang dieser beiden Metropolen steht in engem Zusammenhang mit der Tragödie der Flüchtlinge. Dresden nahm im Winter 1945 viele Menschen auf, vor allem aus Schlesien, auch viele Breslauer. In der Nacht zum 14. Februar verwandelte sich die Stätte der Zuflucht in ein Flammenmeer.

Meine ersten Überlegungen zum Ziel meiner Flucht wurden durch die Radionachrichten vom 13. Februar hinfällig. Nachdem die Bombardierung Dresdens bekannt wurde, stand für mich fest: »In diese Hölle kannst du dich nicht begeben – doch wohin dann?«

Ursula Bader, Breslau, damals Universitätsangestellte

Im Zirkus »Sarassani« war die Abendvorstellung gerade in vollem Gange. Am Faschingsdienstag suchten die Dresdner ein wenig Zerstreuung von der Last des Kriegsalltags, als plötzlich Sirenen ertönten: Fliegeralarm. Die Zuschauer blieben gelassen. Dresden hieß wie Breslau im Volksmund »Reichsluftschutzkeller«. Die Dresdner wussten, dass die sächsische Metropole aus militärischer Sicht bedeutungslos war, hofften, dass auch die Alliierten die architektonischen Kostbarkeiten ihres »Elbflorenz« schätzen und verschonen würden. Auch die hunderttausende schlesische Flüchtlinge, die seit Tagen in die Stadt strömten, fühlten sich sicher. Zigtausend Menschen drängten sich an diesem Abend an den Ufern der Elbe. Es gab kaum Luftschutz und Luftverteidigung. Viele Flakgeschütze waren nur Attrappen, die Kanonen waren an der Front stationiert worden.
Um 22.09 Uhr meldete der Rundfunk: »Achtung, Achtung, Achtung! Feindlicher Bomberverband über der Stadt! Suchen Sie sofort die Luftschutzräume auf.« Die Piloten der 244 britischen Lancaster-Bomber wunderten sich, als sie ihr Ziel anflogen: Kein grelles Scheinwerferlicht, das den Himmel absuchte, kein Donnern von Flakgeschützen, das sich in das Dröhnen der Flugzeugmotoren mischte. Die wenigen einsatzfähigen deutschen

»Wann müssen wir weg?« Warten vor dem Marsch ins Ungewisse

Jagdflugzeuge, die in Dresden verblieben waren, mussten so lange abwarten, bis eindeutig feststand, welches Ziel die feindlichen Bomber ansteuerten.
Um 22.10 Uhr brach das Inferno los. Die ersten todbringenden Zwei-Tonnen-Bomben detonierten in der Stadt. Der Himmel färbte sich blutrot. Brandbomben entfachten in Minuten riesige Feuersbrünste, Sprengbomben ließen die Erde erzittern. Viele Straßenzüge verwandelten sich in eine Feuerhölle, durch die ein orkanartiger Hitzesturm wirbelte, der alles mit sich riss. Gewaltige Stichflammen schossen aus den Häusern. Der Asphalt brannte. Löschfahrzeuge verglühten auf dem Pflaster. In den Kellern erstickten und verbrannten Menschen. Der »Feuersturm von Dresden« war noch in 350 Kilometern Entfernung zu sehen. Ein damals fünfzehnjähriges Flüchtlingsmädchen erinnert sich an »ein Krachen und Donnern, Pfeifen und Heulen! Die Mauern erzitterten, schwankten unter dem Einschlag der Bomben. Wie lange das dauerte, weiß ich nicht. Es schienen Stunden zu sein.«
Andere Flüchtlinge erlebten das Bombardement in den Zügen, die vor der Stadt abgestellt worden waren: »Dann kam der Angriff, wir saßen dicht gedrängt in dem Waggon. Dresdner

stürmten auf uns zu, Leute, die schlimmste Verbrennungen hatten, sie wollten zu uns hinein. Wir hörten bloß noch Bomben und sahen das Feuer. Aber das ganze Ausmaß des Schreckens wurde uns erst klar, als wir diese Menschen erblickten.« Gertrud Eichner aus Breslau, die all dies mit ansah, überlebte.

Es folgten zwei weitere Angriffe, die die Gewalt des ersten noch einmal steigerten. Feuerwehr und Brandwachen waren völlig überfordert. Zur vernichtenden Hitze kamen Qualm und Rauch. Die Menschen hatten kaum eine Chance: Wer vor Staub und Rauch aus den Kellern floh, wurde von herabfallenden Trümmern erschlagen oder verbrannte bei lebendigem Leib.

Den Angriff auf Dresden erlebte ich im Zug vor der Stadt mit. Die Einwohner stürmten, halb angebrannt, wie sie waren, in unseren Zug. Das Gedränge wurde immer größer. Wir haben sieben Tage gebraucht bis Oberwiesenthal, wo wir ausgeladen wurden. Während dieser ganzen Zeit hat meine Tochter weder etwas zu trinken noch etwas zu essen bekommen. Es ist wirklich ein Wunder, dass sie durchgekommen ist.

Gertrud Eichner,
aus Breslau

Der Bahnhof, der die erste Angriffswelle wie durch ein Wunder fast unbeschadet überstanden hatte, bot nun ein Bild des Grauens. Die Brandbomben der zweiten Welle hatten das Glasdach der Halle durchschlagen. Die Flüchtlinge, die dicht gedrängt darauf warteten, in Zügen aus der Stadt gebracht zu werden, wurden von den Flammen eingeschlossen. Jede Hilfe kam zu spät. Die Rettungsmannschaften fanden nur noch Tote. Die Breslauerin Hannchen Köhler hat die Bilder heute noch vor Augen: »Als wir zum Hauptbahnhof kamen, brannte alles lichterloh. Am Abend zuvor standen dort noch die ganzen Trecks aus Schlesien, die Planwagen mit den Pferden und dem ganzen Gepäck. Die Leute, die im Bahnhof waren, sind alle verbrannt. Alles lag am Boden, verkohlt, verstreut – weit und breit nichts mehr. Ich wollte an jenem Tag zu meiner Tante, die in der Nähe wohnte. Sie sind alle bei dem Angriff gestorben. Die zwei Schwestern meiner Mutti, ein Bruder, meine Cousine. Wenn ich bei ihnen gewesen wäre, wäre ich auch umgekommen.«

Als der Morgen des 14. Februar dämmerte, zeigte sich das ganze Ausmaß der Zerstörung. Dresden, eine der schönsten Städte Deutschlands, lag in Schutt und Asche. Doch das Werk der Vernichtung war noch nicht beendet. Gegen acht Uhr starteten 450 »fliegende Festungen« der US Air Force. Zu den mehr als 2000 Tonnen Bomben, die in der Nacht auf die Stadt gefallen waren, kamen am helllichten Tag weitere 700 Tonnen. Eine militärische Rechtfertigung für dieses sinnlose Töten gab es nicht. Der britische Kommandeur Arthur Harris war überzeugt, den kriegsentscheidenden »K.o.-Schlag gegen die Wirtschaft und den Kriegswillen des Feindes« zu führen. Zwar hatten schon die Luftangriffe der Deutschen auf britische Städte gezeigt, dass solche Attacken den Widerstandswillen nur noch stärken, aber Harris blieb bei seiner Haltung: »Ein diktatorisch regiertes Volk muss anfälliger sein als wir.« Und das, obwohl ihm bekannt war, dass sich sehr viele Flüchtlinge in der Stadt aufhielten. Wie viele Dresdner, wie viele Flüchtlinge damals in den Trümmern starben, darüber gibt es keine exakten Zahlen. Das Leid der Menschen in jener Februarnacht kann ohnedies keine Statistik erfassen.

Man hat uns reinen Wein eingeschenkt. Es wurde uns gesagt, dass Dresden voller Flüchtlinge ist. Was wir angerichtet haben, war ein Gräuel.

Dave David,
britischer Bomberpilot

Breslau stand dieses Inferno noch bevor. Am 14. Februar gab das Oberkommando der Wehrmacht (OKW) die Vereinigung der sowjetischen Truppen südwestlich der Stadt bekannt, Generalmajor von Ahlfen verkündete einen Tag später die Einkesselung der »Festung«. Im Norden eroberte die Rote Armee Liegnitz, Gold-

»Wir wären früher geflohen« – Einwohner der schlesischen Stadt Lauban werden evakuiert, März 1945

»Mit Todesmut und Panzerfaust« – Goebbels stilisiert den Einsatz der HJ zum »Heldenepos«

berg, Löwenberg, Bunzlau und Sprottau, im Süden Grottkau, Strehlen, Striegau und Jauer. Breslau aber sollte bis zuletzt, so Gauleiter Hanke, der »Wellenbrecher« sein. Es gehe darum, den Ansturm feindlicher Truppen auf das Reich um jeden Preis abzufangen. Wer wollte ihm widersprechen – doch lag es nicht zuletzt an Hankes Selbstüberschätzung, ideologischer Verbohrtheit und dem Kadavergehorsam der Kommandanten, dass hier am Ende des »totalen Krieges« noch so viele Menschen in den Tod getrieben wurden. Weniger alliierter Feindbeschuss als fanatischer Verteidigungswahn sollten die Perle Schlesiens im kommenden Vierteljahr in ein Trümmerfeld verwandeln.
Jeder, der eine Waffe tragen konnte, wurde in die Schlacht geworfen. Urlauber, Dienstreisende, Kranke und Verwundete rekrutierte man vom Bahnsteig weg, alle Übrigen kamen zum »Volkssturm«. Der Hitlerjugend war eine besondere Rolle bei der Verteidigung von Breslau zugedacht. Ihre Führer stilisierten den Kampf zur entscheidenden Bewährungsprobe – und die Begeisterungsfähigkeit der Jugend war ein fruchtbarer Boden für die eingängigen Botschaften des Dritten Reiches. Ihre Idole waren die Helden der Kriege, ihre Ideale aus nationalem Holz

geschnitzt. »Du bist nichts, dein Volk ist alles« – so sah die Welt in den Köpfen vieler Hitlerjungen aus. Eine gläubige und aufopferungsbereite Reserve sollten sie sein, leicht lenkbar für die, die im Hintergrund die Fäden zogen. Bei vielen Hitlerjungen spielte aber auch noch ein anderes Motiv eine Rolle: »Uns ging es schlicht um die Heimat«, sagt der Breslauer Horst Gleiss, »nicht um Hanke, nicht um Hitler, sondern um die Heimat.« Und die war jetzt bedroht. Tausende gingen damals zu ihren Eltern wie der junge Christian Lüdke: »Ich kam zu meiner Mutter und sagte: ›Jetzt bin ich Soldat.‹ Sie sagte: ›Oh Gott, jetzt nehmen sie auch noch die Kinder.‹«

Reine Hitlerjugend-Einheiten wurden gebildet, erwarben im Laufe der Schlacht traurigen Ruhm. Sicher, sie würden später gar die Rüttgers-Werke und den Bahnhof Pöpelwitz zurückerobern, würden wichtige Stellungen halten – aber unter welchen Verlusten, um welchen Preis. Die Ecke Kaiser-Wilhelm-/Augustastraße bekam von den Breslauern den makaberen Namen »Hitlerjugendeck«, dort hatten die Jungen Handgranatenkatapulte gebaut und sich verschanzt.

Für die meisten Jugendlichen geriet die Schlacht zum Trauma: »Am 27. Februar kam plötzlich ein Melder zu uns in den Keller am Benderplatz und fragte: ›Ist hier ein Junggenosse Gleiss?‹ Ich musste mich bei der Ortsgruppe der NSDAP Schießwerder am Benderplatz melden, als Volkssturm vierten Aufgebots. Ich musste da alles machen, was man sich vorstellen kann. Es war die furchtbarste Zeit meines Lebens. Weil man dauernd mit dem Tod konfrontiert wird, wenn man an Soldaten vorbeifährt, die auf der Bank sitzen ohne Kopf, weil ihnen der Luftdruck einer Granate die Schädel abgerissen hat. Wenn man über den Benderplatz fährt mit dem Fahrrad und überall Kinderhände, Kinderfinger, Erwachsenenarme herumliegen, die im Dunkel der letzten Nacht nicht eingegraben worden sind, weil man sie nicht gesehen hat. Das sind alles so grauenvolle Dinge. Wenn ich bedenke, dass ich damals Selbstmörder von Dachbalken abschneiden musste, wenn ich bedenke, dass ich ein sehr junges, liebes Mädchen von 17 Jahren in kleine Stücke zerrissen aufsammeln musste, nachdem ich vorher noch mit ihr im Luft-

Von meinen Klassenkameraden waren nach dem Krieg nur zwei übrig. Einer, der in der Landwirtschaft tätig war und ich. Die anderen sind alle auf den Barrikaden verheizt worden.

Hans-Joachim Terp,
Jahrgang 1928,
aus Breslau

schutzkeller zusammengesessen hatte, dann sind das Dinge, die ich als Vierzehnjähriger nicht verkraftet habe. Ich hatte einmal einen regelrechten Nervenzusammenbruch, gerade nach diesem Erlebnis mit dem Mädchen. Da habe ich drei Tage nur erbrochen, war arbeitsunfähig, dienstunfähig, konnte nicht mehr. Das kann man nicht aus seinem Leben streichen.«

Bei den mörderischen Stellungskämpfen fiel die Hälfte der Kindersoldaten von Breslau. An der so genannten Hauptkampflinie, den Bahndämmen im Süden der Stadt, wurden hunderte von Hitlerjungen verheizt. Was sie dort erwartete, schildert Roman Schäfer: »Die Russen haben auf dem Bahndamm oben gelegen, und wir sollten sie hinter den Bahndamm treiben. Das kann man sich ja vorstellen, wie die Russen da oben liegen und mit den Maschinengewehren alles abstreifen. Die Menschen wurden gnadenlos geopfert. Es war reiner Wahnsinn.« Auch Christian Lüdke war dort im Einsatz: »Es war ein aussichtsloser Kampf, den wir hier führen mussten. Wir konnten nur noch unsere Verluste zählen. Es waren nicht wenige, die weinten – nicht nur weil viele schwer verwundet waren, sondern auch aus Todesangst.«

»Kampf um jeden Häuserblock« – unter hohen Verlusten erobern Rotarmisten in Breslau Straße um Straße

Um die Angst zu überwinden, wurde den Jungen immer wieder eingetrichtert, es gehe um ihr Vaterland. »Aber was war das für ein Vaterland?«, fragten sich später viele Überlebende, »ein Vaterland in der Hand von Verbrechern.« Die Propaganda wurde jedenfalls nicht müde, nach »Strohhalmen« zu suchen, an die sich die Kämpfenden von Breslau in ihrer Not klammern konnten. So ließen gezielte Spekulationen immer wieder Hoffnung auf Entsatz aufkeimen. Generaloberst Schörners Armeen aus der Heeresgruppe Mitte würden die Stadt befreien, brodelte die Gerüchteküche: »Aber wir sind doch schon entsetzt«, sollen sich manche Breslauer hinter vorgehaltener Hand einander zugeflüstert haben.

In der Tat plante das Oberkommando des Heeres (OKH) den Ring um die eingeschlossene Stadt zu sprengen. Für den operativen Aufmarsch aber war eine durchgängige Eisenbahnverbindung Berlin – Görlitz – Oberschlesien unabdingbar. Knotenpunkt war die Stadt Lauban. Nach erbitterten Kämpfen hatten Teile der 3. russischen Garde-Panzerarmee den Nord- und Ostteil der niederschlesischen Stadt eingenommen. Die entscheidende Verbindung war damit unterbrochen. Generaloberst Schörner wurde

beauftragt, mit Einheiten seiner Heeresgruppe den Gegenangriff zu führen. Der Vorstoß der Panzergruppe Nehring begann am 3. März. Die Rückeroberung gelang. Ein wahres »Fest« für die NS-Wochenschau, die den (Pyrrhus-)»Sieg« von Lauban vollmundig zur Wende im Osten stilisierte. Propagandaminister Goebbels erschien höchstpersönlich vor Ort und ließ sich in der Pose des Feldherrn ablichten. Zur Steigerung der Kampfmoral brauchte er »Helden«. Und er fand sie in den Hitlerjungen, die in der Nähe zum Einsatz gekommen waren. Das zynische Kalkül: Wenn selbst die Kleinsten für die nationale Sache stritten, konnten Erwachsene die Hoffnung doch nicht aufgeben! Daher setzte Goebbels vor den Kameras der Wochenschau eine »Ehrung« in Szene, die suggerieren sollte, dass die ganze Nation bis zum »Endsieg« weiterkämpfen werde. Es war der 9. März 1945, als der »Generalbevollmächtigte für den totalen Kriegseinsatz« einer kleinen Schar von Hitlerjungen in Lauban das Eiserne Kreuz überreichte.

»Es war wie in Stalingrad.« Manchmal ging die Front mitten durch die Häuser

Unter ihnen war auch der junge Wilhelm Hübner, dessen Bild damals durch die Wochenschau ging. Glaubte der »Ausgezeichnete«, dass sein Einsatz noch einen Sinn hatte? »Damals habe ich das schon geglaubt. Zumindest, dass die Kämpfe noch einen Zeitaufschub bringen würden, um die Frauen und Kinder, die auf der Flucht waren, retten zu können, wie mir die Soldaten damals sagten. Außerdem hatte ich im Stillen immer noch die Hoffnung, dass eine Wunderwaffe oder irgendetwas Gewaltiges kommt, das den Umschwung bringt.«

Die jahrelange Indoktrination hatte Erfolg – und sie ging weiter. Viele Jugendliche im Osten hörten von den Flüchtlingen und Vertriebenen, manche erfuhren aus der Wochenschau, wie grausam der Krieg nun auf das Volk zurückschlug, in dessen Namen er entfesselt worden war. Die mitunter gezielt gestreuten Nachrichten von Gräueltaten, Morden und Massenvergewaltigungen der Sowjets in Orten wie dem ostpreußischen Nemmersdorf verbreiteten sich wie Lauffeuer. Viele junge Menschen waren daher schlicht der Auffassung, in Notwehr handeln zu müssen. Und das, was in jenen Tagen im schlesischen Lauban vorgefallen war, stärkte den Durchhaltewillen.

Das Bild, das sich den deutschen Soldaten in der verwüsteten Stadt bot, war erschreckend. Angefeuert von den Parolen der sowjetischen Propaganda übten die Rotarmisten nun auch in

Schlesien gnadenlose Rache an der deutschen Zivilbevölkerung. Von der Wolga bis an die deutschen Grenzen waren sie den grausamen Spuren von Hitlers Vernichtungsfeldzug gefolgt. Mit Flugblattparolen wie »Töte den Deutschen« im Gepäck, zogen sowjetische Einheiten mordend, plündernd und brandschatzend durch deutsche Ortschaften. Der in den Jahren seit 1941 durch die deutschen Kriegs- und Besatzungsverbrechen geschürte Hass kannte keinen Unterschied zwischen Schuldigen und Unschuldigen. Folgt man den Aussagen der Überlebenden, kamen die Täter offenbar seltener aus Fronttruppen, sondern vielmehr aus nachrückenden Einheiten; mitunter waren es auch versprengte Soldaten und Marodeure, die sich der militärischen Disziplin entzogen hatten.

Szenen wie in Lauban boten sich in vielen Ortschaften: Türen waren aufgebrochen, Geschirr und Möbel zerstört, Fensterscheiben zerschlagen, Häuser in Brand gesteckt. Frauen vergewaltigt, ermordet; alte Männer erschossen oder erschlagen. Wer sich vor die Frauen stellte, wurde meist getötet. »Die Kommandeure der Russen haben gesagt, in den ersten drei Tagen könnt ihr die Deutschen als Freiwild betrachten. Die haben uns so viel geschadet, ihr könnt mit denen machen, was ihr wollt. Damit begannen diese entsetzlichen Gräueltaten«, berichtet der ehemalige Generalstabsoffizier Eberhard Borstutzki, der damals in Lauban kämpfte. Zwar gab es immer wieder sowjetische Offiziere, die das Schlimmste zu verhindern suchten, und auch das Oberkommando in Moskau erließ Befehle, um die marodierende Soldateska zu zügeln – doch vielerorts war es längst zu spät. »Die Familie meiner Tante wohnte bei Schöndorf auf einem Bauernhof. Mein Onkel arbeitete im Wald, der dem Fürsten von Solms gehörte, in Klitschdorf. Dort wurden sie in den Morgenstunden von den Russen überrascht. Wie es so üblich war, war der erste Schrei der Russen: ›Frau, komm! Frau, komm!‹. Sie machten sich über die Frauen und die Mädchen her. Und da die Männer Widerstand leisten wollten und mein Onkel seine Tochter, vor allen Dingen die Tochter beschützen wollte, wurden

Als es immer schlimmer wurde, hat mich meine Mutter morgens um vier geweckt und hat gesagt: »Hör mal zu, wir müssen heute Tau ablecken, wir haben weder zu essen noch zu trinken. Und ich muss dir noch was sagen. Wir haben auch Rasierklingen bereit und müssen uns eventuell die Pulsadern aufschneiden, wenn wir diese Folterungen nicht mehr durchhalten.«

Marianne Stiebitz, damals dreizehn Jahre alt

sie von den Russen erschossen, und als selbst das noch nicht genügte, wurden sie mit Feldspaten regelrecht zerstückelt«, berichtet der Zeitzeuge Helmut Lachmann. Der NS-Propaganda kamen solche Gräuel nur recht. Sie setzte die grauenvollen Bilder gezielt ein, um Hass zu schüren und den Willen zum Durchhalten zu stärken – auch in Breslau. Die Stadt müsse ein Bollwerk gegen die sowjetischen »Horden« sein, forderte Gauleiter Hanke und bestand auf einer Verteidigung um jeden Preis.

»Alles verloren« – ein Junge in Lauban vor den Trümmern seines Elternhauses

»Schostakowitsch in der Kampfpause« – Rotarmisten in einer besetzen Wohnung

»Es war die Apokalypse.« An Ostern 1945 begann die systematische Bombardierung Breslaus

Wieder sollte ein neuer Festungskommandant die Wende bringen. Am 5. März gelang Generalleutnant Hermann Niehoff der Einflug in die brennende Stadt. Vier Tage später löste er Generalmajor von Ahlfen ab. Der Dienstantritt erregte Aufsehen, denn Niehoff brachte die Zusage von Generaloberst Schörner mit, Breslau mit Divisionen aus dem Raum von Strehlen und Zobten durch einen Angriff von Süden zu entsetzen. Doch wer wollte darauf noch hoffen. »Bleib übrig« statt »Heil Hitler« hieß nun der Gruß mancher Breslauer.

Von Süden her kämpfte sich stattdessen die Rote Armee immer weiter vor, im Stellungskampf um jede Straße. Die Situation im Kessel erinnerte nicht nur viele Deutsche an Stalingrad. Ein Stockholmer Blatt schrieb zum Fortgang der Schlacht um die Festung einen Bericht, der sich auf eine Moskauer Zeitung stützte: »Gekämpft wird in Breslau nicht nur um jedes Stockwerk, sondern auch buchstäblich um jedes Fenster, wo die Deutschen Maschinengewehre und andere automatische Waffen aufgebaut haben! Man kann überhaupt nicht begreifen, wie sich die Deutschen mit Lebensmitteln, Wasser und Munition versorgen.

Während des ganzen Krieges hat es nur wenige Gegenstücke gegeben zu einem derart dramatischen und fanatischen Ringen wie in Breslau, wo die Kämpfe an Erbitterung und Todesverachtung alles übertreffen.«

Jederzeit konnte an jedem Ort in der Stadt eine Granate einschlagen. Die Zivilbevölkerung verbrachte die meiste Zeit in den Kellern. »Als in der zweiten Märzhälfte mildere Witterung einsetzte, gab es mehrere Fälle, in denen Kinder sich auf die Straße wagten, um aus dem dauernden Kellerdasein an die frische Luft zu kommen, und dabei durch Artilleriebeschuss ihr Leben lassen mussten. Frauen wurden oft beim Weg zum Einkauf der notwendigen Lebensmittel von einem Feuerüberfall überrascht und getroffen. Manche verbluteten schnell, zumal es an erster Hilfe fehlte«, schildert Pfarrer Hornig von der evangelischen St.-Barbara-Gemeinde in seiner Chronik über die »Festungszeit«.

Am 27. März erschienen sowjetische Flugzeuge über der Stadt. Diesmal warfen sie keine Bomben, sondern Flugblätter, die den Hitlerterror ebenso anprangerten wie die verlogenen Durchhalteparolen der Gauleitung. »Es gab sogar einige Widerstandsgruppen in der Stadt«, berichtet Hornig, »sie blieben so geschickt verborgen und arbeiteten so vor- und umsichtig, dass sie sich bis zum Ende der Belagerung hielten. Andererseits wurden auch immer wieder Defätisten entdeckt, festgenommen, saßen im Gefängnis und wurden abgeurteilt, eine ganze Reihe erschossen.« Zweifler am militärischen Erfolg bezeichnete die Propaganda als »Verräter«, »Kreaturen, die unseren Lebenskampf unterwühlen« und »Todfeinde des Volkes«. Sie gehörten erschossen oder an den Galgen. Wer glaubte, sich dem nationalen Gebot widersetzen zu können, sollte sterben. Die Wächter des »heiligen Volkskriegs« kannten kein Pardon. An manchen Tagen arbeiteten die Standgerichte im Akkord.

In der Nacht kam ein zweiter Bombenangriff. Das Haus wurde zwar nicht direkt getroffen, aber es fiel alles zusammen. Der Hauptausgang war verschüttet und man musste mich Schwangere mit meinem dicken Bauch aus dem Kellerfenster sägen, damit ich überhaupt herauskam.

**Brigitte Hoffmann,
aus Breslau**

Die Bomber, die am 1. April am Himmel über Breslau erschienen, klinkten tödliche Fracht aus. Es war der Ostertag 1945. Die Meldungen überschlugen sich: Bombardement, mehrere Stunden lang, gezielte Abwürfe auf die Dom- und Sandinsel. In der ganzen Stadt Flächenbrände. Die hinabstürzenden Glocken der

Kirchen schienen den Untergang der Metropole einzuläuten. Einer der Domgeistlichen sagte später einmal: »Wir glaubten, die Schrecken des Jüngsten Tages seien über uns hereingebrochen«. Den Überlebenden hat sich dieser Tag wie kaum ein anderer im Gedächtnis eingeprägt. »Das war ein Tornado aus Artillerie und Bomben, der damals an Ostern über Breslau herunterging. Es war fürchterlich. Als wir in einem ruhigeren Moment auf die Straße gegangen sind, haben wir die Umgebung nicht mehr wiedererkannt. Die Bäume, die dort gestanden haben, waren nicht mehr da, tiefe Bombenkrater gähnten da stattdessen. Überall lagen Blindgänger herum und über der Stadt schwebte eine dicke Rauchwolke«, erinnert sich Ernst Brückner.

»Flammen schlugen aus den Türmen der Domkirche; das ganze Dach war ein einziges Feuermeer. Die Michaeliskirche, die Sandkirche, die St.-Vinzenz-Kirche, die Kirche St. Bernhardin, die Christophorikirche und alle Straßenzüge dazwischen brannten«, so Pfarrer Peikert von der Mauritiusgemeinde über den Untergang der Wahrzeichen von Breslau an Ostern 1945. Für viele in der Stadt geriet das Inferno jenes Tages zum Menetekel. »Die alte Prophezeiung trat ein, die wir auch im Lesebuch hatten: Wenn die Oder wird blutig nach Norden fließen und die Türme, die zerstörten Türme wie dürre Finger zum Himmel greifen, dann wird Breslau untergehen«, sagt Hans-Joachim Terp.

Es erinnerte an ägyptische Fronarbeit, wie die Zehn- bis Sechzehnjährigen von den grün gekleideten Bonzen ... auf diesen Arbeitsplatz getrieben wurden, der dem russischen Beschuss ungehindert ausgesetzt war.

**Joachim Konrad,
1945 evangelischer
Stadtdekan von Breslau
über den Rollbahnbau
in der Innenstadt**

Der Flugplatz Gandau im Westen der Stadt zählte von Anfang an zu den Hauptzielen der sowjetischen Angriffe. Mit dem Verlust des Flugfelds im März war jeder Kontakt zur Außenwelt abgeschnitten. Daher ließ Gauleiter Hanke auf Befehl Hitlers ganze Straßenzüge dem Erdboden gleichmachen, um ein neues Rollfeld zu bauen. »Eine besondere Wahnsinnstat war dieses Rollfeld zwischen der Kaiserbrücke und der Fürstenbrücke«, schreibt Pfarrer Peikert in seinem Tagebuch. »Man ging daran, tausend Grundstücke zu beiden Seiten der Kaiserstraße und der anliegenden Straßen zu sprengen und anzuzünden, darunter zwei Kirchen. Einer der schönsten und repräsentativsten Stadtteile Breslaus wurde der Verwüstung preisgegeben. ... Von nun an arbeiteten auf diesem Trümmerfeld zehntausende der

zurückgebliebenen Breslauer Bevölkerung. Ich nenne dieses Feld ›Schindanger‹ und das ›Todesfeld‹ der Breslauer Bevölkerung.« Nicht nur die Ausradierung ganzer Stadtteile hatte der aberwitzige Plan zur Folge, auch Leiden und Tod von tausenden Menschen. Laut offizieller Anordnung Hankes herrschte »Arbeitspflicht für jeden Einwohner!«. Weiter hieß es: »So wie der Soldat, der seinen Posten verlässt, als Fahnenflüchtiger mit dem Tode bestraft wird, muss die gleiche Strafe auch den treffen, der sich seiner Arbeitspflicht in der Festung entzieht. ...

»Wie durch ein Wunder« – das berühmte Breslauer Rathaus am »Ring« wurde beschädigt, aber nicht zerstört

2. Arbeitspflichtig sind alle männlichen und weiblichen Einwohner der Festung (einschließlich der Knaben vom zehnten und der Mädchen vom zwölften Lebensjahr ab) ...
6. Der Arbeitseinsatz wird täglich mit Stempelaufdruck durch die Ortsgruppe oder den Betriebsführer bescheinigt.
7. Die nachfolgende Strafandrohung gilt bei Nichtbefolgung der Anordnung durch Jugendliche bis zu 16 Jahren für die Eltern oder Erziehungsberechtigten.
8. Wer ab 11. März nicht im Besitz der Arbeitskarte mit dem täglichen Stempelaufdruck ist, wird dem Standgericht zur Aburteilung übergeben.
9. Wer vorsätzlich dieser Anordnung nicht nachkommt, wird mit dem Tode bestraft.«

Zwar blieb in dem Aufruf das Rollfeld unerwähnt, doch war der Einsatz in erster Linie für dieses Unternehmen gedacht. Nur durch Einbeziehung aller verfügbaren Kräfte konnte das absurde Vorhaben in absehbarer Zeit durchgeführt werden. Ehemalige Breslauer sind noch heute empört: »Wer war das, die dort räumten? Das waren Kinder. Man hat sie – Jungs ab zehn Jahren, Mädchen, ab zwölf Jahren – zum Arbeitseinsatz geholt. Und die Alten, die noch kriechen konnten, und die Verwundeten. Auch

»Ein Leben im Keller.« Nur selten wagen sich die Zivilisten während der Kämpfe auf die Straße

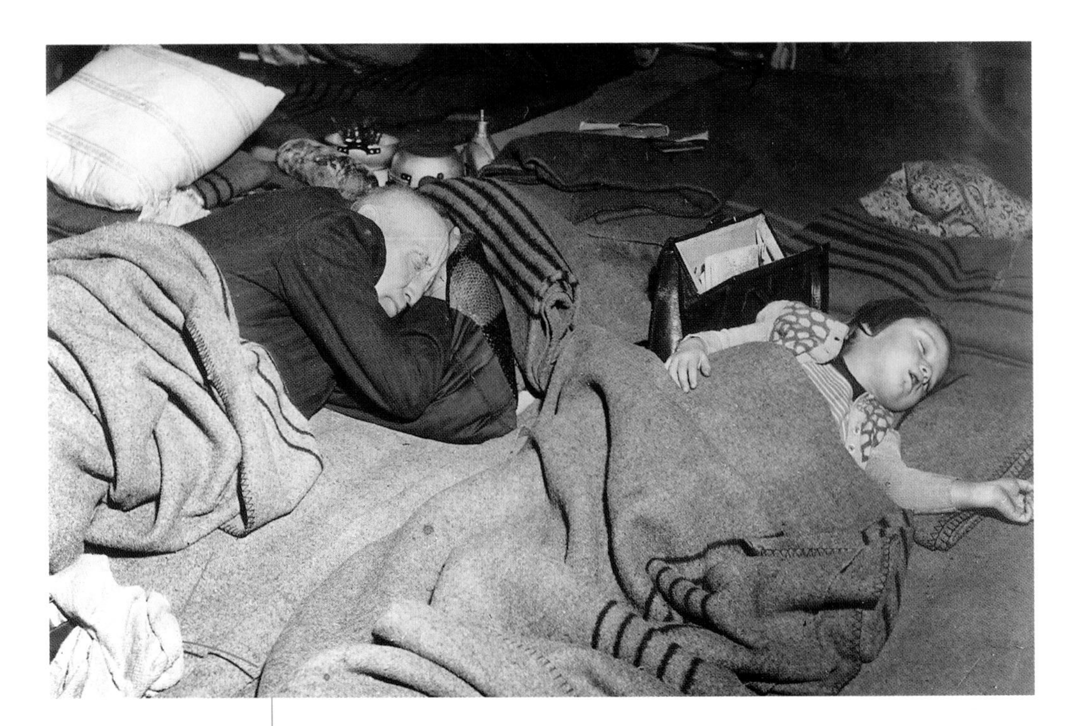

schwangere Frauen waren dort«, berichtet Hans-Joachim Terp. »Heute sagt man, dass auf jedem Meter zehn Tote liegen, es sind 1300 Meter. Also liegen dort 13 000 Tote, allein auf dem Rollfeld.« Vor allem durch Bombenangriffe und Artilleriebeschuss starben viele Menschen an der Rollbahn. Und alles nur, damit dort vielleicht später zwei oder drei Flugzeuge landen konnten. Am Ende startete nur eines, mit Gauleiter Hanke an Bord.

Der Durchhaltewahn kannte nun keine Tabus mehr: Kirchenruinen wurden zu Abwehrstellungen umgebaut, Friedhöfe zur Schaffung eines besseren Schussfeldes eingeebnet, Grabsteine niedergerissen und als Barrikadenmaterial genutzt. »Die Breslauer Methode sah vor, dass man die Eckhäuser bis zum ersten Stock mit Balken stützte und alles Brennbare oben rausschmiss. Dann wurde alles darüber gesprengt und als Bunkerdecke benutzt. Schließlich wurden auch gegenüber die Häuser weggesprengt, ein Wahnsinn. Und wenn dann einer der Bewohner kam und versuchte, von seinen eigenen Sachen etwas zu holen, wurde er als Plünderer erschossen, das muss man sich mal vorstellen!«, entrüstet sich der ehemalige Breslauer Hans-Joachim Terp.

Aber langsam regte sich auch Widerstand gegen das Vorgehen der Stadtoberen, besonders in Kirchenkreisen. »Um der Verwüstung Einhalt zu gebieten«, notierte Pfarrer Peikert, »wäre es zu wünschen, dass die Russen Breslau eroberten. Denn je länger die Belagerung, desto größer das Zerstörungswerk der eigenen Truppen.« Die Propaganda hielt vehement dagegen: »Gegründet auf die verbissene Abwehrkraft und den bewährten Kampfesmut der Festung, kraftvoll unterstützt vom Vaterland, in der tiefen Überzeugung, dass wir am Ende doch siegen werden«, hieß es, »halten wir die Festung bis zur Wende.«

Bei den Zurückgebliebenen schwand die Zuversicht, Resignation machte sich breit: Pfarrer Peikert berichtete von hundert bis 120 Selbstmorden pro Tag. Andere suchten ihr Heil in verzweifelten Aktionen gegen das Regime. Noch im März verüb ten Widerstandskämpfer zwei Sprengstoffattentate auf Ortsbüros der NSDAP.

So verflüchtigte sich der prahlerischen Propaganda zum Trotz die »eiserne Disziplin« zusehends: In die wenigen noch intakten Kirchen kamen täglich Soldaten zum stillen Gebet, niemand hinderte sie mehr daran. Ungestört dudelten »Feindsender« im

»Die Festung ist gefallen.« Rotarmisten ziehen in Breslau ein

Opernhauskeller, deutschsprachige BBC-Nachrichten hallten durch die Gänge – nur wenige Wochen zuvor wären dafür alle Beteiligten standrechtlich erschossen worden.
»Unsere auf Hitler gegründete Zuversicht wird umso größer, je länger wir uns behaupten. Denn Adolf Hitler ist mit den Tapferen, seine Stärke wird unsere Widerstandskraft sein«, lobhudelte die fanatische Führung noch einmal an »Führers Geburtstag«, dem 20. April. Hitler aber plante im Bunker unter der Reichskanzlei in Berlin schon längst seinen Selbstmord, mit dem er sich der Verantwortung für das millionenfache Sterben entziehen wollte. Am 30. April – die Rote Armee stürmte gerade das Regierungsviertel – biss Hitler auf eine Giftkapsel und schoss sich gleichzeitig mit seiner Pistole in den Kopf.

»Abwartend und vorsichtig« – sowjetische Panzer erkunden die schlesische Hauptstadt

Am 1. Mai gab der Großdeutsche Rundfunk seine Version der Ereignisse bekannt. Adolf Hitler sei »in seinem Befehlsstand in der Reichskanzlei, bis zum letzten Atemzug kämpfend, für Deutschland gefallen«. Es war die letzte Lüge des Regimes – und Breslau kämpfte weiter. »Breslau wurde nicht nur als einzige Stadt Schlesiens, sondern auch als einzige Großstadt Deutschlands noch immer verteidigt und gehalten. ... Soll die Verteidigung unserer Stadt, die sinnlos ist, weitergehen und weiter täglich Opfer in der Wehrmacht und unter der Zivilbevölkerung kosten?«, fragte sich damals Pfarrer Hornig. »Ist es nicht an der Zeit, dass die Kirche, die allein noch der Mund der Bevölkerung sein kann, gegenüber der militärischen Führung das Wort nimmt?«
Mit einer Feuerpause ermöglichten die Sowjets der Stadt die letzte Gelegenheit zur freiwilligen Aufgabe. Doch die deutschen Verteidiger stellten sich stur und verspielten damit die Chance, wenigstens noch einige Menschenleben zu retten. Führende Männer beider Kirchen, unter ihnen auch Pfarrer Hornig und Weihbischof Joseph Ferche, wollten am 4. Mai General Niehoff zur Aufgabe bewegen. Die Stadt versinke sonst in Tod und Elend. Gauleiter Hanke aber vertrat trotz der verhängnisvollen Lage noch immer die bekannte Parole: »Wir kapitulieren nie«. In der Nacht vom 4. zum 5. Mai fand auf Drängen der Geistlichen eine Unterredung zwischen Hanke und Niehoff statt. Die Geduld des Stadtkommandanten war zu Ende. Nun löste sich das durch den Gauleiter höchstpersönlich propagierte Heldentum plötzlich in Luft auf. Auf Niehoffs Rat, in Anbetracht der Niederlage den

Freitod zu wählen, entgegnete Hanke, der tausende Kinder in den Tod geschickt hatte, er sei noch zu jung, um schon zu sterben. Hanke fand eine andere »Lösung«. General Niehoff stand ein Flugzeug zur Verfügung, ein »Fieseler Storch«. Während der Kommandant das Schicksal seiner Soldaten teilen und in Breslau bleiben wollte, machte sich Gauleiter Hanke feige aus dem Staub. Der Mann, der sich bisher als besonders scharfmacherischer »Verteidiger« hervorgetan hatte, hatte nun seine Vorstellung von »Todesmut« offenbart. Er ließ eine Stadt in Trümmern zurück. Karl Hanke blieb nach dem Krieg verschollen. Es gibt Zeugen, die ihn später in Südamerika gesehen haben wollen. Andere glauben, er sei in der Tschechoslowakei unerkannt gefangen genommen und später bei einem Fluchtversuch erschossen worden.

Hanke, Sie sind ein Mordskerl. ... Möge unsere Siegeszuversicht Sie und Ihre Männer in Ihrer Kraft bestärken, im Glauben an unseres Volkes Zukunft an Ihrem schweren Posten auszuharren bis zum endgültigen Sieg.

Telegramm Hitlers an Gauleiter Hanke, 14. Februar 1945

Nach wochenlangen Kämpfen wurde es gespenstisch still in der Stadt. Kein Schuss fiel mehr am 6. Mai 1945. Die Festung Breslau gab zwei Tage vor der deutschen Gesamtkapitulation auf.

Die Schlacht um Breslau hatte achtzig Tage gedauert. Strategisch war sie nur vorübergehend von Bedeutung gewesn. Mag sie den Flüchtlingen noch für eine Galgenfrist den Rücken freigehalten haben, mochten sowjetische Kräfte gebunden worden sein – doch wofür? »Wunder von Breslau« sagen manche, weil sich die Stadt so lange solch großer Übermacht erwehrte. Aber was war das für ein »Wunder« angesichts der Opfer, und für wen?

Nun schlug die »Stunde null« für Breslau. Zwei Drittel des Stadtgebiets lagen in Trümmern, als die Waffen schwiegen. Es waren bange Stunden für die Überlebenden. »Die Empfindungen bei der Kapitulation schwankten. Einerseits gab es natürlich eine innere Erleichterung, dass jetzt keine Bomben mehr fielen, keine Granaten, dass das Sterben aufhörte, jedenfalls das gewaltsame Sterben durch Waffen. Auf der anderen Seite stand natürlich die enorme Angst, was nun passieren würde.« Was Horst Gleiss empfand, bewegte damals die meisten Breslauer.

Die Kapitulation der schlesischen Hauptstadt war immerhin nicht bedingungslos erfolgt. Die Sowjets hatten die Forderung, die Sicherheit der Zivilbevölkerung zu gewährleisten, auf dem Papier zumindest akzeptiert. »Die sowjetischen Offiziere, die wir am

Abend in unserer Gegend sahen, verhielten sich abwartend und vorsichtig. Sie suchten anscheinend Kontakt mit der Bevölkerung, zeigten sich freundlich und leutselig im Gespräch mit Zivilisten, soweit sie sich verständlich machen konnten«, so Pfarrer Hornig. Vielerorts sei es aber auch zu Exzessen gekommen. Ein Opfer war Christa Ludes: »Auf einmal wurde an unserem Haus die Tür aufgebrochen und da standen die Russen mit Bajonetten. Wir wurden geknebelt, die Arme festgebunden und die Beine. Und dann ging's nach der Reihe, alles was an Soldaten da war. Das war das Fürchterlichste, was ich je erlebt habe.«
Auf die Kapitulation folgte die Besetzung ganz Schlesiens bis zur Görlitzer Neiße durch polnische Miliz und Zivilverwaltung. Polen hatte unter der NS-Herrschaft in Mitteleuropa ohne Zweifel am meisten zu leiden. Als Staat wurde es 1939 ausgelöscht, die Bewohner galten nach der nationalsozialistischen Ideologie als »Untermenschen«, die man fast nach Belieben versklaven, vertreiben oder töten konnte. Der über Jahre aufgestaute Hass richtete sich nun bis auf wenige Ausnahmen gegen alles Deutsche. An vielen Orten herrschten Terror und Gewalt – zum Teil gezielt, um verbliebene Deutsche zu bewegen, ihre Heimat zu verlassen; Breslau war da keine Ausnahme: »Am 27. Juli 1945, das Datum vergisst man nicht, kam plötzlich polnische Miliz zu uns ins Haus«, berichtet Horst Gleiss, »junge Leute in Fantasieuniformen mit rotweißen Armbinden. Sie gaben uns eine Stunde Zeit, die Wohnung zu räumen – für eine polnische Familie. Wir durften nur das mitnehmen, was sie erlaubten. Wir hatten nun keine Bleibe, sind auf dem Wäscheboden oben in eine Ecke gegangen, haben uns auf eine Decke gesetzt und geschlafen; später landeten wir im Kohlenkeller.«

Meine Mutter und ich sind Treppen hinuntergestürzt, mit Gerten bis zur Bewusstlosigkeit geschlagen und vergewaltigt worden. ... Die Schwester einer Freundin hatte Typhus und lag im Bett, die haben sie mit sieben Schüssen getötet. Nur, weil sie nicht aufgestanden ist, als sie gerufen haben: »Dawai, dawai!«, sie soll schnell aufstehen, aber das konnte sie doch gar nicht.

Marianne Stiebitz, damals dreizehn Jahre alt

Viele Deutsche wurden von den Milizen in Internierungslager gesteckt – oftmals Orte, an denen während des Kriegs Juden, polnische und russische Gefangene furchtbares Leid erleiden mussten. »Die Konzentrationslager sind nicht aufgehoben, sondern von neuen Besitzern übernommen worden«, hieß es dazu in einem britischen Geheimbericht an das Londoner Foreign Office.

Deutsche, die als politisch verdächtig eingestuft wurden oder bis zur endgültigen »Aussiedlung« inhaftiert werden sollten, füllten nun die Gefängnisse. Es gab hunderte solcher Stätten. Besonders berüchtigt war das Lager Lamsdorf in Schlesien. Es wurde auf Anordnung des Woiwodengenerals Alexsander Zawadzki im Juli 1945 eingerichtet. Nach übereinstimmenden Aussagen von ehemaligen Häftlingen galt Lamsdorf als »Vorhof zur Hölle«, aber auch unter polnischen Historikern ist mittlerweile unstrittig, dass die Haftbedingungen unmenschlich waren: Misshandlungen, Zwangsarbeit, Hunger, Mord. Schätzungen gehen von über tausend Toten aus. Wegen »Verbrechen gegen die Menschlichkeit« wurde 2001 der erste Kommandant des Lagers, Czeslaw Geborski, vor Gericht gestellt – zum dritten Mal.

Schließlich kamen die Polen zu uns hinein. Sie kamen hauptsächlich aus der Gegend um Wilna. Sie wurden von den Russen ausgesiedelt und bei uns angesiedelt. Sie haben mit uns sogar geteilt. Das waren sehr gute Menschen. Sie haben in unsere Töpfe geschaut und gesagt: »Ja, das kann man doch nicht essen!« Eine Frau hat dann ein Stück Speck geholt und es uns gegeben.

Hubertus Kindler, Jahrgang 1928, damals in Breslau

In Breslau knüpften die Besatzer an die traurige »Tradition« des Gefängnisses in der Kletschkauer Straße an. Der Ort war bereits zu Kriegszeiten gefürchtet. Von 1939 bis 1945 hatten die deutschen Besatzer hinter den Mauern des bedrohlich wirkenden Backsteinbaus mehr als tausend Menschen enthaupten lassen, vor allem Polen, Tschechen und Russen, aber auch deutsche Regimegegner und angebliche Defätisten starben dort.

Von Juni 1945 an füllte sich das Gefängnis sprunghaft mit Deutschen. Manche wurden aufgrund fadenscheiniger Behauptungen eingeliefert, wie Hubertus Kindler. Die Anklage lautete, er sei ein Saboteur, man habe bei ihm einen Sprengsatz gefunden: »Sie haben mit Stöcken auf meine Fußsohlen eingeschlagen. Das waren furchtbare Schmerzen. Ich hab erst geschrien, hab dann aber nichts mehr gespürt. Meine Füße waren so angeschwollen, dass ich nicht mehr laufen konnte. Auf allen vieren bin ich runter in den Keller gekrochen, und wurde dabei auch noch getreten. Die Soldaten haben sich richtig schön amüsiert über mich.« Hubertus Kindler wurde zum Tode verurteilt und in den berüchtigten Flügel 2a des Gefängnisses gebracht, wo die Todeskandidaten auf ihre Hinrichtung warten mussten. »Es waren Wochen völliger Ohnmacht. Immer wieder hallten Schüsse durch die Gänge. Was mich gerettet hat in dieser ganzen

Zeit, waren die vielen Gebete, die mir meine Mutter beigebracht hatte. Ich war zwar nicht mehr sehr gläubig, das hatte man uns ja in der Hitlerjugend ausgetrieben, aber ich habe die Gebete auf meine Art wieder zusammengebracht. Ich habe den Herrgott gebeten, er möge mir doch ein Zeichen geben, ob ich überhaupt noch eine Chance hätte. Was für ein Zeichen das sein sollte, wusste ich nicht. Plötzlich flog eine Kohlmeise auf das Gitter vor dem Fenster. Sie saß da, ganz lange, und schaute zu mir rein. So, als wäre sie dieses Zeichen, als würde sie sagen wollen, ich bringe dir die ersehnte Nachricht.«

»Nach der Flucht kam die Vertreibung.«
In Oppeln kontrollieren polnische Offiziere die Gepäckstücke der Ausgewiesenen

Die Zelle, in der Hubertus Kindler jene bangen Tage verbrachte, existiert noch heute. Die kalten Mauern lassen nur erahnen, welche seelischen Qualen er damals erlitt. Erst Jahre später kam er frei – seine Arbeitskraft erschien den Peinigern wichtiger als eine weitere Hinrichtung.

Das Gefühl, ohnmächtig und »vogelfrei« zu sein, teilten mit Hubertus Kindler noch Millionen andere Menschen, die im

Wegen sich in den letzten Tagen häufig wiederholten Fällen von Sabotage durch einzelne verantwortungslose deutsche Bürger ordne ich zur Verhütung obiger Fälle Folgendes an:
a) Es wird verboten, an öffentlichen Stellen die Hände in der Tasche zu halten. Auf diejenigen, die sich obiger Bestimmung nicht fügen, hat die Miliz das Recht, ohne Anruf zu schießen.
b) Es wird verboten, sich gruppenweise zu sammeln und zu mehr als zwei Personen zu gehen.
c) Ausgehverbot von 22 bis 6 Uhr.
Wer gegen diese Bestimmungen handelt, wird mit Todesstrafe oder schwerem Arbeitslager bestraft.

Anordnung der Verwaltung Gryforoga (Greifenberg, Kreis Löwenberg), 14. September 1945

Frühjahr 1945 auf der Flucht waren oder in den besetzten Gebieten zurückblieben. Es gab Orte, die sich den Überlebenden als besonders schicksalhaft einprägten. Dazu zählt auch die Neiße-Stadt Görlitz im Westen von Schlesien. Wie in Breslau waren auch hier Priester durch ihren besonderen Status besser informiert und als Seelsorger mit dem Schicksal der Menschen vor Ort vertraut.

»Wir ahnten damals nicht, dass es für immer war.« Abschied von Lauban, 1945

Der aus Breslau stammende Priester Franz Scholz von der Pfarrei St. Bonifatius in Görlitz Ost betreute während des Krieges gefangene Polen, gewährte ihnen Beistand und Hilfe und genoss daher nach der deutschen Niederlage ein hohes Ansehen bei den Besatzern. In dem von Franz Scholz verfassten »Görlitzer Tagebuch« steht geschrieben, wie die Stadt als Knotenpunkt von Flüchtlingsströmen zum Schauplatz einer Tragödie geriet. »Nun, nachdem schlagartig fast alle Einwohner Schlesiens über Görlitz nach Westen drängen, ergreift uns der Strudel selbst. Nie ist uns so tragisch demonstriert worden, was Schlesien ist, wie in diesen Wochen, als die Menschen aus allen Städten, aus Beuthen, Ratibor, Oppeln, Brieg, Ohlau, Breslau, Liegnitz, Bunzlau, Lauban – und wie die zahllosen Orte und Kreise heißen – nach und nach durch Görlitz geflüchtet sind.«

Seine Nichte Ursula Brauburger aus Klein-Zöllnig und einige weitere Familienangehörige fanden Zuflucht bei Franz Scholz und erlebten hautnah mit, was in der Neiße-Stadt vor sich ging. »Wenn die Flüchtlinge aus dem Osten durch Görlitz kamen, haben sich die anderen, die schon weiter westlich gewesen waren und wieder zurückwollten, gewundert. Jeder erzählte Schreckliches. Die einen sagten: ›Geht da bloß nicht hin! Die nehmen euch alles weg. Ihr werdet getötet! Ihr werdet krank! Sie zerstören eure Häuser.‹ Und die auf der anderen Seite sagten: ›Um Gottes willen, hier ist kein Platz für uns, wir wollen nach Hause! Da sind wir doch wer! Wir haben dort einen Acker oder wir haben ein Haus und wir haben eine Wohnung!‹ Es war einfach schrecklich. Und das prallte alles in Görlitz zusammen.«

In der völlig überfüllten Stadt brach eine Hungersnot aus, Seuchen grassierten. In einigen Kirchen wurden die Toten gestapelt, da man mit dem Beerdigen nicht nachkam. Die Breslauerin Gertrud Eichner verlor in Görlitz ihr Neugeborenes. »Ich bin am dritten Tag aus dem Wochenbett aufgestanden. Was sollte ich meinem Kind denn geben? Ich hatte keine Nahrung, bin raus auf die Felder gegangen, die ja in vollen Ähren standen. Ich habe die Körner zerdrückt und im Ofen geröstet und wollte Brei daraus machen. Aber leider verträgt ein Kind das ja nicht. Mein Junge hat Brechdurchfall bekommen. Und so ist er dann dahingesiecht. Ich habe ihm bloß noch ein bisschen Wasser geben können, damit er nicht verdurstet. Ich hatte ja auch nichts, was ich beim Bauern hätte tauschen können. Ich bin zwar immer rumgegangen, habe aber fast nie etwas bekommen. Die Görlitzer hatten ja selbst auch nichts. Und dann ist auch noch der Hungertyphus ausgebrochen. Die Leichen wurden gar nicht mehr beerdigt, die wurden in Packpapier eingepackt und irgendwo gestapelt. Auch mein Kind haben sie bloß aus der Wohnung getragen. Ich sollte mir nach einigen Tagen die Nummer holen von dem Grab, in dem es beerdigt worden ist.«

Wir hatten Hunger und nichts zu essen. Ich bin von Tür zu Tür gegangen und bettelte um ein paar Kartoffeln. Sie haben uns aber keine gegeben: »Es sind schon so viele da gewesen. Wir haben keine mehr.« Da haben wir halt gehungert.

Käthe Eichner, Jahrgang 1914, aus Breslau

Der Autor des »Görlitzer Tagebuchs« berichtet, wie sich die Lage immer mehr zuspitzte. Seine Verwandten konnten unter seiner Obhut überleben. »Zu Hause hatte ich drei neugeborene Neffen und Nichten, sechs Frauen, keine Lebensmittelmarken«, so Franz Scholz. Doch die Familie hatte Glück: »Dadurch, dass er in Kriegszeiten so gut für Polen gesorgt hatte, bekam mein Onkel auch ihre Dankbarkeit zu spüren«, sagt seine Nichte Ursula, die mithilfe einer Ziege, die im Schrank versteckt worden war und

Milch spendete, überleben konnte. »Ich konnte in dieser Zeit sogar Freundschaft schließen mit jungen Polinnen, hatte eine richtig liebe Freundin. Wir spielten miteinander, sie kam uns besuchen, und ich ging zu ihr nach Hause. Ihre Eltern haben meine Mutter sogar mit zur Kartoffelernte genommen. Was für ein Segen. Alles war ganz unbefangen. Bis zu einem bestimmten Tag. Da gab es ein großes Fest, ich war auch eingeladen von den Kindern. Meine Freundin streckte mir schon die Arme entgegen und ich wollte zu ihr in den Saal. Aber da standen Männer, die ich vorher gar nicht gesehen hatte, und sagten: ›Hier keine Deutschen, nicht für Deutsche.‹ Mit einem Mal war alles zusammen gebrochen. Ich spürte, wie man uns voneinander trennte, und dass es für immer war. Das war nicht unsere Welt, das war die Welt der Erwachsenen, die alles zerstörte.«

Wir lebten von der Hand im Mund – wenn überhaupt in der Hand etwas drin war.

Ursula Brauburger, Jahrgang 1939

Die Situation für die Deutschen wurde immer unerträglicher. An den östlich der Neiße gelegenen Orten begann die polnische Miliz bereits im Juni 1945 mit der Vertreibung der Bevölkerung, auch im Dorf Lissa: »Am 16. Juni abends um 21 Uhr kamen polnische Offiziere. Einer von ihnen sagte, morgen früh um sieben Uhr müssten wir dort und dort sein«, erinnert sich Helene Witt. »Wir sollten zu einer großen Pferdekoppel am Ende des Dorfes kommen, durften nichts mitnehmen, nur eine Tasche. Als wir

»Nur noch Ohmacht« – Vertriebene aus Schlesien

»Furcht vor der Roten Armee« – schlesischer Flüchtlingstreck bei Potsdam

Sonderbefehl

für die deutsche Bevölkerung der Stadt Bad Salzbrunn einschliesslich Ortsteil Sandberg.

Laut Befehl der Polnischen Regierung wird befohlen:

1. Am 14. Juli 1945 ab 6 bis 9 Uhr wird eine Umsiedlung der deutschen Bevölkerung stattfinden.
2. Die deutsche Bevölkerung wird in das Gebiet westlich des Flusses Neisse umgesiedelt.
3. Jeder Deutsche darf höchstens 20 kg Reisegepäck mitnehmen.
4. Kein Transport (Wagen, Ochsen, Pferde, Kühe usw.) wird erlaubt.
5. Das ganze lebendige und tote Inventar in unbeschädigtem Zustande bleibt als Eigentum der Polnischen Regierung.
6. Die letzte Umsiedlungsfrist läuft am 14. Juli 10 Uhr ab.
7. Nichtausführung des Befehls wird mit schärfsten Strafen verfolgt, einschließlich Waffengebrauch.
8. Auch mit Waffengebrauch wird verhindert Sabotage u. Plünderung.
9. Sammelplatz an der Straße Bhf. Bad Salzbrunn-Adelsbacher Weg in einer Marschkolonne zu 4 Personen. Spitze der Kolonne 20 Meter vor der Ortschaft Adelsbach.
10. Diejenigen Deutschen, die im Besitz der Nichtevakuierungsbescheinigungen sind, dürfen die Wohnung mit ihren Angehörigen in der Zeit von 5 bis 14 Uhr nicht verlassen.
11. Alle Wohnungen in der Stadt müssen offen bleiben, die Wohnungs- und Hausschlüssel müssen nach außen gesteckt werden.

Bad Salzbrunn, 14. Juli 1945, 6 Uhr.

Abschnittskommandant
(-) Zinkowski
Oberstleutnant

auf die Koppel kamen, haben wir gesehen, dass fast das ganze Dorf dort versammelt war. Aber niemand hat uns gesagt, warum wir dort sein mussten. Plötzlich haben sie uns aufgeschreckt – mit Maschinengewehren. Als wir alle standen, haben sie über unsere Köpfe hinweg geschossen. Wir haben uns sofort auf den Boden geschmissen und geschrien. Danach wurden wir Richtung Görlitz gejagt. Ja, sie haben es uns spüren lassen, wir waren die Deutschen, die verhassten Deutschen, einfach nur die bösen Deutschen!«

Kurze Zeit später kam auch der Aufruf an alle Deutschen in Görlitz – das Plakat existiert heute noch. Die Stadt sei binnen »48 Stunden zu verlassen«. Weitere Anordnungen folgten an vielen anderen Orten Schlesiens. So wurden im Juni und Juli 1945 etwa 200 000 Deutsche allein aus den an der Oder-Neiße-Linie gelegenen Kreisen Sorau, Sagan, Görlitz, Lauban, Löwenberg, Bunzlau, Hirschberg und Frankenstein zwangsweise ausgesiedelt – durch polnisches Militär. Was anmuten sollte wie eine Evakuierung, wurde später »wilde Vertreibung« genannt, denn sie fand vor den Nachkriegsbeschlüssen der Siegermächte statt, war sozusagen ein Vorgriff auf das, was Stalin von den Westalliierten offiziell bestätigt wissen wollte: die Westverschiebung Polens. Schauplatz dafür war die Konferenz von Potsdam.

»Mit nur zwanzig Kilo Gepäck« – »Umsiedlung« hieß das offizielle Wort für Vertreibung

Farbige Aufnahmen der US-Kameraleute zeigen zunächst das sommerliche Berlin, die Kulisse einer verwüsteten Stadt, vor der im Juli 1945 schier endlose Kolonnen von Flüchtlingen und Vertriebenen einem ungewissen Schicksal entgegenziehen. Dann folgen Farbaufnahmen offizieller Art: Auf Schloss Cecilienhof in Potsdam trafen sich die »Großen Drei« – nicht mehr nur als Kombattanten wie in Jalta, sondern als Siegermächte. Am Nachmittag des 17. Juli 1945 fuhren die drei Delegationen nacheinander vor dem Portal des Schlosses vor. Auf dem üblichen Gruppenbild für Wochenschau und Presse trugen Stalin, Churchill und Harry S. Truman, Nachfolger des inzwischen verstorbenen US-Präsidenten Roosevelt, Einmütigkeit zur Schau. Der bildlich festgehaltene Moment täuscht darüber hinweg, mit welch unterschiedlichen Erwartungen und Zielen die Regierungschefs in die alte Residenzstadt gekommen waren.

Schon wenige Tage nach der bedingungslosen Kapitulation des Hitler-Reichs hatte der britische Premier nach Washington telegrafiert: »Ein eiserner Vorhang ist vor der Front der Russen nie-

»Wie bringe ich sie durch?« Die Sorge um die Kinder stand im Vordergrund

dergegangen. Was dahinter vorgeht, wissen wir nicht.« So viel aber konnte er wissen: Fast überall, wo die Rote Armee von den Deutschen besetzte Gebiete »zurückeroberte«, kam es zu Vertreibungen, Verfolgungen und Verbrechen. Churchill beunruhigte dabei weniger das Schicksal der deutschen Zivilbevölkerung als vielmehr die Tatsache, dass Stalin seinen Machtbereich in Europa immer rücksichtsloser ausdehnte. Kaum schwiegen die Waffen an den Fronten, zeichneten sich bereits die Konturen eines neuen weltumspannenden Konflikts ab, des »Kalten Krieges«.

Aber trotz des zunehmenden Misstrauens unter den Alliierten war nicht mit Milde gegenüber den Deutschen zu rechnen: »Noch hasste und fürchtete der ganze Kontinent Deutschland mehr als Russland«, notierte Robert Murphy, der politische Berater des amerikanischen Oberbefehlshabers, General Eisenhower. Auch wenn die Siegermächte, wie es später im »Potsdamer Protokoll« hieß, nicht beabsichtigten, das deutsche Volk zu vernichten oder zu versklaven – Deutschland sollte spüren, dass es sich nicht der Verantwortung entziehen konnte und für die furchtbaren Verbrechen des NS-Regimes büßen musste. Es galt, Deutschland als Risiko für den Frieden ein für alle Mal auszuschalten. Über die Notwendigkeit, das geschlagene Reich völlig zu entwaffnen, sämtliche militärischen und nationalsozialistischen Einrichtungen abzubauen oder zu zerstören, alle Kriegsverbrecher vor Gericht zu stellen und eine Wiedergutmachung der von Deutschland verursachten Schäden anzustreben, war man sich einig.

Sollten die Deutschen wirklich davongelaufen sein, dann sollte man ihnen erlauben, zurückzukommen.

Winston Churchill auf der Potsdamer Konferenz

Wie aber sollte die territoriale Neuordnung des europäischen Kontinents aussehen?

Stalin pochte darauf, dass die Westmächte nun auch de jure anerkennen, was de facto schon seinen Lauf genommen hatte: die Westverschiebung Polens – mit der Abtretung der deutschen Ostprovinzen bis zur Oder-Neiße-Linie. Die Westmächte bemühten sich dagegen klarzustellen, dass diese einseitige Grenzziehung für Deutschland keineswegs endgültig sein dürfe. Vier Tage lang dauerte der hitzige Kampf um die Frage, um nichts anderes wurde so lange und so erbittert gestritten. Als die Westmächte auf die Vertreibung zu sprechen kamen, erwiderte Stalin

»Hier beginnt jetzt Polen.«
Neue polnische Grenzstation bei Görlitz an der Neiße

wie in Jalta, das sei alles »faschistische Propaganda«, die Deutschen würden ja gar nicht vertrieben, sie seien längst freiwillig geflohen. In der Tat schienen die Westalliierten keine exakte Vorstellung darüber zu haben, was sich im sowjetischen Besatzungsgebiet abspielte, genaue Zahlen jedenfalls hatten sie nicht. Auf ihrem Höhepunkt wurde die Konferenz von Potsdam unterbrochen. Churchill verlor die Wahlen zum britischen Unterhaus und wurde vom Kandidaten der Labour Party, Clement Attlee, abgelöst. Der musste sich bei seinem ersten Konferenzauftritt als Regierungschef auf einen Zug schwingen, der längst weitergerollt war. Denn zwischen US-Außenminister Byrnes und seinem sowjetischen Amtskollegen Molotow war es zu einem folgenschweren »Kuhhandel« gekommen. Die endgültige Festlegung der Oder-Neiße-Linie wurde zwar noch »bis zur Friedenskonferenz zurückgestellt«, trotzdem sollte die deutsche Bevölkerung schon jetzt aus diesen Gebieten in den Westen übergesiedelt werden. Für einen britischen Einspruch war es zu spät, Attlee fügte sich und unterzeichnete folgenden Beschluss: »Die drei Regierungen ... erkennen an, dass die Überführung der deutschen Bevölkerung oder Bestandteile derselben, die in Polen ... zurückgeblieben sind, nach Deutschland durchgeführt werden muss. Sie stimmen darin überein, dass jede derartige Überführung, die stattfinden wird, in ordnungsgemäßer und humaner Weise erfolgen soll.« Damit war einer vollständigen Vertreibung der Deutschen aus den Ostgebieten praktisch Tür und Tor geöffnet. Der Vorbehalt gegen den Friedensvertrag war eine Farce, denn niemand in Potsdam konnte ernsthaft damit rechnen, dass die Umsiedlung durch einen solchen Vertrag jemals wieder rückgängig gemacht werden konnte. So wurde auf der Potsdamer Konferenz, die am 2. August 1945 endete, das Schicksal der Deutschen im Osten des Landes besiegelt. Nord-Ostpreußen mit Königsberg wurde der Sowjetunion unterstellt, der südliche Teil Ostpreußens und die Gebiete östlich von Oder und Görlitzer Neiße kamen unter »polnische Verwaltung«.

Was die Überführung in »ordnungsgemäßer und humaner Weise« anging – die Wirklichkeit sah anders aus. »Dieses Stichwort von Potsdam, von einer menschenwürdigen Umsiedlung, war zu 90 Prozent eine Lüge. Es gab keine medizinische, es gab überhaupt keine Fürsorge. Die Menschen sind in ihrer größten Armut, ihrer größten Aussichtslosigkeit restlos sich selbst ausgeliefert gewesen«, resümiert Franz Scholz.

Und auch andere Zeugen, die das Land der Vertriebenen damals in Augenschein nahmen, erhoben betroffen ihre Stimme. Über die Lage hinter Oder und Neiße berichtete Robert Jungk am 16. November 1945 in der Züricher *Weltwoche* unter der Überschrift »Aus einem Totenland«: »Wer die polnische Zone verlassen hat und in russisch okkupiertes Gebiet gelangt, atmet geradezu auf. Hinter ihm liegen leer geplünderte Städte, Pestdörfer, Konzentrationslager, öde, unbestellte Felder, mit Leichen übersäte Straßen, an denen Wegelagerer lauern und Flüchtlingen die letz-

In Schlesien verursacht die polnische Verwaltung mit ihren Methoden eine große Flucht der deutschen Bevölkerung nach dem Westen. ... Viele, die nicht wegkönnen, werden in Lagern interniert, wo unzureichende Rationen und schlechte Hygiene herrschen. Tod und Krankheit in diesen Lagern sind extrem hoch. Die von den Polen angewandten Methoden entsprechen in keiner Weise der Potsdamer Vereinbarung.

Telegramm
General Eisenhowers,
16. Oktober 1945

»Wir wurden hin- und hergetrieben.« Viele Schlesier kehrten nach der Flucht zurück – und wurden dann endgültig vertrieben

Es war der Verlust ihrer Güter und der Verlust der Heimat. Ich glaube, ein schlimmeres Schicksal als Nachkriegsfolge kann man sich gar nicht ausdenken. Aber man sollte nicht die Schuldigen dort suchen, wo jetzt die Leute leben, die das Land bekommen haben, also bei den Polen. Man muss sehen, wie die Zusammenhänge sind. Man darf nicht vergessen, dass die Polen zum Teil auch Flüchtlinge waren und ihre ostpolnische Heimat verloren haben. Das geschah ursprünglich auch in Zusammenarbeit der Russen mit den Deutschen. Der letztendliche Entschluss zur Vertreibung der Ostdeutschen kam von den Siegermächten, aber alles hat sich aus einem verlorenen Krieg ergeben. Die Vertreibung war kein Kriegsziel des polnischen Volkes.

Bolko Graf von Hochberg, 1943/44 als Kind aufs Land nach Schlesien verschickt

te Habe rauben. ... Hinter der Oder-Neiße-Linie beginnt das Land ohne Sicherheit, das Land ohne Gesetz, das Land der Vogelfreien, das Totenland.« Jungk, ein jüdischer Autor, der nicht dem millionenfachen Morden des NS-Regimes zum Opfer gefallen war, war ein besonders glaubwürdiger Zeitzeuge: »Denn es geht hier um noch viel mehr als ›nur‹ um das Leben einiger Millionen Deutscher, es geht um die moralische Reinheit und Stärke der antifaschistischen Bewegung in der Welt. Wenn alle diejenigen, die Hitler und Mussolini unter großen Opfern bekämpften, um eine bessere Welt aufzubauen, es zulassen, dass ihr Kampf jetzt von Rowdys und Chauvinisten ausgenutzt und beschmutzt wird, dann sehen wir keine große Hoffnung für die Zukunft. Man hat mit Recht den Deutschen vorgeworfen, dass sie in ihrem Glauben an die Mission ihres Vaterlandes so lange die Augen vor den Gräueltaten des Nazismus verschlossen hätten. Sollen die Vorkämpfer der Demokratie später einmal den gleichen Vorwurf auf sich sitzen lassen müssen? Auch wir werden ›Mitschuldige‹ sein, wenn wir nicht täglich und stündlich die Schandtaten, die heute im Namen der Demokratie und der Freiheit begangen werden, enthüllen.«

Jahre später erzählte mir meine Mutter, dass sie viele Wohnungen nicht wollte, weil dort noch Deutsche wohnten. Eine Person, die uns eine Wohnung zeigte, die zu vermieten war, sagte uns: »Die Deutschen kann man innerhalb von einer halben Stunde hinaussetzen. Das ist gar kein Problem.« Aber meine Mutter war nicht imstande, sich auf so etwas einzulassen. Wir lehnten diese Wohnungen ab und suchten drei Monate lang nach einer Wohnung, die frei war.

Jan Ziembicki, lebt seit 1946 in Wrocław

Die Schreckensmeldungen erreichten auch Washington und London. Durch Protestnoten und in zähen Verhandlungen konnten die Westmächte einige Verbesserungen erreichen, aber meist blieben ihre Beobachter an den Orten der Vertreibung stumm. »Der Grenzort Kohlfurt war eine Art Sammelstelle von versprengten Deutschen, die entweder geflohen waren, oder aber vertrieben worden waren. Von dort aus fuhren nun die Viehwaggons in Richtung Westen. In der Baracke, wo wir warteten, waren alliierte Offiziere, die aber nicht ins Geschehen eingriffen, wie kalte steinerne Figuren. Als meine Mutter noch einmal gründlich ausgeraubt wurde von den polnischen Behörden, taten sie auch nichts. Die Mutti hat furchtbar geweint. Dieses Schutzlose einer solchen Situation macht einen so fertig. Was sich da abspielte, war ja reine Willkür«, erinnert sich Ursula Brauburger aus Klein-Zöllnig.

Die polnische Wochenschau mühte sich dagegen, zu belegen, wie geregelt es bei den »Überführungen« zuging. So etwa mit Bildern vom Freiburger Bahnhof in Breslau, der binnen eines Jahres einen zweiten Exodus erlebte, nach dem Rauswurf durch Hanke im Januar, als viele Menschen im Gedränge an den Gleisen zu Tode getrampelt wurden.

Es gibt aber auch andere polnische Wochenschau-Aufnahmen aus dem Herbst 1945. Von Zügen, die aus dem Osten kamen, mit tausenden von Vertriebenen, die nun in die Stadt hineinfuhren. In ihnen saßen die anderen Opfer der Westverschiebung – Millionen Polen, die aus den von Stalin annektierten Gebieten deportiert wurden, auch hier oft mit brutaler Gewalt.

»Wir kamen mit dem Zug in ein schrecklich zerstörtes Breslau«, erinnert sich der Lemberger Tadeusz Myczkowski. »Nach der Ankunft im Odertorbahnhof wurden wir mit Fahrzeugen in die Innenstadt gebracht. Wir hatten kaum etwas bei uns, alles hatte man uns geraubt, sogar vor der Abfahrt wurden wir noch einmal bestohlen.«

Nun zogen auch polnische Vertriebene durch Breslaus Straßen – ein ungewohntes Bild für die verbliebenen Deutschen. Horst Gleiss berichtet: »Das war so unfassbar für die Schlesier, als die ersten polnischen Siedler kamen, Vertriebene aus der Lemberger Gegend, dass wir gesagt haben: ›Was wollen die denn hier, warum kom men denn die hierher? Wir sind doch hier in Schlesien!‹«

Die Polen können eigentlich genauso wenig dafür wie wir. Auch sie haben ihre Heimat verloren und dafür ist ihnen eben Schlesien gegeben worden.

Brigitte Hoffmann, aus Breslau

Offiziell hießen die Neubürger »Repatrianten«. Das sollte glauben machen, es handele sich bei Schlesien um »wiedergewonnenes Land« der Polen. Die Sieger bemächtigten sich kurzerhand der Geschichte, um die vorangegangene Besiedlung deutschen Gebiets wenigstens scheinbar zu rechtfertigen. Auch Krzeslawa Maliszewska gehörte damals zu den Neubürgern: »Wir haben die Deutschen ja verstanden, denn wir wurden ausgesiedelt und sie wurden ausgesiedelt. Sie hatten das nicht verdient und wir hatten das auch nicht verdient. Aber so ist eben das Schicksal der Geschichte.«

Es gab und gibt sie, die Solidarität unter den Vertriebenen auf beiden Seiten. Der heutige Erzbischof von Oppeln (Opole), Alfons

»Willkür und Mitleid.« Sowjetische Soldaten verteilen in Breslau Brot an die leidende Bevölkerung

Nossol, blieb als gebürtiger Deutscher in Schlesien und entschied sich später, die polnische Staatsbürgerschaft anzunehmen. Er hat als Betroffener und Seelsorger immer wieder zum Schicksal der Vertriebenen Stellung bezogen: »Jede Vertreibung, wenn sie auch auf diese oder andere Weise ›verursacht‹ ist, hat nicht die Vertriebenen als Verursacher. Insofern ist jede Vertreibung ein Unrecht, ja ein Verbrechen am Menschen. Ich habe immer empfunden, dass die Vertreibung der Ostpolen ein Verbrechen war, und das muss man gleichermaßen auch auf die Vertreibung aus Schlesien, aus Ostpreußen und anderen Gebieten anwenden.«

Immer mehr Deutsche und Polen lernen, heute auch gemeinsam auf dieses düstere Kapitel der Vergangenheit zurückzublicken.

Die Vertriebenen sind es, die begreiflich machen können, was Heimat überhaupt heißt. Die Vertriebenen sind es aber auch, die Versöhnung leben können. »Heimat ist mehr als ein Stückchen Geographie auf einer Landkarte. Es ist das, wo ich groß geworden bin, wo ich meine Eltern gehabt habe, wo ich in die Schule gegangen bin, wo ich meinen Breslauer oder schlesischen Dialekt gesprochen habe, mit dem ich verwachsen bin, aus dem ich herausgerissen wurde. Eine solche Wunde vernarbt nie ganz. Das geht den polnischen Vertriebenen sicher nicht anders«, so der Breslauer Horst Gleiss.
»Natürlich habe auch ich getrauert über mein Lemberg, ich habe in Breslau lange den Verein der Liebhaber Lembergs geleitet. Wie oft haben wir uns zurückgesehnt. Aber jetzt ist Schlesien meine Heimat, hier wurde ich erwachsen, hier kamen meine Söhne zur Welt, einer von ihnen ist Architekt. Er hat sogar die Renovierung des Breslauer Rings betreut.« Tadeusz Myczkowski kann stolz sein auf seinen Sohn. Wer heute über den Rynek (Ring) spaziert, sieht dort ein prachtvolles Zeugnis polnischer, deutscher, schlesischer Baugeschichte.
Breslau, seit dem Krieg Wrocław, ist heute die Hauptstadt der Woiwodschaft Niederschlesiens, Heimat von 650 000 Polen. Der Ort Klein-Zöllnig heißt Solniki-Male. Er hat viel von seiner Ursprünglichkeit bewahrt und das stimmt versöhnlich: »Lange haben wir geglaubt, wie kehren wieder zurück in die Heimat«, sagt Ulla Brauburger, »doch irgendwann kam die Einsicht, es geht nicht mehr, und dann kam langsam das Annehmen der Wirklichkeit – immer aber mit dem Wunsch, die alte Heimat wenigstens noch einmal wiederzusehen. Das habe ich auch getan. Heute kann ich bewusst sagen: ›Ich gönne den Menschen, die dort leben, dass sie dort leben.‹« Es ist ein guter Weg, mit dem Verlorenen so umzugehen.

Im Chaos der Völkerwanderung werden Familien auseinander gerissen, Mütter verlieren ihre Kinder aus den Augen. Manche überleben in der Wildnis, nur auf sich gestellt. Andere werden systematisch verschleppt. Ihre Spuren verlieren sich in den Weiten von Kasachstan und Sibirien.

Die verlorenen Kinder

Ursula Retschkowski hatte Angst. Die junge Mutter hatte sich mit ihrer sechsjährigen Tochter Roselie auf einen Heuboden geflüchtet. Kurz zuvor, an einem eisig kalten Februartag des Jahres 1945, war die Rote Armee in das kleine Dorf bei Elbing einmarschiert. Sie hörte die Rufe der Soldaten, die nach versteckten Deutschen suchten. Sie kamen immer näher. Schüsse peitschten durch die Luft, Querschläger trafen auch den Heuboden. Die Angst der Mutter um ihr Kind war größer als die Angst vor einer Vergewaltigung. Langsam kletterten die beiden die Leiter

»Die Welt der Eltern war zusammengebrochen« – Kinder des Krieges hinunter. »›Mitkommen, mitkommen!‹, schrien die Soldaten. Meine Tochter kam mir nachgelaufen. Ich hatte ganz furchtbare Angst, dass sie sie erschießen würden, denn ein Soldat fuchtelte wild mit seiner Pistole herum. Ich rief ihr zu: ›Roselchen, geh zur Nachbarin. Ich komme bald wieder und bring dir auch ein schönes Kettchen mit.‹ Das war's. So habe ich mich damals von meinem Kind verabschiedet.« Ursula Retschkowski muss noch immer weinen, wenn sie an den Tag zurückdenkt, an dem sie von ihrer Tochter getrennt wurde.

Die Russen sagten uns, dass wir jungen Leute uns an der Kommandantur melden sollten. Von Deportation war da überhaupt nicht die Rede. Als Begründung hieß es nur, wir bräuchten russische Ausweispapiere. Erst später sagten sie uns, dass alle Deutschen schuldig seien und somit alle Deutschen bestraft werden müssten. Das war Punkt eins. Daher müssten wir jungen Leute Reparationen leisten, so lautete Punkt zwei. Außerdem sollten wir politisch umerzogen werden. Das war Punkt drei. Mit diesen drei Punkten schickte man uns auf die Reise gen Osten.

Hildegard Pachaly, geborene Krebs, Jahrgang 1927, aus Elbing, verschleppt in ein sowjetrussisches Lager

Ein Sonderkommando des sowjetischen Geheimdiensts, des Volkskommissariats für Innere Angelegenheiten NKWD, trieb Ursula Retschkowski und eine Reihe anderer Frauen zur Kommandantur, wo man ihre Personalien aufnahm. Danach kam es zu ersten Vernehmungen. Ziel dieser Verhöre war es, die Mitgliedschaft der festgehaltenen Personen in NSDAP, BDM, HJ oder gar dem »Werwolf« nachzuweisen – der offizielle Grund, deutsche Zivilisten zu deportieren. Wer seine vermeintliche oder tatsächliche Zugehörigkeit zu Naziorganisationen nicht eingestand, erhielt allerdings oft eine »Sonderbehandlung«, bei der zum Teil unter schweren Misshandlungen ein »Geständnis« erzwungen wurde. Stalins Schergen hatten hinreichend Erfahrung, wie man mit Gewalt und scheinbar entlarvenden Indizien die Schuld eines Unschuldigen feststellen konnte. Am Ende dieser Verhöre mussten viele Frauen und Männer Protokolle in russischer Sprache unterzeichnen, in denen stand, dass sie aus freiem Willen zur Wiedergutmachung der Verbrechen, die in Hitlers Namen begangen worden waren, in der Sowjetunion arbeiten wollten.

Die fünfzehnjährige Christel Grunwald wurde gemeinsam mit dem Vater und den beiden älteren Schwestern in ihrem Heimatdorf in der Nähe von Allenstein von der so genannten »Stalingarde« gefangen genommen. Bei den Verhören fragte man sie immer und immer wieder, wie viel Vieh der Vater besessen und wie viele Arbeiter er beschäftigt habe. In den Augen über-

»Wir waren so verzagt« – auf der Flucht haben diese drei ihre Eltern verloren

zeugter Kommunisten konnte Vater Grunwald nur ein deutscher Großgrundbesitzer, ein »Kulak«, sein. Auch dies war ein offizieller Grund zur Deportation – Christel Grunwald hat ihren Vater nie wiedergesehen.
In den meisten Fällen aber bedurfte es keiner Begründung, um deutsche Zivilisten mitzunehmen: »Erst viel, viel später, in den letzten Jahren im Lager, haben wir erfahren, dass für Stalin alle Deutschen prinzipiell schuldig waren, alle Deutschen bestraft werden mussten«, erinnert sich Hildegard Pachaly, geborene Krebs aus Elbing. Ihre gesamte Familie wurde in die Sowjetunion verschleppt. »Wir jungen Leute hatten Reparationen zu leisten. Eigentlich waren wir ja noch Kinder. Wir sollten auch politisch umerzogen werden – von russischen Instrukteuren.«
Nach den Verhören auf der Kommandantur ging es für Ursula Retschkowski und die anderen weiter, durch dichtes Schneetreiben nach Osten, einem ungewissen Schicksal entgegen. Immer mehr Frauen kamen hinzu. Viele von ihnen hatten ihre Kinder bei Verwandten zurücklassen müssen – oder auch einfach am Straßenrand, als Strandgut des Krieges.
Das Wüten der Sonderkommandos in den von der Roten Armee besetzten Gebieten begann schon um die Jahreswende 1944/45. Legitimiert wurde es durch Stalins Befehl Nr. 7161 vom 16. Dezember 1944, der das NKWD verpflichtete, zunächst auf dem Balkan »alle arbeitsfähigen Deutschen – Männer von 17 bis 45, Frauen von 18 bis dreißig – für die Arbeit in der UdSSR zu mobilisieren.« Später bezog der Befehl Nr. 7467 vom 3. Februar 1945 auch die gesamten deutschen Ostgebiete mit ein. Es hieß nun, dass »mit dem Ziel der Verhütung von Versuchen terroristischer Aktionen und der Durchführung von Diversionstätigkeit (also Sabotage) seitens der Deutschen ... alle zur physischen Arbeit und zum Waffentragen fähigen deutschen Männer im Alter von 17 bis fünfzig Jahren ... zu mobilisieren und zu internieren« sind. Von Frauen war in diesem Befehl keine Rede mehr. Auch nicht von Kindern.
Einen Tag nach dem Erlass dieses Sonderbefehls, am 4. Februar 1945, begann die Konferenz von Jalta. Ein zentrales Thema auf der Tagesordnung der Alliierten war dabei die Reparationsfrage. Stalin verhielt sich vorsichtig und schlug vor, die genauen Modalitäten auf einer späteren Reparationskonferenz in Moskau festzulegen. Churchill und Roosevelt akzeptierten, und so blieb bis

zum Ende der Konferenz die Frage der »Verwendung deutscher Arbeitskräfte« ungeklärt. Zu diesem Zeitpunkt hatten die Massendeportationen von Deutschen jedoch längst begonnen – und sie gingen ohne Unterbrechung weiter. Insgesamt wurden mindestens rund 130 000 Volksdeutsche in Jugoslawien, Rumänien und Ungarn sowie etwa 400 000 Reichsdeutsche in Ost- und Westpreußen, Danzig, Pommern, Schlesien und Brandenburg in den letzten Kriegs- und ersten Friedenstagen von Sonderkommandos des NKWD gefangen genommen und in die Sowjetunion deportiert. Andere Quellen sprechen von insgesamt mehr als einer Million zur Zwangsarbeit in die Sowjetunion verschleppter deutscher Zivilisten.

Ohne Erklärung, oft völlig willkürlich, wurden sie abtransportiert – nur weil sie Deutsche waren. Alter und Geschlecht spielten dabei, trotz Stalins Verordnung, kaum eine Rolle. Mitunter wurden alle verfügbaren Deutschen zwischen 13 und 75 Jahren, in Einzelfällen sogar kleine Kinder, deportiert. Stalin war auf die Zivildeportierten vorbereitet. Bereits im Sommer 1941 – nur eine Woche nach dem deutschen Überfall auf die Sowjetunion – war neben der GULAG-Verwaltung eine neue, zweite Verwaltungsstruktur geschaffen worden, die sich um Kriegsgefangene und Zivilinternierte kümmern sollte. Die GUPVI, die Hauptverwaltung für Angelegenheiten der Kriegsgefangenen und Internierten, funktionierte nach demselben bewährten Schema wie der Archipel GULAG, seit Alexander Solschenizyn ein Synonym für die menschenverachtenden Repressalien des roten Diktators Stalin.

Junge Mädchen, Mütter, die ihre Kinder zu Hause lassen mussten, reifere Frauen und auch Ältere, über Sechzigjährige: Die Russen haben erst mal alle mitgenommen, weil sie Auflagen hatten, Arbeitskräfte heranzuschaffen. Dabei war es ihnen egal, wie alt die Verschleppten waren.

Gertrud Böttcher, Jahrgang 1929, aus Insterburg, als 16-jährige Schülerin in ein Arbeitslager verschleppt

Jahrelang gab es kein Lebenszeichen von den verschleppten Deutschen, die im Archipel GUPVI verschwunden waren. Während Kriegsgefangene bereits in den ersten Jahren Karten an ihre Angehörigen schreiben durften, war dies den Zivilinternierten lange verboten. Von vielen fehlt bis heute jede Spur. Manche wurden anonym bei irgendeinem Lager in den Weiten der Sowjetunion verscharrt. Kleine Kinder wurden ab und zu von russischen Familien aufgenommen und vergaßen mit der Zeit

»Meine Kindheit war abrupt beendet.« Der Krieg nahm keine Rücksicht

ihre Herkunft. Anderen wurde nach Jahren in der Sowjetunion die deutsche Staatsangehörigkeit aberkannt; dann wurde aus Käthe Katharina, aus Paul Pawel, aus Liesabeth Maria – und die Spurensuche für Angehörige ein aussichtsloses Unterfangen. Von besonderer Tragik war auch das Schicksal der Mädchen und Jungen, deren Mütter verschleppt wurden, verhungerten oder an den Folgen von Vergewaltigungen starben. In der Nachkriegszeit richteten Polen und Russen zwar hier und da Waisenhäuser für deutsche Kinder ein, doch sie boten kaum mehr als ein Dach über dem Kopf und notdürftige Verpflegung. Hinzu kam, dass die wenigen freien Plätze nicht annähernd für alle Kinder ausreichten. So schlugen sich tausende ostpreußische Kinder nach

Litauen durch, um dort als kleine Landstreicher ums Überleben zu kämpfen. Heute werden sie »Wolfskinder« genannt, obwohl die wenigsten von ihnen jemals Wölfe zu Gesicht bekommen hatten. Viele von ihnen suchen bis heute nach ihren Verwandten, um endlich eine Antwort auf die bohrende Frage zu bekommen: »Wo komme ich her, wer bin ich?« Sie sind die verlorenen Kinder des 20. Jahrhunderts.

Ursula Retschkowski schleppte sich in einer Gruppe von jungen Frauen und Mädchen etwa achtzig Kilometer zu Fuß voran, bis sie – immer noch mit unbekanntem Ziel – auf einen offenen Lkw verladen wurde. Auf dem Weg ins Sammellager kam es immer wieder zu Vergewaltigungen. Trotzdem gab Roselies Mutter nicht auf: »Ich wollte zu meinem Kind zurück, ich wusste ja nicht, ob meine eigene Mutter am Leben war, ob sie die Kleine bei der Nachbarin finden, ob sie selbst die Strapazen überleben würde.« Lange konnte dieser Albtraum doch nicht dauern, bald würde sie wieder in Elbing bei ihrem Kind sein, redete sich die junge Mutter wieder und wieder ein. Und wenn der Krieg endlich vorbei war, wollte sie nach Gumbinnen in Ostpreußen zurückkehren, ihre Heimatstadt, aus der sie mit einem kleinen Treck vor der herannahenden Roten Armee Richtung Westen geflohen war – wie so viele aus dem Umland von Gumbinnen. Auch Christel Schack aus Schulzendorf, damals sieben Jahre alt. Mit ihrer Mutter hatte sie sich nach Westpreußen durchgeschlagen, doch bei Osterode war ihnen der weitere Weg in den Westen abgeschnitten worden. Eines Abends gingen zwei russische Offiziere von Haus zu Haus, auf der Suche nach jungen kräftigen Frauen. Sie machten auch vor dem Unterschlupf der Schacks nicht Halt: »Sie sagten, du, du und du kommst mit, ins nächste Dorf, und die Kinder bleiben hier! Ich weiß nicht, ob ich einen sechsten Sinn dafür hatte, aber ich wollte nicht alleine dableiben. Ich wollte unbedingt mit.« Christel klammerte sich so heftig an ihre Mutter, dass die Offiziere es nicht übers Herz brachten, die beiden zu trennen, wie in tausenden anderer Fälle geschehen. Christel durfte mit. »Der eine Russe, der war ganz

Als sie uns vernommen haben, vermerkten sie irgendetwas Belastendes in unseren Papieren. Denn später in Russland wurde es uns immer wieder vorgelesen und man musste beteuern, dass diese Aussagen stimmen. Wenn man sich wehrte und sagte, die Bemerkungen seien falsch, dann bekam man gleich noch ein paar Jahre Arbeitslager zusätzlich.

Erna Widdra, Jahrgang 1926, aus Rastenburg, verschleppt in sowjetrussische Arbeitslager

nett, und hat sogar noch gesagt, Mutti soll mich ganz warm anziehen. Wir haben uns noch gewundert, warum? Man hatte uns doch versprochen, am Abend wieder zu Hause zu sein.«

Als Christel und ihre Mutter aus dem Haus traten, sahen sie hunderte junge, kräftige Frauen, alle ohne Kinder. In langer Marschkolonne ging es weiter bis zur Bahnstation im nächsten Dorf. Dort wurden die Frauen in einen Keller eingeschlossen, registriert und in Anwesenheit mehrerer Offiziere und einer Dolmetscherin verhört. Es war die übliche Prozedur. »Die Dolmetscherin behauptete, meine Mutter sei in der Frauenschaft gewesen, aber das war sie nicht, und das hat sie auch gesagt.« Auf Widerworte war die Dolmetscherin nicht gefasst: »Sie drohte, sie werde meine Mutter und mich in einen Keller voller Wasser sperren. Ich fing an zu heulen. Ich war ja schon sieben und wusste, was das bedeutet.« Überraschenderweise setzte sich der Offizier, der sie geholt hatte, erneut für Christels Mutter ein. Sie konnte bei ihrer Aussage, in keiner NS-Organisation gewesen zu sein, bleiben. Der Offizier bewahrte Frau Schack damit zwar vor einer »Sonderbehandlung«, ihre Deportation in die Sowjetunion konnte er nicht verhindern.

»Ich habe meine Tochter nie wiedergesehen.« Auch die Kleinsten wurden zu Opfern

Nach Abschluss der Verhöre setzte sich der Zug der Frauen wieder in Bewegung. Tagelang marschierten sie weiter, schwer bewacht, an eine Flucht war nicht zu denken. Blieb jemand aus Schwäche liegen, so berichten Überlebende, wurde im nächsten Dorf einfach eine andere Frau von ihren Kindern weggerissen und mitgenommen. So stimmte das für die Repara-

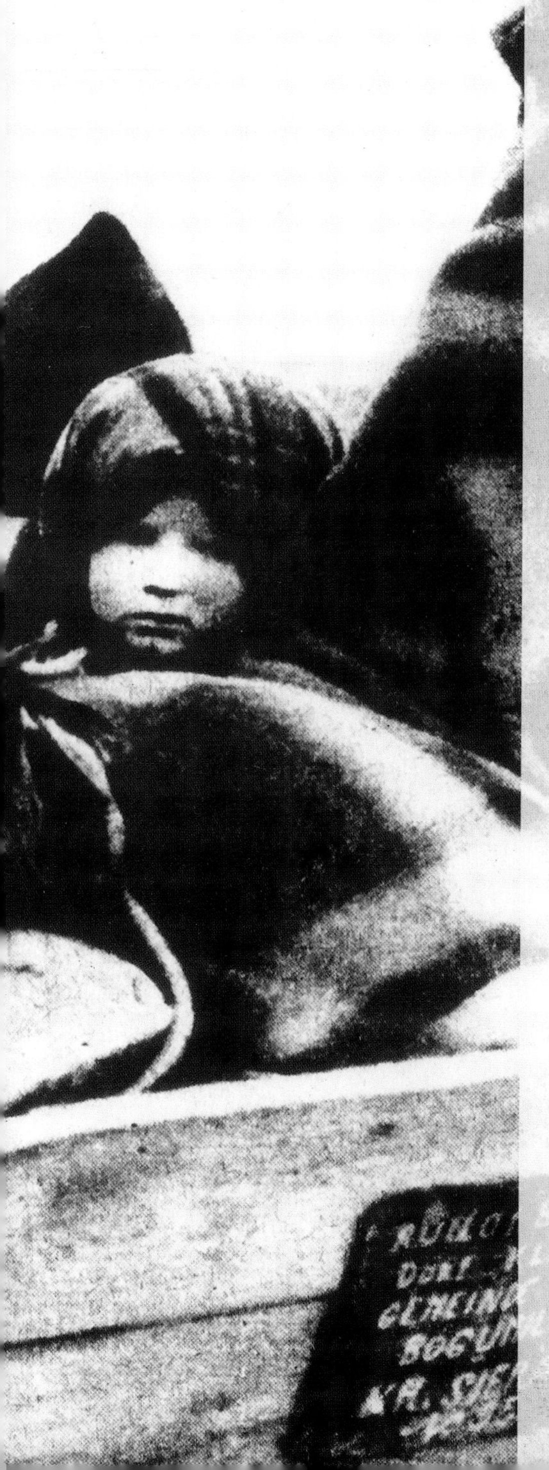

Irgendwann im Laufe des Vormittags kamen plötzlich vier Lkws auf den Hof, voll besetzt mit den Blauuniformierten. Sie haben uns alle zusammengetrieben. Wir mussten uns in einer Reihe aufstellen, weil sie aussuchen wollten, wer mitkommt und wer nicht. Zu zwei Mädchen von unserem Hof konnte ich noch sagen: »Die Russen sind da, versteckt euch schnell.« Eine hat es geschafft, die andere nicht mehr. Dann hieß es: »Du«, »du nicht«, »du auch.« Wir wurden auf die Lkws geladen und fort geschafft. Den ganzen Nachmittag waren wir unterwegs und fuhren von Dorf zu Dorf. Die Russen wollten die Lkws voll bekommen. Das war nicht so leicht und hat bis Mitternacht gedauert. Gegen Abend trafen wir auf drei Frauen, die auf der Straße gingen. Die Russen hielten und sagten zu zwei der Frauen, sie sollten aufsteigen. Eine hatte ihr kleines Kind auf dem Arm. Da haben die Soldaten gesagt: »Das Kind kann die Frau nehmen, die zurückbleibt.« Die Frau musste ihr Kind abgeben und wurde auf den Wagen gezerrt. Sie hat so geschrien und geweint. Als wir ein paar Kilometer gefahren waren, gingen wieder ein paar Frauen auf der Straße. Die Lkws hielten und die Soldaten sagten: »Die Frau, die so schreit, kann herunter, wir nehmen eine von diesen.« Wahrscheinlich musste die Zahl der Gefangenen stimmen.

Gerhard Marchel,
Jahrgang 1929, aus
dem Kreis Lötzen, als
16-jähriger Lehrling in
ein Arbeitslager
verschleppt

tionsleistungen errechnete Soll an Arbeitskräften wieder. Die eiskalten Nächte verbrachten die Frauen in Scheunen oder den Kellern verlassener Gebäude. »Wir bekamen während dieser ganzen Zeit nichts zu essen und nichts zu trinken. Meine Mutter hatte auch nichts mitgenommen. Wer hätte denn gedacht, dass wir so lange wegbleiben würden«, erinnert sich Christel Schack. Ab und zu fanden die Gefangenen in den Kellern noch etwas Essbares – Kohl, Rüben oder ein paar Kartoffeln –, das musste in jenen Tagen lange reichen.
An welchem Bahnhof der Transport in Stalins Reich begann, daran erinnert sich Christel Schack heute nicht mehr. Sie weiß lediglich, dass sie in Brest-Litowsk noch einmal umsteigen mussten. Die Szenen, die sich während der Fahrt in den Waggons abspielten, haben sich hingegen tief in ihr Gedächtnis eingegraben. Besonders in den ersten Tagen sei es schlimm gewesen. »Wir hatten keinen Platz zum Liegen, einige Leute wurden verrückt. Viele sind gestorben. ... Ich saß nur noch apathisch in der Hocke, neben meiner Mutter.« Der Durst war für das kleine Mädchen das Schlimmste: »Ich weiß noch, dass ich mir von den großen, rostigen Beschlägen des Waggons den Reif abgekratzt habe.«
Als Christel mit ihrer Mutter im April 1945 in einem Lager hinter dem Ural ankam, waren die meisten Deportierten so geschwächt, dass sie im hohen Schnee liegen blieben. »Ich weiß nicht mehr, wie wir von dem Güterzug bis ins Lager gekommen sind, aber wie das Lager aussah, daran kann ich mich genau erinnern: Es war ganz neu erbaut. Baumstamm über Baumstamm, die Ritzen mussten wir am nächsten Tag verstopfen. Wir bekamen sogar Torf, um den gemauerten Ofen zu heizen.« Mütter mit Kindern erhielten einen abgetrennten Raum in der Baracke – ein wahrer Luxus. Christel war zufrieden, sie war bei ihrer Mutter, konnte sie zur Arbeit begleiten. »Dass dort Leute erschlagen und erschossen wurden, daran habe ich mich schnell gewöhnt. Denn man musste aufpassen, dass man selbst am Leben blieb, das war das Allerwichtigste.«
Hunderttausende Deutsche erlebten damals in den von der Roten Armee eroberten deutschen Ostgebieten Ähnliches, überall gingen Stalins Menschenjäger nach dem Schema »Verhaftung – Gewaltmarsch – Verhör – Transport ins Ungewisse« vor. Es war dasselbe Schema, das wenige Jahre zuvor auch der braune Diktator hatte anwenden lassen, als über drei Millionen Ostarbeiter

aus Polen, der Ukraine, Weißrussland und Russland von den Sonderkommandos der Wehrmacht als Zwangsarbeiter nach Deutschland verladen worden waren. In Zuchthäusern, ehemaligen Arbeits- und Konzentrationslagern pferchte man nun die Deutschen zusammen. In den meisten Lagern regierte Gewalt – die Zivilisten mussten nun für die Verbrechen büßen, die Hitlers Schergen in ihrem Namen begangen hatten. Auf polnischem Territorium etwa – insbesondere in Schlesien – wurden Zehntausende vom NKWD an den polnischen Geheimdienst »Urzad Bezpieczenstwa« übergeben. Augenzeugenberichten zufolge wurden mitunter selbst Dreizehn-, Vierzehnjährige in Polizeigefängnissen und Lagern zu Tode geprügelt, wie etwa in Gronowo bei Lissa, Switochlowice-Zgoda bei Gleiwitz und Sikawa bei Lodz. In ihren Methoden, so die Erinnerung eines Überlebenden, standen manche der polnischen Aufseher den Nazifolterknechten in nichts nach.

Ich war nicht im Wehrertüchtigungslager. Das sagte ich dem Offizier, der mich verhörte. Aber er glaubte mir nicht. Da haben sie mir mit einer Lederpeitsche ein paar übergezogen. Ich kam für eine Viertelstunde Bedenkzeit in den Keller. Danach haben sie mich noch einmal richtig durchgeprügelt, bevor ich wieder nach oben musste. Mir war schon alles egal und ich habe nur noch gesagt: »Ja, es war so, wie Sie sagen.«

Gerhard Marchel, Jahrgang 1929, aus dem Kreis Lötzen, als 16-jähriger Lehrling in ein Arbeitslager verschleppt

Hass und Gewalt schlugen jedoch nicht nur den Deutschen entgegen. Zu Beginn des »Großen Vaterländischen Krieges« hatte man ganze Sowjetvölker deportiert, Tschetschenen und Krimtataren, Kalmücken und Wolgadeutsche. Nun kamen neben den Transporten mit deutschen Zivilisten und Kriegsgefangenen auch Züge mit Bürgern der Sowjetunion in den Lagern an – befreite Kriegsgefangene, ehemalige KZ-Häftlinge und Zwangsarbeiter. Weil sie in Deutschland gewesen waren, galten viele von ihnen damals als »Vaterlandsverräter«, die am Ende des Transports nicht die Heimat und ein Wiedersehen mit der Familie erwartete, sondern erneut ein Lager, diesmal in Sibirien. Dort trafen sie auf zehntausende verschleppte deutsche Zivilisten.

Im Februar 1945 war der Winter in Ostpreußen sehr streng. Ein Russe aus dem Begleitkommando bemerkte, wie dünn Ursula Retschkowski bekleidet war. Zu dünn für Sibirien, sagte er und gab ihr einen Mantel und ein Unterbett. Beides hatte er in den Ruinen eines zerbombten Hauses gefunden. »Da habe ich erst begriffen, dass der keinen Witz macht, dass man uns wirklich

»Endlich Ruhe, endlich Sicherheit« – Flüchtlingskinder in einem westdeutschen Lager

nach Sibirien bringen will.« Die letzten hundert Kilometer bis zum Sammellager Insterburg wurden die Deutschen auf offenen Lastwagen transportiert. Dort angekommen, sperrte man sie im Zuchthaus ein. Insterburg war eines der vielen Sammellager, die die Sowjets zum Abtransport der deutschen Arbeitskräfte in den von ihnen eroberten Gebieten eingerichtet hatten. In Ostpreußen gehörte es zu den größten. Fast 50 000 Zivilgefangene wurden hierher geschafft, registriert und verhört. Von Insterburg aus gingen zahlreiche Transporte bis weit ins Innere der Sowjetunion. Die Ziele der wochenlangen Fahrt waren die Arbeitslager in der Ukraine, in Stalingrad, im Kaukasus und im Ural, am Kaspischen und am Weißen Meer, in Sibirien, in Kasachstan und Usbekistan. Sogar im Fernen Osten, in Chabarowsk, Wladiwostok, Magadan und an der Beringstraße waren Lager errichtet worden.

Eines Tages kam ein Russe in unsere Wohnung. Er trieb uns hinaus und schickte uns zur Kommandantur. Wir machten uns also auf den Weg, als wir einen russischen Offizier trafen. Nachdem wir ihm gesagt hatten, dass wir uns bei der Kommandantur melden müssten, hielt er mir einen Beutel voller Strümpfe und gebrauchter Kleider hin. »In Sibirien ist's kalt«, sagte er noch. Da habe ich gedacht: »Der spinnt wohl. Was sollen wir in Sibirien, wir haben doch nichts getan.«

Erna Widdra, Jahrgang 1926, aus Rastenburg, verschleppt in sowjetrussische Arbeitslager

In Insterburg herrschten chaotische Zustände. Die Lagerleitung war völlig überfordert mit der sprunghaft ansteigenden Menge deutscher Zivilisten. In Einzelzellen waren bis zu fünfzehn Menschen untergebracht, in Sammelzellen Hunderte. Wasser und Lebensmittel waren knapp, die meisten machten erste Bekanntschaft mit Läusen, Krankheiten brachen aus. Durch Flucht und Vergewaltigung geschwächte Frauen starben oder setzten ihrem Leben selbst ein Ende.

Nur wenige kleine Kinder lebten im Lager, gemeinsam mit ihren Müttern oder Vätern. Die Zahl der Dreizehn- bis Fünfzehnjährigen war dagegen weitaus größer, auch sie waren meist in Begleitung von älteren Verwandten. Die fünfzehnjährige Schülerin Christel Grunwald aus der Nähe von Allenstein in Westpreußen fand bei ihren älteren Schwestern Halt. Ihre größte Sorge war, die Russen könnten sie trennen. Mit Schaudern erinnert sich Christel Grunwald noch heute an ihre Ankunft im Zuchthaus Insterburg: »Eine Kolonne Frauen ging in Richtung Bahnhof, immer in Fünfer- oder Sechserreihen. Es waren Elendsgestalten, manche blieben im Schnee liegen und wurden vor unseren Augen erschossen.« Die

Das Lager war ganz neu. Alles roch noch nach frisch gesägtem Tannenholz und Fichtenholz. In den Holzbaracken standen Bettgestelle, aber es gab weder Tisch noch Stuhl und kein Geschirr. In den nächsten Tagen wurde eine Fuhre leerer Konservendosen und Glasscherben angeliefert. Mit diesen Scherben haben wir dann Bretter geschabt und mussten uns Tische und Sitzbänke bauen. Es kamen auch Leute, die uns zeigten, wie wir Schüsseln und Trinkbecher fertigen sollten: In die Konservendosen stopften wir Zeitungsstreifen zum Abdichten. Das war unser Essgeschirr. Zu essen gab es aber nicht viel. Wir bekamen diese dünne Suppe, abgebrühte Zuckerrübenschnitzel, Kohlblätter und vier- oder fünfhundert Gramm Brot pro Tag. Die Leute waren ausgehungert und viele sind gestorben. Ich musste mithelfen, das erste Massengrab zu schaufeln. Es lag außerhalb des Lagers. Wir hatten ein Erdloch gebuddelt, dahinein kamen dann noch Baumstämme. Wenn ein Lkw voll war mit Leichen, wurde er zum Massengrab gefahren. Die erste Zeit hat noch jeder Tote eine Nummer an den Zeh gebunden bekommen. Die Russen haben wohl die Lagerinsassen, die gestorben waren, von der Liste gestrichen. Aber nach ein paar Wochen hörte das auf.

Gerhard Marchel,
Jahrgang 1929, aus dem Kreis Lötzen, als 16-jähriger Lehrling in ein Arbeitslager verschleppt

»Man hat den russischen Soldaten gesagt, dass wir Schwerverbrecher sind.«
Junge Frauen als Gefangene

jungen Mädchen kamen in eine Zelle, in der sich so viele Frauen drängten, dass alle stehen mussten, tagelang. Vor allem nachts holten die Wachen sie zu Verhören, bei denen NS-Täter herausgefiltert werden sollten. Wahre oder vermeintliche Schuldige wurden im Schneetreiben an der aus roten Backsteinen errichteten Gefängnismauer erschossen und verscharrt. Dort liegen sie heute noch, niemand kennt ihre Namen. »Wie eine Schwerverbrecherin«, sagt Christel Grunwald, »wurde ich mit einer grellen Lampe angestrahlt. Sie stellten immer wieder die gleichen Fragen: ›Wie viele Gefangene hattet ihr zur Arbeit auf dem Hof?‹ Meine Eltern hatten einen Hof von hundertzwanzig Morgen, wir schafften das mit einem Franzosen. Wir haben ja alle mit angepackt, meine Eltern, meine zwei Schwestern, meine kleinen Brüder und ich. Aber egal, was ich sagte, ich war einfach eine ›Kulakentochter‹.«

Auch Anneliese Krebs aus Elbing wurde in das Sammellager Insterburg verschleppt. Beinahe ihre ganze Familie – Vater, Mutter, Schwester Hildegard und eine Cousine – wurde in die Sowjetunion deportiert. Schon bei ihrer Ankunft war Anneliese völlig entkräftet, so sehr hatten ihr sowjetische Soldaten zugesetzt. Sie war hübsch, zierlich, blond und blauäugig. Ein Mädchen wie aus dem Bilderbuch, »ein Russentyp«, sagte man damals. Nur die Hoffnung, ihre Verwandten wiederzufinden, von denen sie gleich in den ersten Tagen getrennt wurde, hielt die 17-Jährige aufrecht.

Die fünfzehnjährige Gertrud Krawitzki war in einem Dorf nahe Mohrungen gefangen genommen worden. Der Transport nach Osten führte sie über ihre Heimatstadt Insterburg. Man brachte sie in die Getreidemühle, das zweite Sammellager in der alten preußischen Garnisonsstadt. Etwa zweihundert Menschen waren in einem Raum eingepfercht, einmal am Tag warf man ihnen hartes trockenes Brot durch die Tür, stellte einen großen Kessel schwarzen Tee hinein, mit einer Schöpfkelle. »Ich dachte immer, ich will nach Hause, warum kann ich nicht nach Hause gehen, mein Elternhaus war ja nur ein paar Straßenzüge entfernt. ... In einer großen Wäscherei mussten wir Lazarettwäsche waschen, die nach Blut und Eiter stank; und alles war voller Dampf. Aber die Russinnen waren sehr nett zu mir. In der Mittagspause bekam ich sogar einen großen Kanten Brot.« Als man ihr noch ein Stück anbot, behauptete sie aus Höflichkeit satt zu sein, »hätt ich den doch bloß mitgenommen, diesen zweiten Kanten Brot, den sie mir angeboten haben. Ich habe ihn jahrelang vermisst.« Von ihrem Arbeitsplatz fliehen konnte Gertrud nicht, zu gut war die Bewachung. Täglich wartete sie auf ihre Deportation.

Geredet wurde wenig in dieser Zeit, die meisten Frauen hingen ihren eigenen Gedanken nach, die älteren trauerten um ihre Kinder. »Es herrschte eigentlich mehr diese beklemmende Angst, dieses Schweigen. ... Es war, wie wenn man ein Tier einsperrt und es sich selbst überlässt.« Die meisten blieben nur ein paar Tage im Sammellager, andere wurden monate-, zum Teil jahrelang festgehalten, von einem Sammellager ins nächste verfrachtet, bis man sie zum Transport in die Sowjetunion verlud. Für Christel Grunwald, Ursula Retschkowski, Anneliese Krebs und Gertrud Krawitzki ging es schon nach wenigen Wochen weiter.

Hugo Räuber kam bereits am 24. März 1945 im ukrainischen Charkow an, zu einem Zeitpunkt also, an dem viele noch hofften, von den Deportationen verschont zu bleiben. Der Fünfzehnjährige, Mitglied der deutschen Minderheit, stammte aus Konstantinow, einer polnischen Kleinstadt westlich von Lodz. Nur drei Tage nach der Ankunft in Charkow starb Hugos gleichaltriger Freund Willi. »Der Abschied von unseren Müttern« – sie hatten die Söhne bis zum Verladebahnhof Kutno begleitet – »war schrecklich. Willi weinte bitterlich, als hätte er gewusst, dass er nicht zurückkommen würde. Seine Mutter war gefasst. Bei mir war es umgekehrt. Meine Mutter weinte nur noch, sie dachte, sie hätte mich für immer verloren. Ich sagte ihr immer wieder, dass wir uns eines Tages wiedersehen würden.«

Hugo Räuber hatte während der gesamten vier Jahre, die er in der Sowjetunion verbringen musste, großes Glück. Zuerst nahm sich ein älterer Deutscher seiner an, später war es ein freundlicher russischer Meister, der ihm Essen zusteckte, obwohl er selbst nicht satt wurde. Durch den Ernteausfall 1946 war die Versorgungslage in der Ukraine katastrophal. »Ein halbes Jahr lang bekamen wir nur eine Suppe aus Brennnesseln und Hefe, der zweite Gang bestand aus zwei Esslöffeln Kürbis.« Während dieser Zeit starben die meisten Lagerinsassen an Unterernährung oder Krankheiten. »Wer nicht arbeitet, soll auch nicht essen« –, diese zynische Losung, die über dem Eingang zur Krankenbaracke angebracht war, spricht Bände.

1947 wurden Hugo Räuber und die anderen Inhaftierten erneut verladen. Von den 1500 Jungen und Männern, die 1945 in Charkow angekommen waren, lebten nur noch 211. Sie kamen nach Krassnojarsk, mehr als viertausend Kilometer von Moskau entfernt, im tiefsten Sibirien. Bis zum Juni 1949 arbeiteten sie dort in einem Werk, das Bohrer, Fräser und Schneideisen herstellte, womit andernorts Lokomotiven gebaut wurden. Mit der Zeit wurden die Lebensbedingungen der Deportierten besser, hatten sich denen der Kriegsgefangenen angepasst, deren Lager vom Internationalen Roten Kreuz gemäß der Genfer Konvention kontrolliert wurden. Der Arbeitseinsatz der Gefangenen in Kohlengruben, Betrieben der Schwerindustrie, in Kraftwerken, beim Straßen-, Eisenbahn- und Wohnungsbau spielte eine entscheidende Rolle beim Wiederaufbau der Sowjetunion. Sowjetische Statistiken sprechen davon, dass 25 Prozent der gesamten Arbeitsleistungsbilanz in den Nachkriegsjahren von Kriegsgefangenen erbracht wurde. Wie hoch der Anteil der Zivilverschleppten war, wird nicht ausgewiesen.

Im Waggon konnten wir uns nicht ausstrecken oder gar hinlegen. Immer haben wir in Hockstellung gesessen. Sobald sich jemand lang machen wollte, begann die Schimpferei der anderen, die dann weniger Platz hatten. Erst am nächsten Morgen bemerkten wir, dass diejenigen, die trotzdem liegen geblieben waren, über Nacht gestorben waren. Wir mussten klopfen, damit man sie aus den Waggons herausholte.

Erna Widdra, Jahrgang 1926, aus Rastenburg, verschleppt in sowjetrussische Arbeitslager

Als die ostpreußischen Frauen im Sammellager Insterburg verladen wurden, herrschte wieder Winter in der »kalten Heimat«. Zum wiederholten Male mussten die Frauen antreten, wurden gezählt. Dann wurden sie zum Güterbahnhof getrieben. Die dort für den Transport bereit gestellten Züge fassten zwischen 1500 und 3500 Menschen. In jeden Viehwaggon wurden zwischen 45 und 150 Frauen und Männer aller Altersschichten hineingepfercht. Es war dunkel, eng und stickig. Wer konnte, suchte sich einen Platz in der Nähe der Tür, möglichst weit weg von der Holzrinne, die als Abort diente. Jeden Tag gab es Tote, jeder Zehnte überlebte den Transport ins Lager nicht. »Ein junges Mädchen aus einem Nachbarort starb gleich in den ersten Tagen.« Christel Grunwald spürte, dass es auch sie jederzeit treffen könnte. »Wir mussten lange klopfen, bis die Tür aufgemacht, die Toten herausgeholt wurden.« Die Leichen wurden auf dem Tender, manchmal auch in einem Spezialwaggon mitgeführt oder aber einfach beim nächsten Halt neben die Gleise gekippt. Die Namen der Toten registrierte niemand, sie wurden am Bahndamm notdürftig verscharrt. Ihre Schicksale bleiben ungeklärt. Auf solchen Transporten kamen auch Kinder zur Welt. Die meisten starben, doch es gab auch Fälle, in denen die Säuglinge bei einem Halt aus dem Waggon gereicht wurden, mit einem Zettelchen, auf dem der Name des Kindes stand. Bis heute suchen sie ihre Eltern.

Es sind so viele gestorben. Am Anfang des Transports waren wir 1200. Ein paar Monate später zählten wir nur noch achthundert.

Ursula Retschkowski, Jahrgang 1917, als Mutter einer kleinen Tochter in ein Arbeitslager verschleppt

Wochenlang waren die Transporte unterwegs, die Insassen plagten Hunger und Durst. Die Rationen, die ihnen in die Waggons geworfen wurden, reichten nicht aus, einen Menschen auch nur notdürftig zu ernähren. Wer selbst keine Vorräte mehr hatte – und das war bei den meisten der Fall –, musste mit ein, zwei Scheiben Brot am Tag auskommen. Es gab hartes Kommissbrot, dazu manchmal noch ein paar Scheiben salzigen Tilsiter Käse oder getrockneten Fisch. So war der Durst fast schlimmer als der Hunger. »Wenn der Zug hielt, haben wir mit den Fäusten geklopft und nach Wasser geschrien. Wenn es einmal doch etwas zu essen oder Wasser gab, haben wir uns darauf gestürzt, wie die Tiere«, erinnert sich Christel Grunwald.

In den Viehwaggons war es bitterkalt, nicht alle hatten einen eisernen Ofen, und die wenigsten Holz, um den Ofen zu heizen. »Als der Zug das nächste Mal hielt, haben wir wieder alle geklopft und nach Holz gerufen.« Zwei Mädchen durften aussteigen, aber sie kamen sehr bald zurück, kreidebleich und ohne Brennholz: »In dem Waggon, in dem das Holz untergebracht war, lagen auch die Leichen, kreuz und quer übereinander. Nackt, mit verrenkten Gliedmaßen.« In solchen Momenten der Verzweiflung standen die älteren Schwestern Christel Grunwald bei, beschworen sie, doch durchzuhalten, daran zu glauben, wieder nach Hause zu kommen. Gertrud Krawitzki hingegen war auf sich allein gestellt, voller Angst und Hilflosigkeit. »Ich war wie in Trance. Immer wieder habe ich mir die Frage gestellt: ›Warum bin ich in Russland? Und wie und wann komme ich da wieder raus?‹«

Irgendwo in der Nähe von Moskau hielt der Zug schließlich an, die Gefangenen wurden in eine »Banja« geführt, eine russische

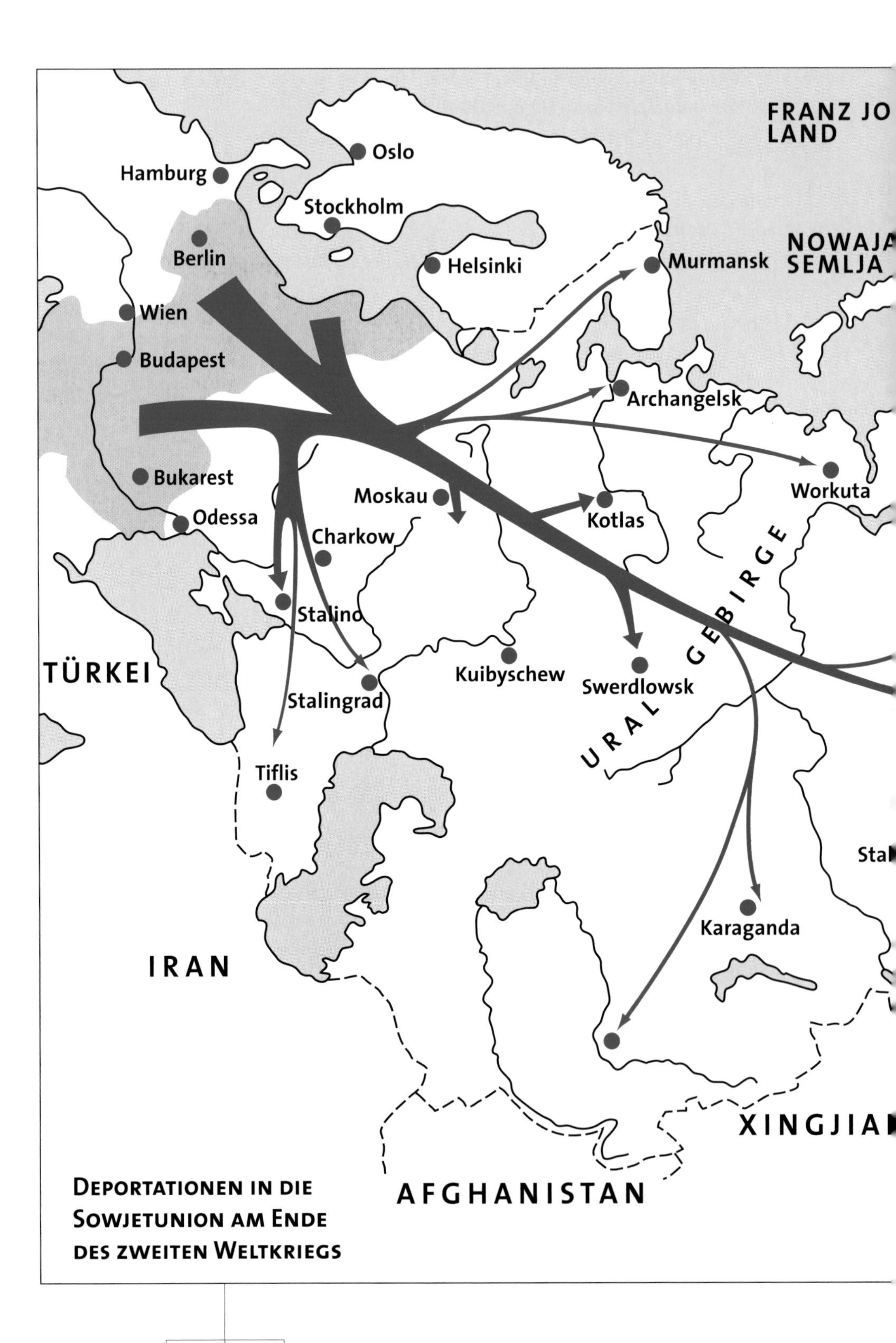

DEPORTATIONEN IN DIE SOWJETUNION AM ENDE DES ZWEITEN WELTKRIEGS

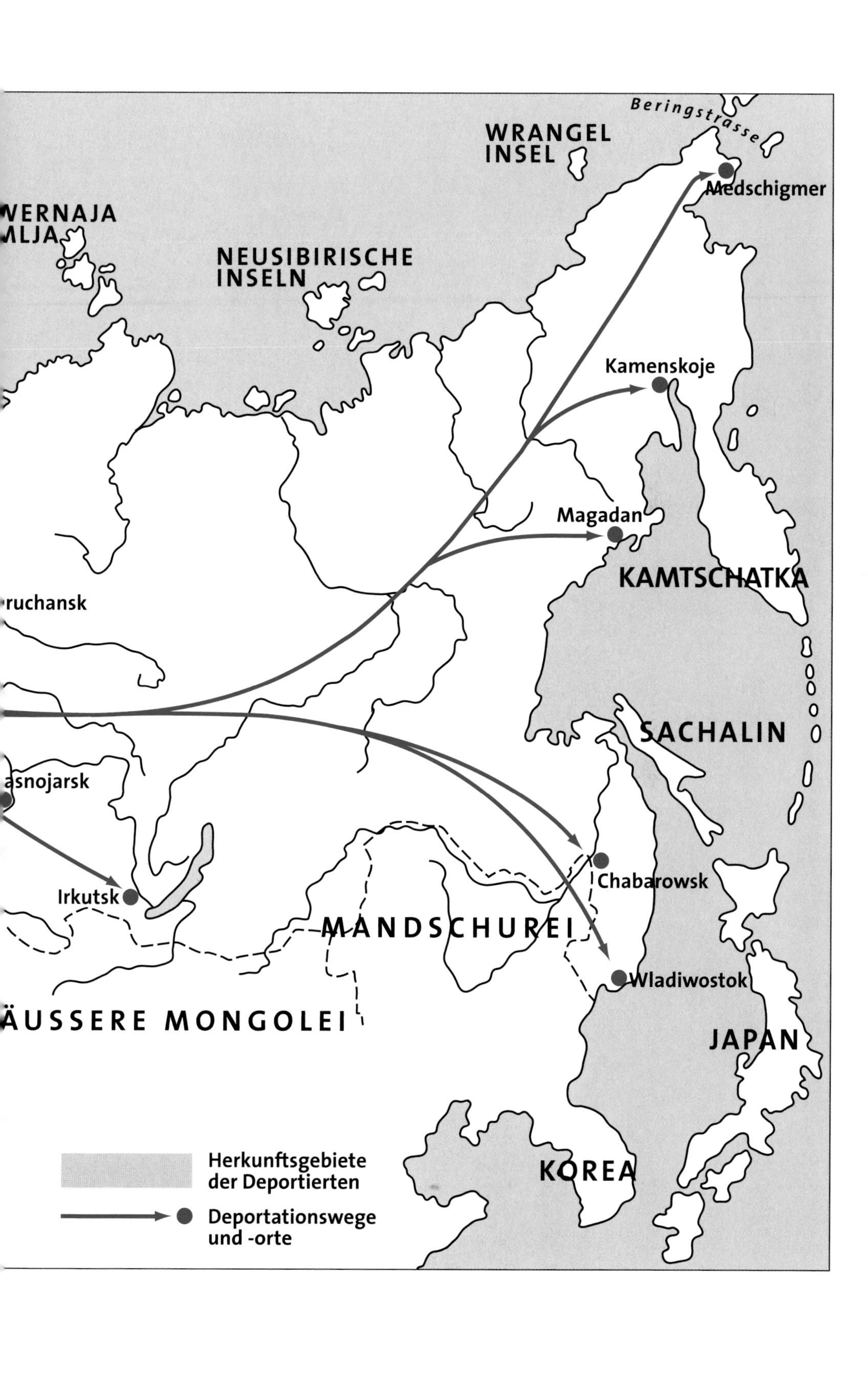

Beringstrasse
WRANGEL INSEL
Medschigmer
WERNAJA
MLJA
NEUSIBIRISCHE INSELN
Kamenskoje
Magadan
KAMTSCHATKA
ruchansk
SACHALIN
asnojarsk
Chabarowsk
Irkutsk
MANDSCHUREI
Wladiwostok
ÄUSSERE MONGOLEI
JAPAN
KOREA
Herkunftsgebiete der Deportierten
Deportationswege und -orte

Waschanstalt. Endlich warmes Wasser, Entlausung, Wäsche waschen – und ein warmes Essen. Dann ging es weiter, niemand wusste, wohin. Nur durch die Ritzen der Waggons waren die verschiedenen Landschaftsformen zu erkennen. Nach Wochen der Strapazen endete der Transport im Ural. Auf dem Weg ins Lager trafen die Gefangenen auf russische Zivilisten und erlebten ganz unterschiedliche Reaktionen. Ein großer Teil der Russen bekam zum ersten Mal Deutsche zu Gesicht, Angehörige jenes Volkes, das der sowjetischen Bevölkerung während der vier Jahre des »Großen Vaterländischen Krieges« so viel Leid zugefügt hatte: 27 Millionen Tote hat dieser Krieg die Sowjetunion gekostet, 25 Millionen Menschen waren obdachlos, weite Landstriche im europäischen Teil Russlands, Weißrusslands und der Ukraine zerstört. Gertrud Krawitzki wurde der Mantel aufgeschlitzt »vom Kragen bis zum Saum. Mir war furchtbar kalt. Man hat den Russen ja wahrscheinlich gesagt, das sind Verbrecher, das sind Schwerverbrecher, das sind keine Zivilverschleppten.« Andere erlebten, wie Frauen beim Anblick der deutschen Zivilisten weinten und versuchten, ihnen Lebensmittel oder Wasser zu reichen. So hatten sie sich die Faschisten nicht vorgestellt, und weshalb waren es vor allem Frauen und junge Mädchen?

Als wir in Kapinsk ausgestiegen sind, hatte man die Bewohner dort hinbestellt. Rechts und links an der Straße standen sie und begafften uns. Sie schimpften, schrien und zerrten an unseren Kleidern. Die Posten hatten alle Hände voll zu tun, um die Leute zurückzuhalten.

Gerhard Marchel, Jahrgang 1929, aus dem Kreis Lötzen, als 16-jähriger Lehrling in ein Arbeitslager verschleppt

Bis zum heutigen Tag wird in den Nachfolgestaaten der Sowjetunion – von einigen wenigen regionalen Initiativen abgesehen – nur wenig über das Schicksal der zivilverschleppten Deutschen gesprochen. Ihre Akten sind noch weithin unter Verschluss. Die meisten Menschen in der ehemaligen Sowjetunion glauben bis heute, dass die Frauen und jungen Mädchen, die sie nach dem Krieg in ihren Dörfern gesehen haben, Wehrmachtsangehörige, also Kriegsgefangene gewesen seien. Meist wird das Thema verdrängt – oft aus Angst, das schwere Schicksal der sowjetischen Zwangsarbeiter, die in Hitlers Reich verschleppt worden waren, könnte relativiert werden. Doch es geht den Überlebenden nicht um Aufrechnung von Schuld. Wenn die ehemaligen deutschen Zwangsarbeiter über

»Wir verstanden ja nichts von all dem.« Ankunft eines Kindertransports aus den polnisch besetzten Gebieten

die eigene Vergangenheit, über die eigenen traumatischen Erlebnisse sprechen, dann ist es für sie vielmehr ein erster Schritt zur Verarbeitung dieser schweren Zeit; einer Zeit, die die Menschen in ihren Träumen auch heute noch heimsucht.

Ursula Retschkowski rettete ihr Unterbett über Tausende von Kilometern aus Ostpreußen bis in ein sibirisches Lager. Zu viert oder fünft kauerten sich die Verschleppten darauf und wärmten sich so gegenseitig. Nach ihrer Ankunft bekamen die ausgemergelten Frauen eine Hirsesuppe: »Da waren nur ein paar Körnchen Hirse drin. Ich habe geweint, ich war ja nur noch Haut und Knochen, so wie die anderen auch. Wenn ich nur gewusst hätte, wo mein Kind geblieben war, wie es ihm ging, dann wäre es doch etwas leichter gewesen. Ich hatte immer Angst, dass sie dort alleine war, zu Hause in Ostpreußen.«

Als wir ankamen im Ural, waren es 50 Grad Kälte. Wir konnten kaum stehen, so schwach waren wir. Wir haben ja während der Wochen des Transports nur gesessen, mit angezogenen Beinen. Wir hatten mächtigen Durst. Einige russische Frauen mit Eimern voller Wasser kamen angelaufen. Doch wir durften es nicht trinken, der Posten hat uns einfach weitergescheucht.

Ursula Retschkowski, Jahrgang 1917, als Mutter einer kleinen Tochter in ein Arbeitslager verschleppt

Im Lager galt es, sich notdürftig einzurichten: Holzpritschen wurden verteilt, Arbeitsbrigaden zusammengestellt. Doch nur ein Fünftel der Ankömmlinge war nach den erlittenen Strapazen überhaupt arbeitsfähig. Von der Lagerleitung wurden deutsche Mithäftlinge, Wolgadeutsche oder Polen, als »Meister« eingesetzt. Sie bestimmten das Lagerleben, von ihnen hing es ab, wie sehr gehungert, unter welchen Bedingungen gearbeitet, gelebt und gestorben wurde. Der Tod war allgegenwärtig. Besonders in den ersten Monaten starben die Menschen reihenweise an Seuchen, Hunger und Entkräftung, viele auch an Hoffnungslosigkeit. Meist waren es die ganz Jungen und die ganz Alten, mehr Männer als Frauen. Nachts wurden sie irgendwo in der Nähe der Lager von Totenkommandos verscharrt. Manche wurden vorher noch seziert. Nur jeder fünfte Deportierte kehrte nach Deutschland zurück. Eine der Ersten war damals Ursula Retschkowski, die bereits Ende 1945 ihre kleine Tochter Roselie in die Arme schließen konnte. »Der Kleinen«, sagt sie heute, »war es auch nicht gut gegangen. Immer wieder sagte sie: ›Mutti, wenn du wüsstest, was auch ich alles erlebt habe.‹«

Nach ihrer Ankunft in Westdeutschland wurden Ursula Retschkowski und die anderen heimkehrenden Frauen systematisch nach Vermissten befragt, nach Männern und Frauen, die auf demselben Transport, im selben Lager gewesen waren. Ihre Zeugenaussagen beleuchteten erstmals das Schicksal von hunderttausenden in den Osten verschleppten Deutschen. Bis dahin wusste man im Westen kaum etwas über die Lebens- und Arbeitsbedingungen in den Lagern hinter dem Eisernen Vorhang. Die wenigen kritischen Stimmen, die sich zur Situation in Russland äußerten, blieben vorerst folgenlos. So auch der Brief des englischen Philosophen und Mathematikers Bertrand Russel, den die *Times* am 23. Oktober 1945 veröffentlichte: »In Osteuropa werden jetzt Massendeportationen von unseren Alliierten durchgeführt in einem beispiellosen Rahmen, und ein offensichtlich vorsätzlicher Versuch wird unternommen, viele Millionen Deutsche auszurotten, nicht durch Gas, sondern indem man ihnen ihre Häuser und Nahrung wegnimmt, um sie einen langsamen quälenden Hungertod sterben zu lassen. ... Sind Massendeportationen Verbrechen, wenn sie während des Krieges von unseren Feinden begangen werden, und gerechtfertigte Maßnahmen sozialer Regulierung, wenn sie durch unsere Alliierten in Friedenszeiten durchgeführt werden? Ist es humaner, alte Frauen und Kinder herauszuholen und in der Ferne sterben zu lassen, als Juden in Gaskammern zu ersticken?«

Die meisten Internierten blieben länger in Gefangenschaft als Ursula Retschkowski. Viele wurden von Lager zu Lager transportiert. Christel Grunwald kam nach Kopejsk, einer kleinen Bergarbeiterstadt nördlich von Tscheljabinsk im Südural. Sie musste in der Ziegelei Zwangsarbeit leisten, die 17-jährige Anneliese Krebs nur ein paar Kilometer weiter in einem Kohlenschacht.

Das Elend im Lager konnte Christel kaum ertragen. Mit fünfzehn Jahren im Grunde selbst noch ein Kind, hatte sie Mitleid mit den Frauen, die von ihren Kindern weggerissen wurden: »Eine Frau war völlig verwirrt, sie wollte nur noch nach Hause, zu ihren Kindern, und so ist sie zum Zaun gelaufen und wurde erschossen.« Der Tod und die Toten machten ihr Angst. Als sie eines Nachts einen Karren voller Leichen sah, lief sie weinend zu ihrer älteren Schwester. Wann würde sie dieser Hölle endlich entkommen? »Wenn ihr den letzten Stein für den Wiederaufbau von Stalingrad gebrannt habt«, lautete die zynische Antwort der Bewacher. Doch das konnte lange dauern. Die Arbeitsleistung der völlig geschwächten Frauen war niedrig. Statt der üblichen sechs bis acht Ziegelsteine konnte Christel nur zwei, höchstens vier gleichzeitig tragen.

Die Verpflegung – dreimal täglich einen Dreiviertelliter Sauerkrautsuppe, morgens zwei Esslöffel »Kascha«, Brei aus Hirse oder ungeschältem Hafer sowie sechshundert Gramm nasses Brot – reichte für eine solche körperlich schwere Arbeit nicht aus. »Die Mädchen haben uns Leid getan«, sagt einer der »Meister« heute leise. Nach 55 Jahren ist der alte Wolgadeutsche immer noch vorsichtig mit seinen Äußerungen. Von August 1941 bis zur Ankunft der »Reichsdeutschen« war er selbst Sträfling im Kopejsker Lager Potanino gewesen.

Im Sommer 1945 kam auch Hildegard Krebs in das Arbeitslager Kopejsk. Es dauerte nicht lange, bis sie erfuhr, dass ihre jüngere Schwester Anneliese ebenfalls hier inhaftiert war. Doch sie kam zu spät: Anneliese, das lebenslustige Mädchen, das sich zu Hause in Elbing immer auf das Erwachsenwerden, auf die Zukunft gefreut hatte, hatte sich längst aufgegeben. »Wenn das das Leben ist«, sagte sie der Schwester, »dann will ich nicht mehr leben.« Monatelang von den Soldaten missbraucht und geschunden, starb sie in Hildegards Armen. »Meine Schwester war die erste Tote, die ich sah, die mir etwas bedeutete.« Das Mädchen wurde ausgezogen und nackt auf eine Bahre gelegt. Totenhemden hatten keinen Platz in der Lagerwelt, nicht einmal ein Leichentuch gab es. Beim Heraustragen schlug Annelieses Kopf immer wieder auf den Bretterboden – ein Geräusch, ein Bild, das ihre Schwester Hildegard bis heute nicht los-

»Wenn der Zug hielt, durften wir Wasser schöpfen.« In Viehwaggons verschleppte man Jugendliche nach Osten

Jeden Tag hatten wir über zwanzig Tote in Kapinsk. Sie wurden in eine Kiesgrube im Lager geworfen. Wenn die Grube voll war, wurde sie wieder geöffnet, die Leichen auf einen Lkw geladen und in ein Massengrab außerhalb des Lagers geschafft. Das habe ich durch Zufall gesehen, als ich eines Morgens um vier Uhr quer über den Lagerhof zum Küchendienst ging. Da fuhr ein Wagen an. Plötzlich ging die hintere Klappe auf und heraus fielen tote, nackte Menschen. Wie Holzstücke purzelten sie herunter. ... Einige Tote wurden in den Keller gebracht. Dort schnitt man sie auf. Denn es kamen Studenten, die an ihnen das Sezieren übten.

Erna Widdra, Jahrgang 1926, aus Rastenburg, verschleppt in sowjetrussische Arbeitslager

lässt. »Es ist so unendlich schwer, alleine zu trauern, und damals gab es niemanden, dem ich mich mitteilen konnte, dabei war ich doch selbst noch so jung.«

Zwei lange Jahre wusste Hildegard nicht, wo ihre Eltern lebten, die ebenfalls verschleppt worden waren. Dann konnte sie ihnen auf einer Rot-Kreuz-Karte vom Schicksal der Schwester in verschlüsselter Form berichten: »Wir sind in einem Hochgebirge von Wäldern umgeben, und unsere Schwester Anneliese ist nicht mehr.« Doch der Tod der geliebten Schwester weckte Hildegards eigene Lebensgeister: »Ich habe mir damals gesagt, ich will nach Hause kommen, denn ich will nicht, dass unsere Eltern beide Kinder verlieren.«

Nach eineinhalb Jahren durften wir das erste Mal nach Deutschland schreiben. Wir erhielten vorgedruckte Karten und durften fünfundzwanzig Worte schreiben. Man gab uns eine Adresse vom Roten Kreuz und eine vom Suchdienst. Aber sie sagten uns sofort, dass zu Hause in Ostpreußen wohl niemand mehr sein wird.

Christel Grunwald, Jahrgang 1929, aus der Nähe von Allenstein, als Fünfzehnjährige in ein sowjetrussisches Lager verschleppt

Kopejsk mit seinem halben Dutzend Arbeitslagern erlebte im Sommer 1945 eine schlimme Typhus-Epidemie. Die Lager waren überfüllt mit ausgehungerten Menschen – und mit Läusen, Wanzen und Ratten, den Überträgern der Krankheit. »Im Lazarett starben täglich zwanzig, dreißig, vierzig Personen, aber es kamen genauso viele wieder hinzu«, erinnert sich Hildegard Krebs. Die meisten waren in einer so schlechten körperlichen und seelischen Verfassung, dass sie kaum Chancen hatten, das Lager lebend zu verlassen.

Ein paar hundert Kilometer weiter in einem anderen Lager hatte Christel Schack, die als Siebenjährige mit ihrer Mutter verschleppt worden war, längst aufgehört, Kinderfragen zu stellen: »Warum sind wir hier, wann kommen wir wieder nach Hause? Warum bekomme ich so wenig zu essen? Warum müssen die Menschen sterben?« Was hätte ihre Mutter auch antworten sollen? »Der Tod spielte keine Rolle, der machte mir keine Angst, ich wusste über alles Bescheid.«

Doch dann erinnert sich Christel an eine Situation, die auch sie verstört hat: Eines Tages kam ein etwa vierzehnjähriges Mädchen, ein Nachbarskind aus Schulzendorf, zu Christels Mutter und bat sie, in die außerhalb des Lagers gelegene Typhusbaracke mitzukommen. Dorthin war die Mutter des Mädchens eingewiesen worden – ein Todesurteil. »Was da los war, das

»Die Waldarbeit war das Schwerste« – Wolfskinder machen sich in Litauen nützlich

hatte auch ich noch nicht erlebt. Es war so schrecklich, wie diese Verhungerten, diese Skelette sich an den Pritschen festgekrallt hatten und immer nur nach Hause wollten, in ihrem Wahn.«
Ansteckende Krankheiten und Seuchen, so berichten die Kinder von damals heute, waren das Einzige, was der Lagerleitung Respekt einflößte. Schließlich hätte Moskau, wenn die Totenzahlen zu sehr in die Höhe schnellten, Fragen stellen können. Eine Überprüfung hätte dann vielleicht ergeben, dass Lebensmittel, die eigentlich für die Inhaftierten bestimmt waren, heimlich verkauft wurden. In der Umgebung vieler Lager blühte der Schwarzhandel, die Lagerbediensteten und ihre Familien lebten davon.
Die Chancen, dem Lageralltag zu entkommen, waren gering; Situationen wie die folgende eher zufällig: Christel Schack erinnert sich: »Eines Tages kam ein gut aussehender höherer Offizier ins Lager. Als er mich sah, wollte er mich gleich mitnehmen. Meiner Mutter sagte er, er wolle mich adoptieren.« Der Offizier erzählte ihr von seinen schon erwachsenen Töchtern, die irgend-

wo studierten, und versprach ihr die besten Schulen. Doch der Versuch, die Mutter mit dem Argument zu überzeugen, er könnte dem Kind in der Sowjetunion ein besseres Leben garantieren, als sie es Christel im zerstörten Deutschland bieten könnte, scheiterte. Auch Gerda Bluhm, als Zwölfjährige mit ihrem Bruder Bernhard in die Sowjetunion verschleppt, erinnert sich, dass »viele russische Frauen in unser Lager kamen. Sie nahmen Kinder mit in ihre Familien. Die Kleinen wussten ja sowieso ihre Namen nicht.« Eines Tages war auch ihr älterer Bruder verschwunden. »Vermutlich kam er in ein anderes Lager oder in eine russische Familie. Bis heute habe ich keine Spur von ihm.« Fast vier Jahre blieb Gerda im Lager, bis sie schwer krank wurde. Sie hatte die »Pferdepest«, wahrscheinlich eine Myiase, eine Fliegenmadenkrankheit mit furunkelartigen Geschwüren. 1949 wurde sie mit einem Frauentransport nach Westdeutschland zurückgeschickt.

Mit der Zeit wurden die Frauen weniger streng bewacht. Die Kinder durften ins Dorf, um bei den Einheimischen Lebensmittel zu erbetteln. »Als wir an der Wache vorbeigegangen waren, sprach mich ein vierzehnjähriger Junge an: ›Komm, Christel, wir gehen nicht mit der ganzen Gruppe, da bekommen wir nichts. Wir gehen zusammen, und ich sage, du bist meine kleine Schwester.‹« Die Kinder klopften an den Bauernhäusern. Meist fanden sie Einlass, bekamen Kartoffeln, Rüben und Kohl, manchmal auch Quark, wenn die Leute eine Kuh hatten. »Die waren selber so arm«, sagt Christel Grunwald. »Aber sie haben uns immer etwas zu essen gegeben. Deshalb mag ich das russische Volk bis zum heutigen Tag.«

Hin und wieder wagte es eine der Gefangenen, zu fragen, wann es denn nach Hause ginge. Die lapidare Antwort: Nur Kranke und Mütter mit Kindern kämen nach Hause, die anderen müssten noch einige Jahre in den großen Städten arbeiten. Christel Schack und ihre Mutter hatten Glück. Sie kehrten im November 1946 nach Deutschland zurück. Auch der Vater wurde schon im selben Jahr aus sowjetischer Gefangenschaft entlassen. Die Familie fand eine neue Heimat in der DDR. »Bis heute habe ich vieles noch nicht verarbeitet«, sagt Christel Schack, »denn in der DDR durfte man bis zur Wende nicht darüber sprechen, dass man bei den Russen war. Unschuldige kamen nicht nach Sibirien, so hieß es damals, also mussten wir wohl etwas auf dem

Kerbholz haben. ... Je älter ich werde«, sagt die heute 63-Jährige, »desto öfter muss ich an die beiden schrecklichen Jahre in Sibirien zurückdenken. Ich war doch erst sieben.«

Auch Liesabeth Otto war sieben, als ihre Odyssee Ende Januar 1945 in Ostpreußen begann. Sie sollte Jahrzehnte dauern. »Wir Kinder bemerkten die Panik im Haus, und auf einmal sagte Mutti: ›Anziehen, wir müssen fliehen‹. Mit dem letzten Zug verließen Liesabeth, ihre Mutter Martha und die älteren Geschwister Christel und Manfred die Kreisstadt Wehlau im nördlichen Ostpreußen, die vor dem Krieg knapp neuntausend Einwohner zählte. Der Zug endete in Königsberg, mit einem Lastkahn ging es weiter, im Konvoi mit anderen Schiffen durch das Eis des Seekanals, an Pillau vorbei, Richtung Danzig. »Und dann kamen die Flugzeuge. Sie flogen ganz niedrig und fingen an, zu schießen.« Mehrere Schiffe aus dem Konvoi wurden getroffen und sanken. »Als wir beschossen wurden, warf Mutti zuerst mich auf den Boden, dann Christel und Manfred und sich selber obendrüber. Als wir wieder aufstanden, sah ich, dass meine Puppe kaputt war. Das war damals das Schlimmste für mich.« Liesabeth, ihre Mutter und ihre Geschwister schafften es tatsächlich bis Danzig. Die Bombardierung der Stadt und ihre Einnahme durch die Sowjettruppen Ende März 1945 erlebten die vier in einem Luftschutzkeller. »Wie lange wir in dem Keller waren, weiß ich nicht. Als die Tür aufging, traten russische Soldaten ein und leuchteten alle mit Taschenlampen an. Sie schrien nach Uhren. Dann haben sie einen Mann angeschossen, alle schrien, es war ein einziges Chaos. Anschließend haben sie Mädchen und Frauen mitgenommen, meine Mutter war auch dabei. Als sie wiederkam, war sie ganz komisch. Sie hat sich neben uns auf dem Boden gelegt, mit dem Gesicht nach unten.« Immer wieder wurden die Frauen und Mädchen herausgeholt, nicht alle kamen wieder.

Nur wenige Straßenzüge weiter erlebte Manfred Peters, der gerade 16 Jahre alt geworden war, die Eroberung seiner Heimatstadt

Wieder in Deutschland, in der sowjetischen Besatzungszone, angekommen, musste ich mich bei der Behörde melden, um zu erfahren, ob ich irgendwo ein Zimmer oder eine kleine Wohnung bekommen könnte. Der Mann auf dem Amt fragte mich: »Wo kommen Sie denn her?« Ich sagte ihm, dass ich aus dem Lager in Russland käme. Da lachte er los und glaubte, ich wollte mir einen Scherz erlauben. Wie ich denn dorthin gekommen sei? »Ich bin verschleppt worden«, antwortete ich ihm. »Das ist doch alles gelogen«, erwiderte er.

Ursula Retschkowski, Jahrgang 1917, als Mutter einer kleinen Tochter in ein Arbeitslager verschleppt

Danzig. »Meinen Vater und mich traf das alles total unerwartet. Wir hatten zwar viel von Verschleppungen gehört, aber wir hielten die Meldungen nicht für wahr.« Der 29. März 1945 belehrte Manfred eines Besseren. Es war der Tag, an dem er mit seinem Vater in die ausgebombte Wohnung ging. Ein russischer Soldat fragte den polnischen Nachbarn, wer sie seien. »Der nannte nur unseren Namen und unser Alter, und schon hieß es ›dawai‹, ein Wort, das ich damals zum ersten Mal gehört, aber gleich verstanden habe.« Keiner von beiden ahnte, was nun folgte. Schließlich mussten Trümmer beseitigt, Tote beerdigt werden, »deshalb dachten wir, wir sind am Abend wieder zu Hause. Nur meine Mutter muss schon irgendetwas geahnt haben, denn sie weinte bitterlich. Wir versuchten vergeblich, sie zu beruhigen.«

Niemand wusste, was mit ihm geschehen sollte. Im Gefängnis hockend dachten wir, wer aus der Zelle rausgeholt worden und nicht wiedergekommen war, der sei nach Hause geschickt worden. Als ich dann aufgerufen wurde, dachte ich auch: »Jetzt hat sich ja doch alles aufgeklärt und du kannst wieder nach Hause.« Aber ich wurde auf die Straße vor das Zuchthaus geführt. Dort sah ich eine lange Kolonne stehen, schwer bewacht von NKWD-Angehörigen mit Schnellfeuergewehren, Gewehren mit Zielfernrohr und Hunden. Mit dem Nach-Hause-Gehen war's also nichts, davon konnte man ausgehen.

Manfred Peters, Jahrgang 1929, aus Danzig, als 16-Jähriger in ein sowjetrussisches Arbeitslager verschleppt

Manfred Peters und sein Vater wurden in das Danziger Zuchthaus, die »Schießstange«, gebracht. Getrennt voneinander wurden sie verhört. Auf dem Tisch lag eine Pistole, daneben standen Posten mit aufgepflanztem Bajonett. Der Offizier verhielt sich ruhig, fragte nur nach Namen, Alter und ob Manfred Peters in der Hitlerjugend gewesen sei. Er antwortete ehrlich: »Das waren wir doch schließlich alle.« Wenig später, auf dem Gang, konnte er in den Innenhof schauen. Dort sah er seinen Vater in einer Gefangenenkolonne. Es war ein letzter Blick: Der Vater starb Ende 1945 in einem Danziger Lager.

Für Manfred und die anderen Zivilisten, die zusammengetrieben worden waren, ging es zu Fuß weiter – von Danzig nach Süden, mit unbekanntem Ziel. Fünf Tage und Nächte dauerte der Marsch. Gut hundert Kilometer legten die Gefangenen zurück, bis nach Graudenz. Es war ein Todesmarsch: Die Schwächeren, meist alte Männer, waren den Strapazen nicht gewachsen. Sie wurden untergehakt und mitgeschleppt, von Reihe zu Reihe nach hinten weitergereicht, bis sie die letzte Reihe erreicht hatten. Dort wurden sie fallen gelassen. Manfred Peters war im letzten Drittel der Kolonne und sah, »dass diese armen Menschen zunächst einmal mit Kolben bearbeitet wurden, um sie wieder zum Aufstehen zu bewegen, was nicht mehr gelingen konnte, und dann erschossen wurden«. Dieser Anblick brachte den damals 16-jährigen Jungen zur Verzweiflung – doch er erlebte auch Menschlichkeit: »Einer der Bewacher, ein älterer Soldat, kam jeden Morgen die Kolonne entlang, suchte, bis er mich gefunden hatte, und gab mir ein Stück Brot. Ich bedankte mich bei ihm, und er ging wieder weiter.«

In Graudenz wurden die Gefangenen in der alten, über der Weichsel gelegenen Festung untergebracht, und am 20. April, an Hitlers Geburtstag, verladen. Auf dem Graudenzer Güterbahnhof sah Manfred Peters zum ersten Mal, dass auch deutsche Mädchen und Frauen in die Sowjetunion transportiert wurden. »Ich sah Mädchen, so alt wie ich oder auch zum Teil jünger, Vierzehn-, Fünfzehnjährige, die zuvor Furchtbares hatten durchmachen müssen. Heute sage ich immer wieder, ich kann mich nur glücklich schätzen, dass ich als Junge auf die Welt gekommen bin.«

Liesabeths Mutter entging der Deportation aus Danzig, sie durfte bei ihren drei Kindern bleiben. Doch sie wurde immer wieder vergewaltigt. In einem Zimmer ohne Möbel lag sie nach diesem Martyrium tagelang auf dem nackten Fußboden. »Sie hat immer nur nach mir geschrien: ›Liesabeth, Liesabeth, wo ist mein Kind Liesabeth?‹ Eines Tages wurde ich weggeschickt, um Lindenblätter zu sammeln, und Sauerampfer, es war ja mittlerweile schon Frühling geworden. Ich lief überall herum und sammelte die Blättchen in meine Schürze. Doch als ich damit zurückkam, ließ man mich nicht zu meiner Mutti. ›Mutti schläft‹, sagte meine Schwester Christel und weinte, auch die anderen Frauen, die da waren, weinten. Irgendwann durfte ich doch zu Mutti, und obwohl ich sehr klein war, verstand ich, dass sie nicht schlief, weil sie ganz steif war.«

Eine Zeit lang blieben Liesabeth und ihre beiden Geschwister noch in Danzig, dann schickten die Russen die Kinder nach Osten, in ihre Heimatstadt Wehlau, zurück. Da ihr Elternhaus von sowjetischen Soldaten besetzt war, suchten sie auf einem kleinen Gut in der Nähe der Stadt Unterschlupf.

Währenddessen wurde Manfred Peters ins Innere der Sowjetunion transportiert. In dem Viehwaggon fanden neunzig Jungen

Es gab eine Pontonbrücke über die Weichsel bei Graudenz, die wir überqueren mussten. Wir bekamen den Befehl, uns alle unterzuhaken und über die Brücke zu laufen. Doch einige von uns hatten den Mut der Verzweiflung. Sie rissen sich von ihren Leidensgefährten links und rechts los und stürzten sich über das Brückengeländer in die aprilkalte Weichsel hinein. Da wurde mir auch schlagartig klar, warum die Scharfschützen unsere Kolonne begleiteten, denn die gingen sofort in den Anschlag mit ihrem Zielfernrohr, das der Waffe aufgesetzt war. Sie visierten einen der Schwimmer an, der ja irgendwann auftauchen musste, um Luft zu holen. Tauchte er auf, wurde er erschossen. Man sah die Treffer, auch die Fehlschüsse und wie sich das Wasser um die Opfer herum rot färbte.

Manfred Peters,
Jahrgang 1929, aus
Danzig, als 16-Jähriger in
ein sowjetrussisches
Arbeitslager verschleppt

und Männer in zwei Etagen Platz. In einem Moskauer Vorort hielt der Transport an, Kinder liefen an den Waggons entlang und riefen: »Hitler kaputt! Hitler kaputt!«. Anzeichen des nahen Kriegsendes, einer baldigen Heimfahrt? Doch die Fahrt wurde fortgesetzt, zwischen den Ritzen in den Holzwänden tauchten Landschaftsfetzen auf: ein breiter Strom, die Wolga, dann Hügel, die Ausläufer des Ural. Schließlich wichen Nadel- und Birkenwälder einer Steppenlandschaft. Das Ziel war erreicht – der kleine Ort Kimpersai in der kasachischen Steppe, nordöstlich von Aktjubinsk, der heute auf keiner Karte mehr eingezeichnet ist.

Am 6. Mai 1945, nach 16-tägiger Fahrt, knapp sechs Wochen nach seiner Gefangennahme in Danzig, kam Manfred Peters dort an, wo er künftig Zwangsarbeit leisten sollte. Bisher waren im Lager Nr. 1902 Wolgadeutsche interniert gewesen, nun gehörten sie zur Lagerleitung, waren »Meister«. Das Lager 1902 war für die 2400 Menschen, 1500 Männer sowie neunhundert Frauen und Kinder, viel zu klein. »Wir wurden in die Baracken gepfercht, auch der so genannte Kulturraum wurde voll gestopft mit Gefangenen.« Es war eine Frage der Zeit, bis sich dieses Problem von selbst löste. »Am Ende waren wir nur noch fünfhundert Überlebende von 2400, und für diese fünfhundert war das Lager groß genug.«

»Wir waren doch noch so jung« – von den schlimmen Erfahrungen und Strapazen gezeichneter Flüchtlingsjunge

Der 8. Mai war der Tag des ersten Lagerappells in Kimpersai. Alle mussten auf dem Appellplatz antreten, Männer und Frauen getrennt. Dann sprach der Lagerkommandant. Er teilte den Deutschen mit, dass der Krieg zu Ende sei und dass sie, die deutschen Zivilisten, nun hier in der Sowjetunion seien, um das wieder gutzumachen, was die Hitlerfaschisten in diesem Land angerichtet hatten. »Das schien mir damals logisch«, erinnert sich Manfred Peters. »Ich hatte in Danzig gesehen, wie die sowjetischen Kriegsgefangenen von den Nazis behandelt wurden. Das war furchtbar. Ich wusste von den KZs, ich wusste von den Deportierten, den Ostarbeitern, wie man sie nannte. Bei meinem Vater auf der Werft hatte ich ja selber welche gesehen. Ich dachte: ›Na ja, so ist das im Leben. Damals waren die dran, und jetzt sind wir dran. Wir haben den Krieg verloren, das ist die bittere Konsequenz.‹«

Wegen der katastrophalen hygienischen Bedingungen brachen bald Seuchen aus: Typhus, Gesichtsrose und Ruhr. Wanzen und Läuse taten ein Übriges, die ausgemergelten Körper zu schwächen. Im August 1945 erreichte die Todesrate ihren traurigen Höhepunkt: Zwanzig, dreißig und mehr Menschen starben täglich. Das Massensterben beunruhigte die Internierten so sehr, sagt Manfred heute, »dass sich jeder eigentlich nur fragte, wann bist du selbst an der Reihe?« Als der Junge tatsächlich erkrankte, sträubte er sich mit Händen und Füßen gegen eine Verlegung in die Krankenbaracke. »Da kam man nicht wieder lebend heraus, was einem bis dahin noch nicht fehlte, das bekam man dort.« Erst im Spätherbst 1945 konnten die Seuchen dank des Wintereinbruchs eingedämmt werden.

Immer wieder wurde der 16-Jährige zu Leichenkommandos eingeteilt. Er musste im Dunkeln die toten Körper ertasten, die im fensterlosen Leichenkeller unterhalb des Lebensmittellagers lagen. »Wir krochen in diesem Keller so lange herum, bis wir auch die letzte Leiche herausgeholt und eine schmale Treppe hochgeschleppt hatten. Dann kamen die Toten auf denselben Wagen, mit dem tagsüber Brot transportiert wurde. Wenn ich jetzt Dokumentarfilme sehe über Konzentrationslager, Leichen, Leichenwagen ..., dann sage ich zu meiner Frau: ›Weißt du, dieses Bild ist mir immer vor Augen, das alles habe ich in Kasachstan auch erlebt.‹«

Manfred Peters wusste damals nicht, dass 1945 Hunger und Elend auch außerhalb der Lagergrenzen furchtbar wüteten. Besonders schlimm war es im sowjetisch-besetzten nördlichen Ostpreußen. Hier lebten nach Ende des Zweiten Weltkriegs noch 139 000 Deutsche, gegenüber rund 1,5 Millionen Menschen im

Jahre 1939. 1947 und 1948 wurden schließlich noch rund hunderttausend Deutsche ausgesiedelt, weitere 40 000 Menschen hatten Hunger und Seuchen wie Typhus oder Ruhr schon hinweggerafft. Dabei war Ostpreußen eigentlich die Kornkammer Deutschlands gewesen. Doch Getreide, Saatgut und Vieh hatten die Russen schon in den ersten Wochen der militärischen Besatzung in die Sowjetunion abtransportiert. Die alten landwirtschaftlichen Strukturen waren zerstört, an ihre Stelle traten nun Militärkolchosen. Allein, es mangelte an Fachkräften zu ihrer Bewirtschaftung. 1945, nach der großen Flucht, war das Land menschenleer, in Königsberg lebten gerade einmal noch 68 000 Deutsche, 1939 waren es 372 000 gewesen. Im Kreis Wehlau, in dem sich die kleine Liesabeth und ihre Geschwister aufhielten, lebten noch etwa 3500 der ursprünglich fünfzigtausend deutschen Bewohner.

Liesabeth und ihre beiden älteren Geschwister waren in einem zerstörten Bauernhaus untergekommen. Im Gutsgebäude richteten die russischen Soldaten eine Kolchose ein. Ihre Arbeitskräfte waren Frauen und Jugendliche, die für einen Hungerlohn – ein Brot und ein Stückchen Butter oder Margarine erhielten Christel und Manfred wöchentlich – von morgens bis abends auf den Feldern schuften mussten. Kleine Kinder wie Liesabeth und alte Menschen fanden keine Arbeit und bekamen folglich auch keinen Lohn. Sie lebten von dem, was sie in den Ruinen und auf den Feldern fanden. »Ich habe immer aufgepasst, wenn die Russen Küchenabfälle auf den Müllhaufen geworfen haben, und dann schnell die Kartoffelschalen herausgesucht. Den ganzen Tag habe ich versucht, irgendetwas Essbares zu finden. Löwenzahn, Melde und Brennnesseln waren Delikatessen.« Die Kinder versuchten, Spatzen zu fangen, töteten gemeinsam eine abgemagerte Katze, um aus ihr eine Suppe zu kochen. Als Christel bei der Feldarbeit ein paar Möhren in ihren Rocktaschen verschwinden ließ, wurde sie erwischt und tagelang in einen Keller gesperrt.

Die Toten verscharren, das wollte niemand von den Lagerinsassen machen. Also haben die Russen so um zehn oder elf Uhr abends plötzlich in die Baracke gerufen: »Es ist noch Essen übrig in der Küche. Wer Nachschlag haben möchte, kann ihn sich dort abholen.« Alles stürmte daraufhin zur Küche. Aber dort hieß es dann: »Mitkommen! Ihr müsst die Leichen verladen.«

Gerhard Marchel, Jahrgang 1929, aus dem Kreis Lötzen, als 16-jähriger Lehrling in ein Arbeitslager verschleppt

Wochenlang schlugen sich Liesabeth und ihre älteren Geschwister durch, stets schwach und müde vor Hunger. Den Lohn – das Brot mit dem Stückchen Butter – für die Geschwister Otto holte die kleine Liesabeth bei den Russen im Nachbargut. »Einmal war ich so hungrig, dass ich auf dem Nachhauseweg mit der Zunge immer ein wenig von der Butter geschleckt habe. Und als ich ankam, war nichts mehr da. Ich habe Christel das Brot gegeben, doch sie fragte auch nach der Butter. Als sie erfuhr, dass ich sie ganz alleine aufgeschleckt hatte, da hat sie mich verprügelt und gesagt, dass sie mich nicht mehr sehen wolle.«
Dass man in Litauen Nahrungsmittel erbetteln konnte, davon hatte auch die kleine Liesabeth bereits gehört. Sie wollte ihren »Fehler« wieder gutmachen, lief zum Bahnhof, stieg in einen leeren Güterwagen »und auf einmal wurde die Tür zugemacht, und der Zug fuhr los. Wie lange ich da drin war, weiß ich nicht, ich habe noch Krümelchen gefunden und gegessen, ich hatte ja Hunger ... Als der Zug wieder anhielt, da war ich schon in Litauen.« Bahnarbeiter entdeckten das kleine deutsche Mädchen und stießen es aus dem Zug. Liesabeth rollte den Bahndamm hinunter. Sie konnte nicht aufstehen, ihre Beine waren stark geschwollen. »Das war wohl von dem Kunstdünger, den ich in dem Güterwaggon gegessen hatte. Ich hatte Durst, schrecklichen Durst, trank das Wasser aus dem Graben und blieb in einem Gebüsch liegen.« Eine Bäuerin fand sie wenig später und holte sie abends heimlich mit einem Pferdekarren zu sich nach Hause. Deutschen zu helfen wurde von der Sowjetverwaltung nicht gerne gesehen, sie aufzunehmen war verboten.

»Ankunft in einem fremden Land.« Elternlose Flüchtlingskinder wurden von den polnischen Behörden abgeschoben

Die Litauer waren vorsichtig geworden, nach drei Jahren Besatzung war ihr Verhältnis zu den Deutschen gespalten. Zu viele Grausamkeiten hatten sie miterlebt. Zu viele Grausamkeiten aber auch von Seiten der Roten Armee, die ihr kleines Land im Sommer 1944 – nach 1939 – zum zweiten Mal »befreit« hatte. 1944/45 benahmen sich nicht wenige Rotarmisten so, als seien sie in Feindesland, sie raubten, vergewaltigten und mordeten. Zahlreiche Litauer wurden in sibirische Lager deportiert.
Vor allem auf dem Land regte sich Widerstand gegen das sowjetische Regime, insbesondere gegen den Geheimdienst NKWD. Die Aufständischen, »Waldbrüder« genannt, versuchten, Gefangene zu befreien, Deportationen zu verhindern, und ermordeten bis Anfang der fünfziger Jahre Tausende von NKWD-Männern und

5 807
KP

deren litauische Helfer. In ihren Reihen standen litauische Nationalisten, Sozialdemokraten, überzeugte Christen, Deportationskandidaten, Deserteure der Roten Armee und sogar versprengte Soldaten der Wehrmacht. Sie versteckten sich meist in den dichten Wäldern an der polnischen Grenze. Das war auch die Gegend, in der sich Liesabeth damals aufhielt, das Dreieck Kaunas, Marijampole, Kalvarija. Für die »Waldbrüder« übernahm sie später manche Botengänge, ohne zu wissen, wie gefährlich das für sie werden konnte. Denn die Sowjetmacht verfolgte gnadenlos jeden, der die Aufständischen unterstützte.

Einige Monate blieb Liesabeth bei ihrer ersten litauischen Bauernfamilie in der Scheune versteckt, aus Angst vor den »Stribaj« (vom russischen »istrebitel« – Vernichter), den Häschern des NKWD. Langsam wurde Liesabeth aufgepäppelt, von den Kindern lernte sie die ersten Worte Litauisch. Doch sie konnte nicht bei der Familie bleiben, zog mit ihrem Bettelsäckchen weiter, von Hof zu Hof. Bald merkte sie, dass die Litauer sehr zurückhaltend waren, wenn sie auf Litauisch sagte: »Ich heiße Liesabeth.« Nach der Bäuerin, die sie am Bahndamm gefunden hat, nannte sie sich fortan Maritje, Mariechen auf Litauisch. Mit dem Namenswechsel aber war sie für ihre Familie verloren.

Liesabeth sammelte Lebensmittel, denn sie wollte zurück zu ihren Geschwistern nach Ostpreußen. »Was ich in meinem Säckchen hatte, wollte ich Christel bringen, um meine Schuld wieder gutzumachen. Ich fühlte mich schuldig, weil ich den Geschwistern den schwer verdienten Lohn aufgegessen hatte. Doch jedes Mal, wenn ich an einem Bahnhof in einen Zug gestiegen bin, sind die Züge in die falsche Richtung gefahren.«

Wie viele andere Kinder arbeitete Liesabeth auf den kleinen litauischen Bauernhöfen. »Ich habe Unkraut gezupft, Gänse gehütet, Kartoffeln gesammelt, auch das Melken haben mir die Frauen beigebracht. Den ganzen Sommer lang und auch im Herbst brauchten die Bauern immer Kinderhände zum Arbeiten.« Mit der Zeit dachte sie immer weniger an ihre Geschwister Christel und Manfred, war ganz damit beschäftigt, für sich selbst zu sorgen. Tausende von Deutschen, Frauen, alte Männer und Kinder, vor allem Kinder, waren nach dem Zweiten Weltkrieg in Litauen unterwegs. Zu ihnen gesellten sich hunderte von russischen Jungen und Mädchen, die als Kriegswaisen im Gefolge der Roten Armee weit nach Westen gekommen waren. Allesamt waren sie Landstreicher, bettelten um Lebensmittel und ein Nachtlager. Viele der Jugendlichen und Erwachsenen pendelten – mit Taschen voller Lebensmittel – zwischen Litauen und Ostpreußen und sicherten so ihren dort gebliebenen Familienangehörigen ein kärgliches Überleben. Liesabeth aber blieb in Litauen. Ihre Schwester Christel würde sie nie wieder sehen.

Im Sommer genoss das Kind die Freiheit – oder was es damals darunter verstand. »Das war eine schöne Zeit, ich konnte hingehen, wohin ich wollte, ich konnte mich ins Gras legen und in den Himmel schauen, eigentlich war ich frei wie der Wind.« Sie übernachtete bei Bauern, in Scheunen, Pferdeställen – oder einfach unter freiem Himmel. In der ersten Zeit traf sie sich abends mit anderen deutschen Kindern. »Wir sprachen darüber, welcher Bauer gutes Essen gab und auf welchen Hof man besser nicht gehen sollte, weil man dort Hunde auf die deutschen Bettelkinder hetzte.« Und man sprach von zu Hause, von der Zeit, als das Leben noch in geordneten Bahnen verlief. Eine Zeit lang war Liesabeth mit einem etwa zwölfjährigen Jungen und einem kleineren, vielleicht fünfjährigen blonden Mädchen zusammen. Übernachtet wurde in Heuhaufen, dort war es weich und warm. »Eines Morgens wurde ich wach, und das Mädchen guckte mich merkwürdig an, ohne zu blinzeln. Als ich sie anfasste, war sie schon ganz kalt. Sie war in der Nacht einfach neben mir gestorben.« Wenig später kam der Bauer vorbei, wollte schimpfen, als er den ramponierten Heuhaufen sah, doch als der Junge ihm das tote Kind entgegenhielt, fuhr er zurück zu seinem Hof, holte ein weißes Leintuch, wickelte die Kleine darin ein und begrub sie am Straßenrand. Ein kleines Holzkreuz markierte jahrelang diese Stelle. »Ich war zu dumm, mir den Namen des Mädchens zu merken. Die Kleine wurde doch sicherlich auch jahrelang gesucht, so wie ich, und vielleicht sucht heute noch jemand!«

Ich konnte auch spielen, da waren auch andere Kinder. Ich weiß nicht mehr, was wir gespielt haben. Aber meistens haben wir nur die Umgebung abgesucht, ob wir noch was zu essen finden.

Liesabeth Otto, Jahrgang 1937, Wolfskind

Schätzungen gehen von bis zu fünftausend deutschen Kindern aus, die in Litauen nach dem Krieg ums nackte Überleben kämpften. Die meisten waren Landstreicher, wie Liesabeth Otto, viele verhungerten, manche wurden in litauischen Familien auf-

»Bei den Bauern waren wir außer Gefahr.« Einige verlorene Kinder fanden Unterschlupf bei litauischen Familien

genommen. Wer Glück hatte, fand eine Anstellung als Kindermädchen oder Hilfskraft auf einem der zahlreichen Bauernhöfe, wie Charlotte Milowski aus der am Westufer der Memel gelegenen Elchniederung. Nachdem Mutter und Großmutter schon im ersten Nachkriegssommer in Ostpreußen verhungert waren, hatte sie ihr Großvater auf die andere Seite des Grenzflusses nach Litauen gebracht. Mit ihren elf Jahren war Charlotte groß genug, um als Kindermädchen in einer litauischen Bauernfamilie zu arbeiten. Dort hatte sie zu essen und ein Dach über dem Kopf. Der Großvater schlug sich als Schuster durch, bis auch er unterernährt an Wassersucht starb. Wenig später wurde die Familie, in der Charlotte lebte, nach Sibirien, in die Nähe von Krasnojarsk, deportiert – wegen angeblicher Unterstützung der »Waldbrüder«. Selbst die kleinen Kinder, auf die Charlotte aufgepasst hatte, mussten mit. Während Charlotte nach wenigen Wochen als »Wolfskind« bald eine andere Familie fand, in der sie sich um die Kinder kümmern konnte, schlug Liesabeth sich nach wie vor alleine durch. Manches Mal übernachtete sie im Wald, baute sich unter einer großen, dichten Tanne einen Unterstand, schleppte eine Decke dorthin und bastelte sich Puppen: Vater, Mutter und Geschwister. »Mit denen habe ich mich immer unterhalten, wie mit einer richtigen Familie.« Sie lernte schnell, wie man ein Feuer macht, auf dem sie sich Kartoffeln rösten konnte. »Ich wollte es ja auch schön haben.« Der Rauch lockte eines Abends eine Gruppe von Jungen herbei. »Das war im ersten Sommer, als der Krieg noch nicht lange zu Ende war. Ich konnte damals nur sehr wenig Litauisch.« Die Jungen schrien: »Hitler kaputt, die Hitlers muss man aufhängen!« Dann griffen sie sich die kleine Liesabeth, malten ihr mit Ruß ein Hitlerbärtchen und sengten ihr die Haare ab. Schließlich knüpfte einer der Jungen eine Schlinge, legte sie dem Mädchen um den Hals und kletterte auf einen Baum, um den Strick dort festzumachen. Als Liesabeth anfing zu röcheln, liefen die Jungen weg. »Aber mein Schutzengel hatte gut aufgepasst und schickte einen Mann auf einem Pferd vorbei. Er hat mich abgeknüpft und nach Hause mitgenommen.« Der Schutzengel würde mit Liesabeth noch viel Arbeit haben.

Solange Liesabeth klein war, konnte sie auf das Mitleid der Bevölkerung hoffen. Auf dem Land wurden für die Bettler Lebensmittel vor die Haustür gestellt. »Davon konnte man sich dann nehmen, eine Hand voll Erbsen, ein Stück Brot, ein, zwei Kartoffeln.« Wenn Liesabeth ein Dach über dem Kopf suchte, klopfte sie schüchtern an. »Im Namen des Vaters, des Sohnes und des Heiligen Geistes«, bekreuzigte sie sich auf Litauisch. »Das hat den alten Frauen immer gefallen, und dann haben sie mich meistens ins Haus gelassen.« Liesabeth Otto erinnert sich auch noch detailliert an das Weihnachtsfest 1945, das erste Weihnachten ohne Mutter und Geschwister. Sie war bereits mehrere Monate auf dem Land umher gestreift, zwischen Kaunas, Marijampole, Alytus und der Grenze zu Polen. »Es hatte geschneit, und ich

»Kampf ums nackte Überleben.« Einige Wolfskinder schlossen sich den litauischen Widerstandsgruppen, den »Waldbrüdern«, an

hatte nur noch Lappen um die Füße, mit Draht festgebunden. Ich ging von einem Bauern zum anderen, aber niemand ließ mich ins Haus.« Als sie in einem Hof ein hell erleuchtetes Fenster sah, kletterte die Kleine auf die Bank, die vor dem Fenster stand, und schaute in das Zimmer hinein. »Ich sah einen wunderschön geschmückten Tannenbaum, wie ich ihn von zu Hause kannte. Plötzlich bin ich abgerutscht und mit dem Kopf gegen die Scheibe geschlagen.« Die Scheibe zerbrach, doch Liesabeth hatte nicht die Kraft wegzulaufen. »Ich blieb im Schnee sitzten und wartete darauf, dass man mich verprügelte. Aber die Bauern hatten sich nur erschreckt, sie brachten mich ins Haus und stopften das Loch mit einem Federkissen zu. Ich durfte mit ihnen am Tisch sitzen, bekam zu essen und ein Nachtlager auf zwei Stühlen. So erlebte ich ein wunderbares Weihnachtsfest, obwohl ich doch nur ein deutsches Bettelkind war.«

Am zweiten Heiligabend im Lager mussten wir nachts noch einen Waggon Kohlen aus dem Kohlenschacht eines anderen Lagers holen. Es war einige Kilometer entfernt. Im offenen Wagen fuhren wir mit einer Hand voll Frauen durch die Nacht. Die Natur um uns herum war herrlich, eine wunderschöne Schneelandschaft mit einem sternenklaren Himmel. Im Lager war es verboten, ein Weihnachtslied zu singen. Aber auf dem Wagen stimmten wir leise unsere Lieder an. Der Posten hat zugehört, aber er hat nichts gesagt. Er wusste wohl, was in uns vorging.

Christel Grunwald, Jahrgang 1929, aus der Nähe von Allenstein, als Fünfzehnjährige in ein sowjetrussisches Lager verschleppt

Hildegard Krebs saß zur selben Zeit mit knapp hundert anderen jungen Frauen und Mädchen wieder in einem russischen Viehwaggon. Sie verließen das Lager Kopejsk mit seinem Kohlenschacht 4/6, in dem so viele gestorben waren. Noch ging es nicht nach Hause, sie wurden nur in ein anderes Lager verlegt. Jahrzehnte später schreibt Hildegard über Weihnachten 1945: »Ein winziger Säugling wimmert – Folge einer Vergewaltigung. Ich verlasse meine damals siebzehn Jahre alte Schwester, tot verscharrt in einem Birkenwäldchen, zerstört durch Gewalt, Erfrierungen, Heimweh. Alle wissen, dass Weihnachten ist – niemand spricht es aus. Der Zug hält, und die Schiebetür wird einen Spalt geöffnet. Vor unseren Augen breitet sich ein dick verschneiter Tannenwald unter frostig klarem Himmel aus. Durch den tiefen Schnee stapfen vermummte Männergestalten, die einen frisch geschlagenen Weihnachtsbaum tragen. An den Gürtelschnallen erkennen wir, dass es deutsche Kriegsgefangene sein müssen. Ein Gefühl der Verbundenheit durchströmt uns. Wir bekommen gefrorenes Brot in den Waggon gereicht – unzählige eiskristallene ›Weihnachtssterne‹ glitzern darin. In der Illusion haben wir den Duft von Weihnachtskuchen und Kerzen; Symbole des Weihnachtszaubers lassen uns die Realität vergessen. Wärmende Tränen rinnen über unsere jungen Gesichter. Wir falten die Hände. Mehr ist an diesem Weihnachten 1945 nicht möglich.«

Hildegards neues Lager war das Kriegsgefangenenlager Karabasch, in dem ein kleiner Teil für die internierten Frauen und Mädchen vorgesehen war. Nun wurde die Verpflegung besser, denn die Frauen erhielten dieselben Rationen – neben Suppe und Brei nun siebenhundert Gramm Brot pro Tag –, die einem Kriegsgefangenen zustanden. Mit den Männern arbeiteten sie in den Kupferstollen und im nahe gelegenen Schmelzwerk. Der beißende Rauch aus den Schloten machte das Atmen schwer, an manchen Tagen färbte er den Schnee grau und ließ das Tal wie im Nebel versinken. Hier, an den Ostflanken des Ural, erlebte Hildegard ihren ersten russischen Winter. Durch ihren Mantel pfiff der scharfe Wind hindurch, ihr Kopf unter der Pelzmütze war kahl geschoren. Die Verlegung in das Kriegsgefangenenlager Karabasch bedeutete für die Frauen die Rettung. In diesem Lager mussten sie nun nicht mehr unter Tage arbeiten, wie in Kopejsk. Während unter Tage deutsche Kriegsgefangene arbeiteten, die im Baltikum mit der gesamten Einheit in sowjetische Gefangenschaft geraten waren, blieben die Frauen am Förderband, sortierten die Kohle, beluden Eisenbahnwaggons. Auch dies war im Prinzip eine zu schwere körperliche Arbeit für die abgemagerten Frauen, die ein knappes Jahr nach ihrer Gefangennahme meist gerade noch die Hälfte ihres Normalgewichts wogen.

Im neuen Lager begann für die Frauen die antifaschistische Umerziehung, »Antifa« genannt, abends, im so genannten Club. Die Phrasen der Agitatoren prallten meist wirkungslos ab, kommunistische Ideale und Wirklichkeit lagen zu weit auseinander. Die Chance, die Gefangenen zu überzeugten Kommunisten zu erziehen, wurde so ein zweites Mal vertan, nachdem schon die ersten Begegnungen zwischen deutschen Frauen und Sowjetsoldaten nicht dazu angetan waren, für den Kommunismus Freunde zu gewinnen. »Wenn wir in der politischen Schulung gut aufgepasst hatten, wenn wir gut gearbeitet hatten und auch schön die *Prawda* gehört hatten«, – sie wurde simultan ins Deutsche übersetzt – »dann durften wir tanzen.« So lernte

»Wir sollten nur drei Tage arbeiten.« Die Arbeitskommandos wussten nie, wie ihr weiteres Schicksal aussehen würde

Hildegard Krebs auch Herbert Pachaly kennen, den Mann fürs Leben. »Meine Schwester Anneliese hatte immer gesagt, du wirst nie richtig Tanzen lernen, und mit ihm konnte ich das plötzlich. Ich lag in seinen Armen, wir waren glatzköpfig und stanken, aber wir tanzten.«

Bis zu einer Temperatur von minus vierzig Grad wurde im Winter draußen gearbeitet: Immer wieder musste der Schnee von den Eisenbahnstrecken geräumt werden, immer wieder ging es für die Frauen ins Waldkommando. Zwei Kubikmeter Holz pro Arbeiterin und Schicht, so lautete die Norm. Trotz der Kälte schwitzten die Frauen und Mädchen in ihren Wattejacken. Völlig durchnässt mühten sie sich, die dicken Bäume zu fällen, in ein Meter lange Stücke zu zersägen und aufzuschichten. Sägen und Äxte waren stumpf, das erschwerte die Arbeit. »Der gefällte Baum versank im tiefen Schnee, und so mussten wir ihn erst einmal frei schaufeln, bis wir ihn zersägen konnten. Das war eine Arbeit für erwachsene, kräftige Männer, nicht für uns, wir waren ja halb verhungert.« So ging es Hildegard Krebs, so ging es Gertrud Krawitzki, so ging es zehntausenden anderen Mädchen und Frauen. Und immer wieder hieß es: »Skoro domoj« – »bald geht's nach Hause!«, doch Hildegard schien es, als sollte ihre Zukunft in Russland liegen. Nach drei Jahren fern der Heimat hatte sie die Hoffnung aufgegeben, jemals wieder nach Hause zu kommen. »Oft habe ich gedacht, wäre ich doch bloß damals auch gestorben, so wie Anneliese. Von meinem Grundsatz, unsere Eltern sollten nicht beide Kinder verlieren, war ich da schon längst abgerückt.«

Im Winter hatten wir vierzig bis fünfundvierzig Grad Frost. Wenn man nach draußen kam, verschlug es einem förmlich den Atem. Man konnte gar nicht mehr sprechen. Wir haben uns Stofflappen um den Mund gebunden, an denen sich schnell Eiszapfen bildeten. An Wimpern und Brauen hing Raureif. Die Kleider waren steif gefroren. Manchmal haben wir sie ausgezogen und auf den Boden gestellt. Dann sind wir um die Kleider herumgetanzt und haben gesungen: »So treiben wir den Winter aus.« Irgendwann fielen sie in sich zusammen, weil sie auftauten.

Erna Widdra, Jahrgang 1926, aus Rastenburg, verschleppt in sowjetrussische Arbeitslager

Derweil richtete sich Liesabeth in Litauen darauf ein, »eine eigene Ecke zu finden, einen Platz, wo ich bleiben konnte«. In Zirajle, einem kleinen Dorf im Südwesten Litauens, nahe der polnischen Grenze, schien ihr Wunsch in Erfüllung zu gehen. Es hatte sich bereits herumgesprochen, dass »die kleine Deutsche« gut arbeiten konnte, und die Bauernfamilie Kerschule konnte fleißige

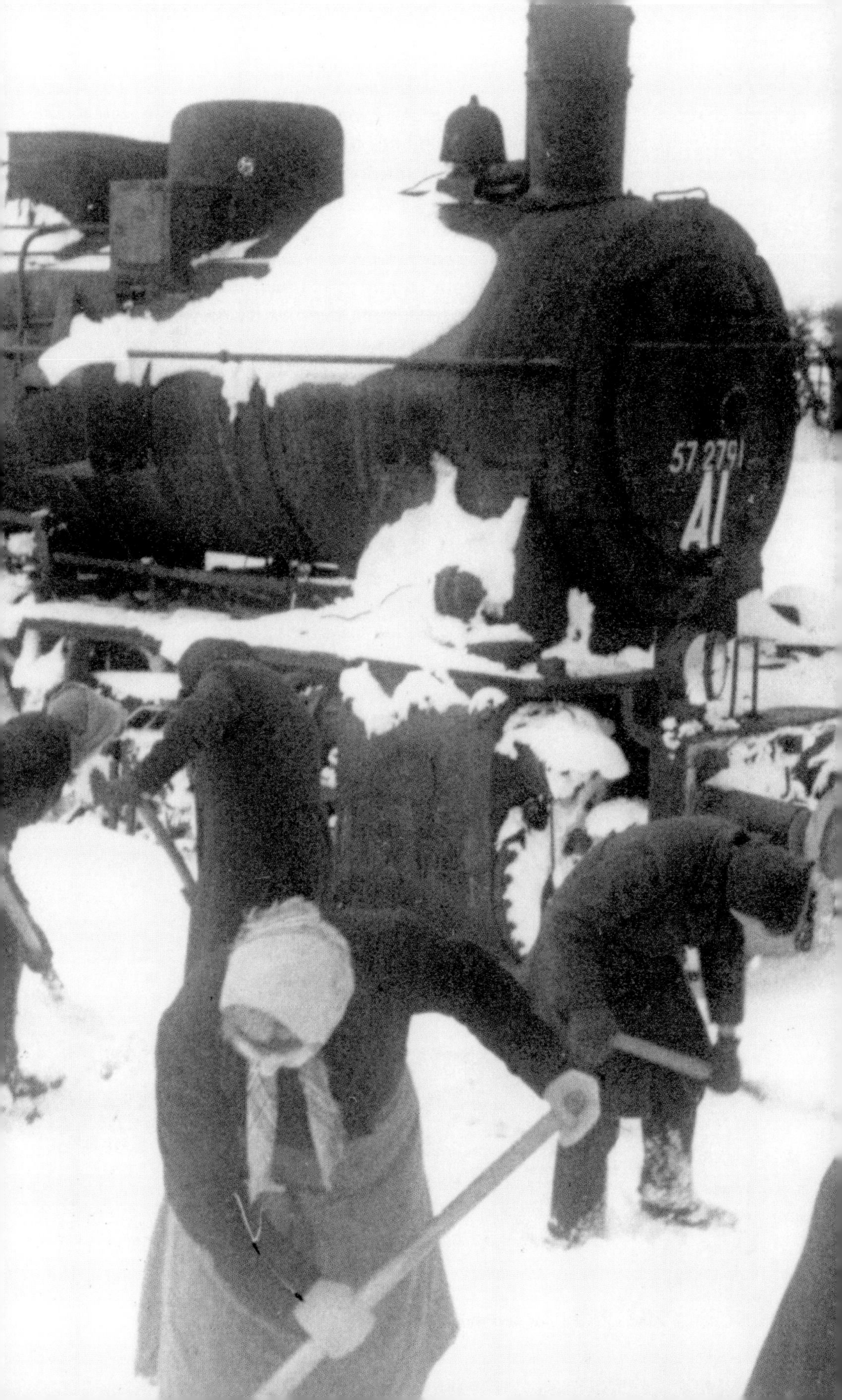
57 2791
AI

Kinderhände gebrauchen. »Sie sagten zu mir: ›Wenn du schön fleißig und gehorsam bist, dann kannst du vielleicht für immer bei uns bleiben.‹« Liesabeth gab sich Mühe, beim Unkrautjäten, Kartoffelnsammeln, passte gut auf das Vieh auf. Sie wollte bleiben, obwohl die Frau, die wenige Monate zuvor ihr eigenes Kind verloren hatte, grob zu ihr war. »Aber der Mann, der Kerschule, der war immer gut zu mir. Er hat mir auch mal über den Kopf gestreichelt.« Solche Zuwendungen waren die Ausnahme. »Sonst bin ich zu den Stuten in den Stall gegangen, ich habe sie umarmt, mit ihnen gesprochen und mich bei ihnen angelehnt.« Einen ganzen Sommer blieb Liesabeth bei den Kerschules. Als es Winter wurde, musste sie wieder weg. Der Mann hatte sie an

»Suppe gab es selten.« Jeder Stopp bringt Hoffnung auf Verpflegung

Kindes statt annehmen wollen, die Frau war dagegen. Enttäuscht verließ das Mädchen die Gegend, fuhr mit dem Zug weiter. In der Nähe von Alytus an der Memel, die auf Litauisch Nemaunas heißt, schloss es sich ein paar älteren Bettelkindern an. Eines Abends, es war schon empfindlich kalt geworden, zog Liesabeth wieder von Hof zu Hof, doch niemand ließ sie ins Haus. Bis eine Frau sich ihrer erbarmte, ihr eine Decke gab und sie zum Übernachten in die Scheune schickte. »Mir wurde schön warm, bald schlief ich ein. Dann merkte ich etwas Schweres auf mir. Der Mann stank nach Hauswodka. Ich habe ihn in die Hand gebissen, aber er hat mich vergewaltigt.« Liesabeth war gerade neun Jahre alt. »Ich konnte nicht mehr aufstehen. Er hat mich gepackt, auf einen Pferdekarren gelegt, ist zum Fluss gefahren, hat mich in einen Sack gesteckt und in den Fluss geworfen.« Wieder war der Schutzengel zur Stelle. »Zwei Fischer haben mich gerettet. Ich stelle mir bis heute die Frage, wie ein Mensch, ein erwachsener Mensch so etwas tun kann? Der Mann musste doch denken, dass er mich umgebracht hatte. Wie konnte er danach weiterleben?« Liesabeth Otto ist durch diese erste Vergewaltigungserfahrung für ihr Leben traumatisiert. »Ich habe bis heute noch Angst vor Männern. Sie haben mir in meinem ganzen Leben zu viel Böses angetan.« Nach einigen Tagen kehrte sie zu den anderen Wolfskindern zurück, erzählte, was ihr angetan worden war. Aus Rache zündeten die Jungen die Holzscheune an, in der alles passiert war. Vom hohen Nordufer des Nemaunas beobachteten sie gemeinsam den Brand, »niemand wusste, wer das Feuer angesteckt hatte«.

Im kasachischen Interniertenlager Kimpersai hatte inzwischen der Arbeitseinsatz begonnen. Der schmächtige, ausgehungerte Manfred Peters musste im Tagebau Kohle hauen, Gleise verlegen, Holzschwellen transportieren und vernageln. Und immer galt es, die Arbeitsnorm zu erfüllen, damit die ohnedies schmale Verpflegungsration nicht gekürzt wurde. Mit den harten körperlichen Bedingungen wurden die deutschen Internierten oft nur schwer fertig. Schwerer wog jedoch die seelische Situation, denn niemand wusste, ob die Angehörigen noch lebten, die Kinder ein Dach über dem Kopf hatten – und vor allem, wann es vielleicht doch einmal nach Hause gehen sollte. »Es gab Tage, an denen ich total verzweifelt war und alle Hoffnung aufgegeben hatte, so wie damals, auf dem langen Marsch von Danzig nach Graudenz, als

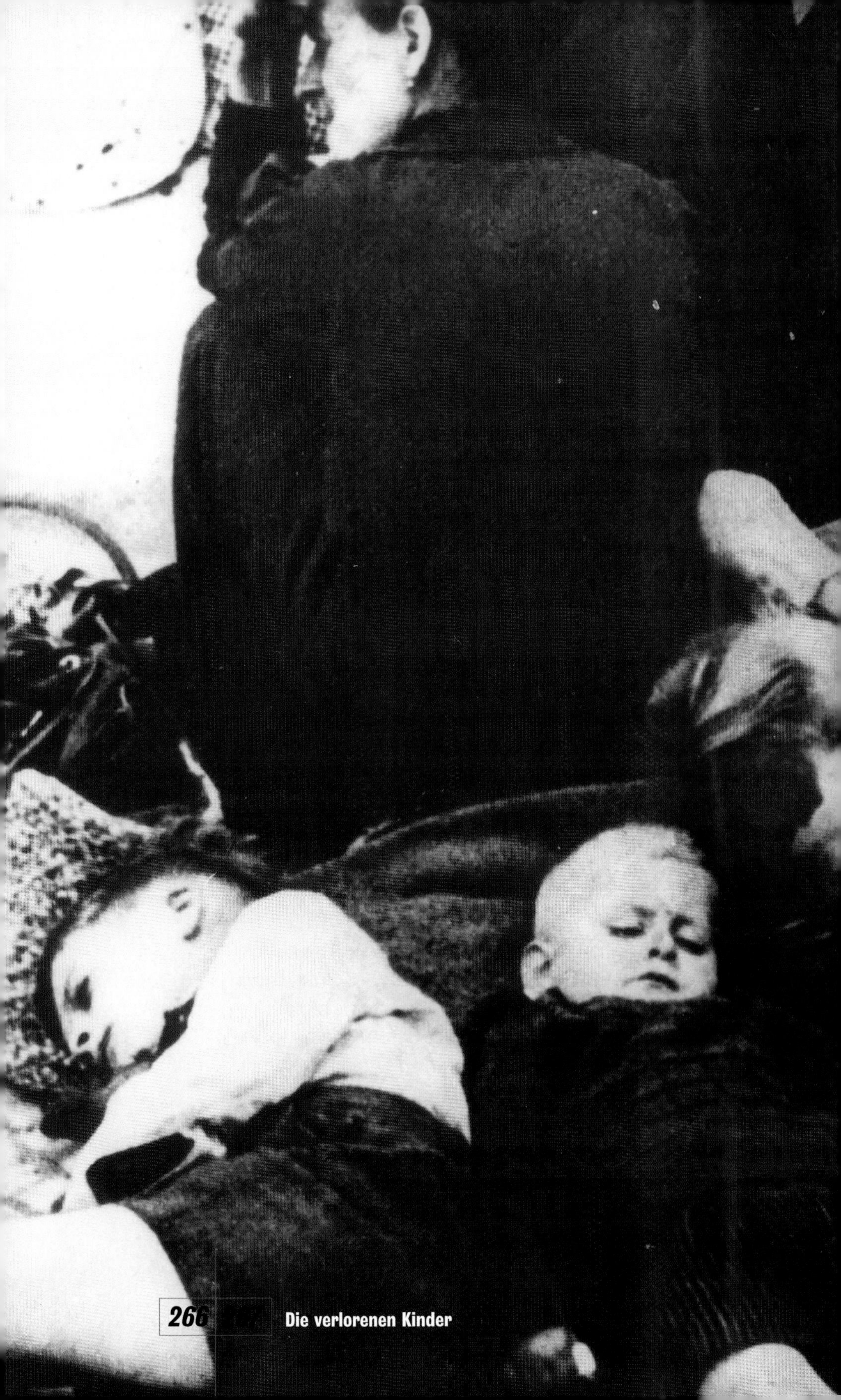

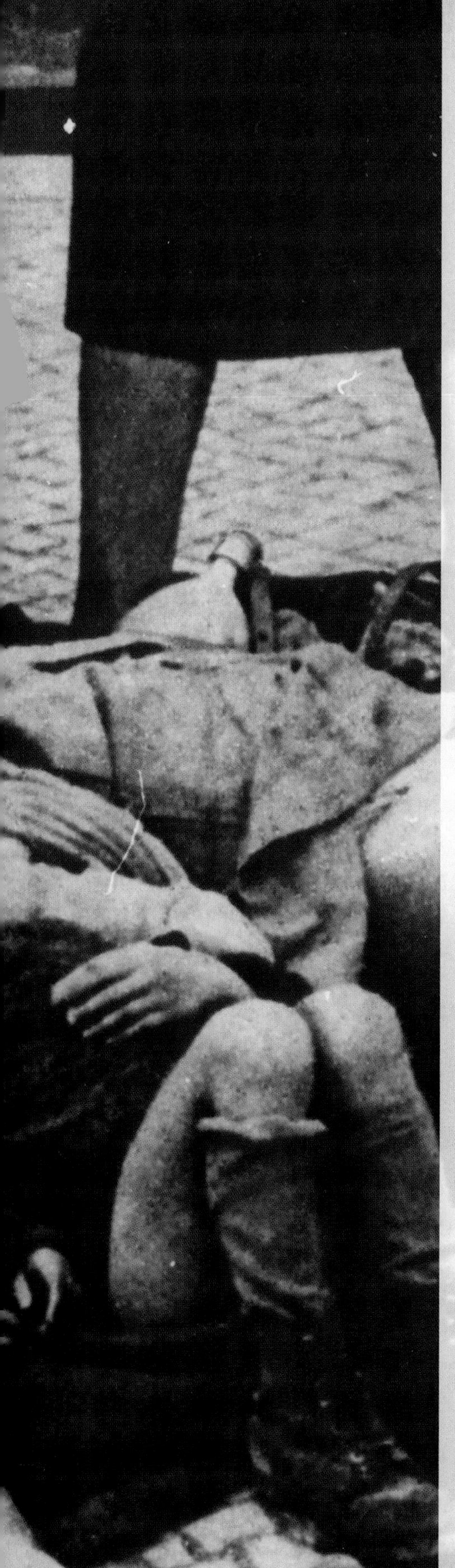

Ich konnte nicht immer etwas zum Übernachten finden. Einmal lag ich da, es war viel zu kalt. Als ich aufwachte, konnte ich nicht aufstehen. Da kam ein Mann, der sagte auf Litauisch: »Du gehst hier doch kaputt! Steh auf!« Ich habe ihm geantwortet: »Ich kann nicht.« Da hat er mich aufgehoben und fortgebracht. Ich fragte: »Wohin?«, denn ich war ja kurze Zeit vorher vergewaltigt worden und dachte, womöglich wird das wieder so sein – und ich konnte mich nicht wehren. Aber er hat mich beruhigt und mich zu sich nach Hause gebracht. Er hat mich damals gerettet. Zu seiner Frau sagte er: »Hier, ein Kind von unter der Brücke, das ist eine Deutsche, die geht kaputt. Wasch sie und schneid ihr die Haare«, denn ich sah ja schrecklich aus. Und er meinte, es sei eine große Sünde, so ein Kind sterben zu lassen.

Liesabeth Otto, Jahrgang 1937, Wolfskind

»Von den Strapazen gezeichnet« – Flüchtlingskinder schlafen auf offener Straße

»Immer nur untergewichtige Kinder.« Elternlose Flüchtlingskinder in einem Heim im Juli 1945

ich mich unter den Panzer werfen wollte.« Allein die Hoffnung, dass irgendwann die Heimkehr doch noch kommen müsse, hielt Manfred und seine Leidensgenossen am Leben. Manche fanden zu Gott, Manfred Peters zog seine eigenen Schlüsse: »Ich bin in meinem Elternhaus nicht religiös erzogen worden, Religion hatte für mich im Grunde genommen keinen Wert. Damals waren meine Gedanken, so etwas dürfte ein Gott nicht zulassen. Dass es so viel Unmenschlichkeit und so viel Unrecht gibt. Ich sah die Menschen um mich herum sterben, die Gläubigen genauso wie die Ungläubigen. Aus dieser Überzeugung heraus war meine Erkenntnis gereift: In dieser Situation darfst du nicht auf irgendeinen Gott vertrauen.«

Manfred Peters gehörte als einer der Jüngsten und Schwächsten im Lager zu den Ersten, die im Frühjahr 1947 die Heimreise aus Kimpersai antreten durften. Nach Danzig konnte er nicht zurück, von dort war die deutschstämmige Bevölkerung inzwischen vertrieben worden. »Das Schlimmste war ja, dass ich keine Ahnung hatte, wo sich meine Mutter befand.« Manfred Peters fand seine Mutter und den kleinen Bruder nach langen Monaten der verzweifelten Suche schließlich in Weißenfels bei Leipzig. Das Lager Kimpersai wurde erst zwei Jahre später geschlossen. Im Herbst 1949 verließ der letzte Heimkehrertransport mit deutschen Zivilisten, Männern und Frauen, Jungen und Mädchen die kasachische Steppe. Heute existiert die Siedlung Kimpersai nicht mehr. Nur riesige dunkle Abraumhalden ragen wie Berge aus dem flachen Steppenland.

Über Friedland erreichte ich dann mit dem Zug Neumünster. Der Bahnhof war leer. Um 0.33 Uhr bin ich angekommen. Meine Mutter stand als Einzige da und ich habe wie ein Baby gerufen: »Mama!«. Jedes Mal, wenn heute die Uhr 0.33 zeigt, denk ich: »Jetzt komme ich heim.«

Hildegard Pachaly, Jahrgang 1927, aus Elbing, verschleppt in ein sowjetrussisches Lager

Auch aus dem Lager bei Tscheljabinsk im Ural, in dem Christel Grunwald zwei lange Jahre Zwangsarbeit zu leisten hatte, ging der erste Transport 1947 nach Deutschland. »Unser Lagerarzt, der Wolgadeutsche Dr. Schiller, kam und sagte, wen ich aufschreibe, der kommt nach Hause. Bei mir kullerten schon die Tränen, weil meine Schwester nicht da war, und ich wollte doch nicht alleine fahren.« Christel war nur noch Haut und Knochen, der Arzt setzte sie auf die Transportliste. Kameradinnen brachten ihr wenig später einen Brief ihrer Schwester Valeria, in dem diese der jüngeren wieder einmal Mut machte: »Ich soll fahren, schrieb sie, ich soll der Mutter erzählen, wie alles ist, und sie kommt nach.« Über Moskau und Brest-Litowsk erreichte der Transport Frankfurt/Oder. Dort wollte man die Heimkehrer noch einmal zum Kommunismus bekehren, es hieß, die Menschen sollten im Osten bleiben, da sie doch alle aus Ostpreußen stammten. Doch Christel wollte in den Westen, zu ihrer Mutter, die inzwischen im Sauerland untergekommen war. »Durch das Niemandsland zwischen der sowjetisch-besetzten Zone und Westdeutschland sind wir zu Fuß gegangen, und mit einem Mal spielte Musik, da standen saubere Omnibusse, alles war so sauber. Rotkreuz-Schwestern in weißen Schürzen begrüßten uns, jetzt habt ihr's geschafft und herzlich willkommen. Und eh wir's uns versahen, hatten wir schon einen großen Becher Kakao und belegte Brote. Wir wussten gar nicht, wie uns geschah. Wir haben geweint vor Freude, wir haben uns umarmt, jetzt sind wir zu Hause, jetzt sind wir zu Hause. Wir haben ja überhaupt nicht mit so einem Empfang gerechnet.« Bevor sie zu ihrer Mutter weiterreiste, wurde sie zur Registrierung ins Durchgangslager Friedland gebracht. »Ich kann mich erinnern, die ganzen Wände dort waren voller Suchanzeigen.«

1948 wurde auch in Litauen damit begonnen, die verbliebenen Deutschen mithilfe des Roten Kreuzes zu repatriieren. Greifkommandos des NKWD gingen von Hof zu Hof und fahndeten nach Deutschen. Doch die Litauer waren misstrauisch. Schließlich waren es dieselben Männer, die auch Litauer in den Archipel GULAG verschleppten. Fast jede Familie war damals von solchen Deportationen betroffen.

Liesabeth wurde von den »Stribaj« des NKWD mitgenommen und zu einem alten Mann auf einen Pferdekarren gesetzt. Das Mädchen und der Alte, ein Deutscher, der an schwerer Wassersucht litt, sollten zum Bahnhof Kalvarija transportiert werden. Von dort waren im Februar 1945 die ersten Züge mit deutschen Zivilisten nach Sibirien abgefahren – und tausende Litauer deportiert worden. Bei einer Rast auf einem kleinen Hof kam die Bäuerin zu dem Pferdewagen. Sie war sich sicher, dass man die Deutschen nach Sibirien bringen oder gar umbringen wollte. »Ich gebe den ›Stribaj‹ jetzt etwas zu trinken. Nach einiger Zeit werden sie einschlafen, dann könnt ihr fliehen«, sagte sie zu Liesabeth. Und wirklich, nach einiger Zeit schliefen die Männer ein, das Fuhrwerk stoppte. Liesabeth ergriff beherzt die günstige Gelegenheit zur Flucht, alleine, ohne den alten Mann. »Er zeigte nur traurig auf seine dicken Beine und sagte dann: ›Geh du, ich kann nicht!‹«

Bei meiner Rückkehr nach Deutschland konnte man an meinem Aussehen erkennen, dass ich in Russland war. Ich trug diese wattierte Jacke und einen Holzkoffer. ... Als Erstes verschrieb mir die Krankenkasse ein Jahr Quarantäne. Ich durfte deshalb nicht arbeiten. Aber Krankengeld, so sagten sie, könne ich nicht bekommen. »Sie haben ja nichts eingezahlt.« Das gleiche Spiel erlebte ich auf dem Amt: Arbeitslosengeld durfte ich nicht beziehen, weil ich nie etwas eingezahlt hatte.

**Erna Widdra,
Jahrgang 1926, aus
Rastenburg, verschleppt
in sowjetrussische
Arbeitslager**

»Zum Glück war man nicht allein.« Waisenkinder, die in Königsberg interniert waren, kommen 1947 in Deutschland an

War es ihr Glück oder ihr Unglück? Wäre Liesabeth in den GULAG deportiert oder nach Deutschland gebracht worden? Mit Gewissheit lässt sich diese Frage nicht beantworten. Für Liesabeth stellt sie sich heute auch anders. »Was wäre wohl aus mir geworden, wenn ich – genau wie mein Bruder Manfred – bei meinem Vater in Westdeutschland aufgewachsen und in die Schule gegangen wäre? Vielleicht wäre ja dann aus mir ein nützlicher Mensch geworden.«

Anfang Juni 1949 wurde Hildegard Krebs aus dem Lager Magnitogorsk nach Deutschland entlassen. Ihr Mann fürs Leben, Herbert Pachaly, war inzwischen im Lager Workuta, wo er Ende des Jahres 1949 – wie 30 000 andere deutsche Kriegsgefangene auch – in Sammelprozessen zum Kriegsverbrecher gestempelt und zu 25 Jahren Lagerhaft verurteilt wurde. 1952 kam aber auch er nach Hause.

Am 12. August 1949 wurden mit dem »Genfer Abkommen über den Schutz der Zivilpersonen in Kriegszeiten« endlich die Rechte der Zivilinternierten geregelt. Die insgesamt vier Genfer Abkommen von 1949 wurden auch von der Sowjetunion unter-

nur für Bekanntmachungen
Verlorene Kinder suchen ihre Elter
Pinguin hilft sie finden
Bezirksamt Vaihingen-Rohr
Suchdienst
Anfragen und zweckdienliche Mitteilungen an den Kinder-Suchdienst
Die

schrieben. Nun dauerte es nur noch wenige Monate, bis die Mehrzahl der deutschen Zivilisten und Kriegsgefangenen aus den Lagern entlassen und zurück nach Deutschland transportiert wurde.
Ende 1949 befand sich Gertrud Krawitzki in einem Sammellager im Südural. Von hier aus ging es für sie nach mehr als vier Jahren Zwangsarbeit endlich nach Hause. Doch beinahe wäre sie im Westen nicht angekommen: Als der Zug auf freier Strecke hielt, kletterte sie auf die andere Seite, um ihre Notdurft zu verrichten. Da rollte der Zug an. »Jetzt bist du verloren, dachte ich. Und dann sah ich am nächsten Waggon so ein Rangiertrittbrett und eine Haltestange. Da habe ich sofort zugegriffen und mich hochgezogen.« Gertrud klammerte sich auf dem Trittbrett fest, sah Gleise und Eisenbahnschwellen unter sich vorbeifliegen, versuchte die Streckenwärter auf ihre Lage aufmerksam zu machen. Doch die winkten nur zurück, mit ihren gelben Fähnchen. »Ich hatte keine Angst, nur einen unheimlichen Überlebenswillen.« Nach zwei, drei Stunden machte der Zug wieder Halt. Erschöpft und zitternd vor Kälte kletterte sie zurück in den Waggon. Es ist fraglich, ob Gertrud alleine nach Deutschland gefunden hätte, ja, ob sie überhaupt überlebt hätte. Über Frankfurt/Oder und das Lager Friedland kam Gertrud Krawitzki schließlich nach Hamburg und fand Aufnahme bei einer Tante. Vater und Mutter hat sie nie wieder gesehen.

»Ich suche ihn bis heute.«
Eltern-Kind-Suchplakat aus dem Jahr 1947/48

Vom Sommer 1945 bis zum Herbst 1953 – fast acht Jahre – schlug sich Liesabeth in Litauen alleine durch. Ihre deutsche Muttersprache hatte sie längst vergessen. Das deutsche Mädchen war ungepflegt, es stank, aus dem Bettelkind war eine Landstreicherin geworden. Ihr einziger Besitz waren die Kleider, die sie auf dem Leib trug. »Im Sommer war das ein langer Rock, eine Bluse und ein Kopftuch. Höschen und Socken hatte ich keine. Im Winter trug ich einen Wollrock, eine Wattejacke, eine Zeit lang hatte ich auch Filzstiefel. ... Ich war ein großes, kräftiges Mädchen, und die Menschen hatten schon Angst vor mir, deshalb bekam ich nicht mehr genügend beim Betteln. Und dann habe ich, es ist schwer zu sagen, aber dann habe ich angefangen zu klauen.« Liesabeth stahl ein Brot und ein Stück Speck, ein paar Kleider von der Leine zum Anziehen und wurde dabei erwischt. In der Kreisstadt Alytus wurde sie vor Gericht gestellt. Fünf Minuten dauerte die ganze Verhandlung, in der sie nach ihrem

Namen, Maria Klimajte, dem Namen ihres Vaters, Albert, und nach ihrer Nationalität, deutsch, befragt wurde. Sechs Jahre lautete das Urteil, Liesabeth kam in ein Kinderarbeitslager in Kineschma an der Wolga.

Bereits in den zwanziger Jahren, als Hunderttausende durch Bürgerkrieg und Hungersnöte obdachlos gewordene Kinder in Banden durch den Westen der Sowjetunion zogen, wurden auf Anordnung von Felix Dserschinskij Arbeitslager zur Umerziehung dieser oft schon straffällig gewordenen Kinder eingerichtet. Felix Dserschinskij, Chef des damaligen sowjetischen Geheimdienstes Tscheka, wurde zum ersten Vorsitzenden der »Kommission zur Verbesserung der Lebensumstände der Kinder« bestimmt. Kein Wunder also, dass viele Kinderlager nach dem Krieg von ehemaligen Tschekisten geleitet wurden. Nach militärischem Vorbild streng hierarchisch strukturiert, glichen Kinderstraflager eher Kasernen. Befehl und Gehorsam bestimmten den Umgangston, antreten und marschieren hieß es bei jeder Gelegenheit: auf dem Weg zum Essen, zur Arbeit, auf dem zentralen Innenhof des Lagers. »Es ist kaum zu glauben, aber für mich war das die Rettung«, sagt Liesabeth. »Ich hatte ein Dach über dem Kopf, ich bekam regelmäßig zu essen, wurde allerdings selten satt. Ich konnte Lesen und Schreiben lernen. Und war in Sicherheit, vor den Männern.« Im Lager lernte Liesabeth nun ihre dritte Sprache, Russisch. Sie lernte schnell, »das Leben zwang mich dazu. Alles im Lager war nur auf Russisch, und ich wollte doch zurechtkommen, ich wollte doch was lernen, alles gut und richtig machen.« In der Lagerhierarchie galt das Faustrecht, sobald Wachen und Erzieher wegschauten. »Ich wollte nicht für die älteren Mädchen arbeiten oder die Latrinen putzen, und dann musste ich ihnen zeigen, dass ich mich wehren kann.« Notfalls mit Gewalt.

Ich habe gesehen, wie arm die Bevölkerung war. Den Menschen konnte ich deshalb nie böse sein. Ausgenommen die, die mich nach Russland verschleppt haben. Das waren meine Feinde.

Gertrud Böttcher, Jahrgang 1929, aus Insterburg, als 16-jährige Schülerin in ein Arbeitslager verschleppt

Nach zwei Jahren verfasste Liesabeths Arbeitsbrigade eine Bitte um Begnadigung. In ihrem Schreiben nach Moskau gelobten die Mädchen Besserung und schworen, ihre ganze Arbeitskraft für das Wohl der Sowjetunion einzusetzen. Die Antwort aus Moskau kam bald, sie wurde laut verlesen: »Begnadigt wird nur Maria

Klimajte, Vater Albert, Deutsche, Vollwaise.« Bis heute weiß Liesabeth Otto nicht, warum ausgerechnet sie bevorzugt wurde. Doch wo sollte sie nun hin? Zurück nach Litauen? Zu wem? Und wo sollte sie wohnen und arbeiten?

»Ich hab dich so vermisst.«
Mutter und Kind nach erfolgreicher Suchaktion wieder vereint

Binnen 24 Stunden wurden ihre Papiere fertig gemacht, eine Fahrkarte gekauft, sie bekam eine neue Wattejacke. Das waren die einzigen Hilfen zur Wiedereingliederung in die kommunistische Gesellschaft. Die inzwischen 17-Jährige fuhr nach Litauen, nach Kalvarija, wo sie viele Menschen kannte, wo sie als Kind

DER AUGENZEUGE
DER AUGENZEUGE

manchmal ein Dach über dem Kopf, Essen und Arbeit gefunden hatte. Aber nun fragte man sie, wo sie so lange gewesen war, »und wenn ich ehrlich sagte, dass ich im Straflager war, dann knallte man mir die Tür vor der Nase zu«. Ohne Geld, ohne Unterkunft schlug sie sich ein paar Tage durch. Bat sie um Arbeit, hieß es, wo denn die »Propiska«, die Meldebescheinigung, sei. Wollte sie sich anmelden, konnte sie keine Arbeit vorweisen. Es war ein Teufelskreis, aus dem sie keinen Ausweg sah. Auch die Miliz konnte ihr nicht weiterhelfen. »Und dann habe ich gesagt, schickt mich wieder ins Lager zurück!« – »Dann musst du aber wieder was klauen«, lautete die lapidare Antwort der Milizionäre. Am nächsten Tag fand Liesabeth eine Übernachtungsmöglichkeit bei Bauer Kerschule, der sie vor Jahren als Kind hatte aufnehmen wollen. Nachts schlich sie sich dann davon, mit ein paar Leinendecken unter dem Arm und einem Paar Gummistiefeln. »Ich habe mich an den Straßenrand gesetzt und musste nicht lange warten.«

Die russische Bevölkerung war ja beinahe genauso schlecht dran wie wir. Sie waren so arm und haben ebenfalls gehungert. Aber uns waren sie ganz freundlich gesinnt. Selbst die Offiziere im Lager haben uns ganz human behandelt.

Erna Widdra,
Jahrgang 1926, aus Rastenburg, verschleppt in sowjetrussische Arbeitslager

Diesmal fiel die Strafe härter aus: sieben Jahre Lagerhaft. Und was Liesabeth nicht wusste und nicht einmal ahnen konnte: Nun kam sie, obwohl noch minderjährig, in ein Straflager für Erwachsene in Nordrussland. Was sie dort, bei Archangelsk, erlebt hat, darüber schweigt sie noch heute.

1959 fand in der Sowjetunion eine Strafrechtsreform statt, in deren Rahmen auch die Straflager und die verhängten Strafmaße von einer eigens aus Moskau angereisten Kommission überprüft wurden. So wurde auch Liesabeth Otto nach vier Jahren vorzeitig aus dem Straflager Puksoosereo südlich von Archangelsk am Weißen Meer entlassen. In ihrem neuen sowjetischen Pass, der ihr kurze Zeit später ausgestellt wurde, hieß die junge Frau Maria Albertowna Klimajte, Albertowna stand für den Vornamen ihres Vaters Albert Otto. Auf der Suche nach Arbeit reiste sie nun kreuz und quer durch die Sowjetunion – doch eine vorbestrafte Deutsche, ein ehemaliges »Wolfskind«, mochte niemand unterstützen.

»Meine Tochter sah ich im Kino.« Die DEFA-Wochenschau brachte Suchfilme in die Lichtspielhäuser

Anfang der sechziger Jahre machte sie sich auf in die alte Heimat Ostpreußen, wollte ihre Familienangehörigen suchen. Über ihren Vater, den sie Weihnachten 1944 zum letzten Mal gesehen hatte, wusste sie nichts. Auch von ihren Geschwistern, die sie im Sommer 1945 in der Nähe von Wehlau verlassen hatte, fehlte jedes Lebenszeichen. Christel und Manfred hatten die kleine Schwester damals vergeblich gesucht – eine Bekannte hatte ihnen erzählt, sie habe Liesabeth am Wehlauer Bahnhof gesehen, doch danach verlor sich jede Spur. Die beiden überlebten zwar die Typhusepidemie und den kalten Hungerwinter 1945/46 in Ostpreußen, doch Christel starb im Frühjahr 1946, krank und entkräftet, im Alter von fünfzehn Jahren. Sie ist eines der 40 000 Opfer der Hungersnot in Ostpreußen. Ihr Bruder Manfred kam in ein russisches Waisenheim. 1948 gehörte er zu einem der ersten Kindertransporte, die das nördliche Ostpreußen in Richtung Westen verließen. In der Nähe von Oldenburg fand er seinen Vater Albert Otto wieder, der das Kriegsende an der Westfront erlebt hatte. Schon bald schrieb Albert Otto an das Rote Kreuz: »Ich suche meine Tochter Liesabeth Otto, geboren

»Neun Nelken für jedes Jahr der Gefangenschaft.« Eine Heimkehrerin aus sowjetischen Lagern

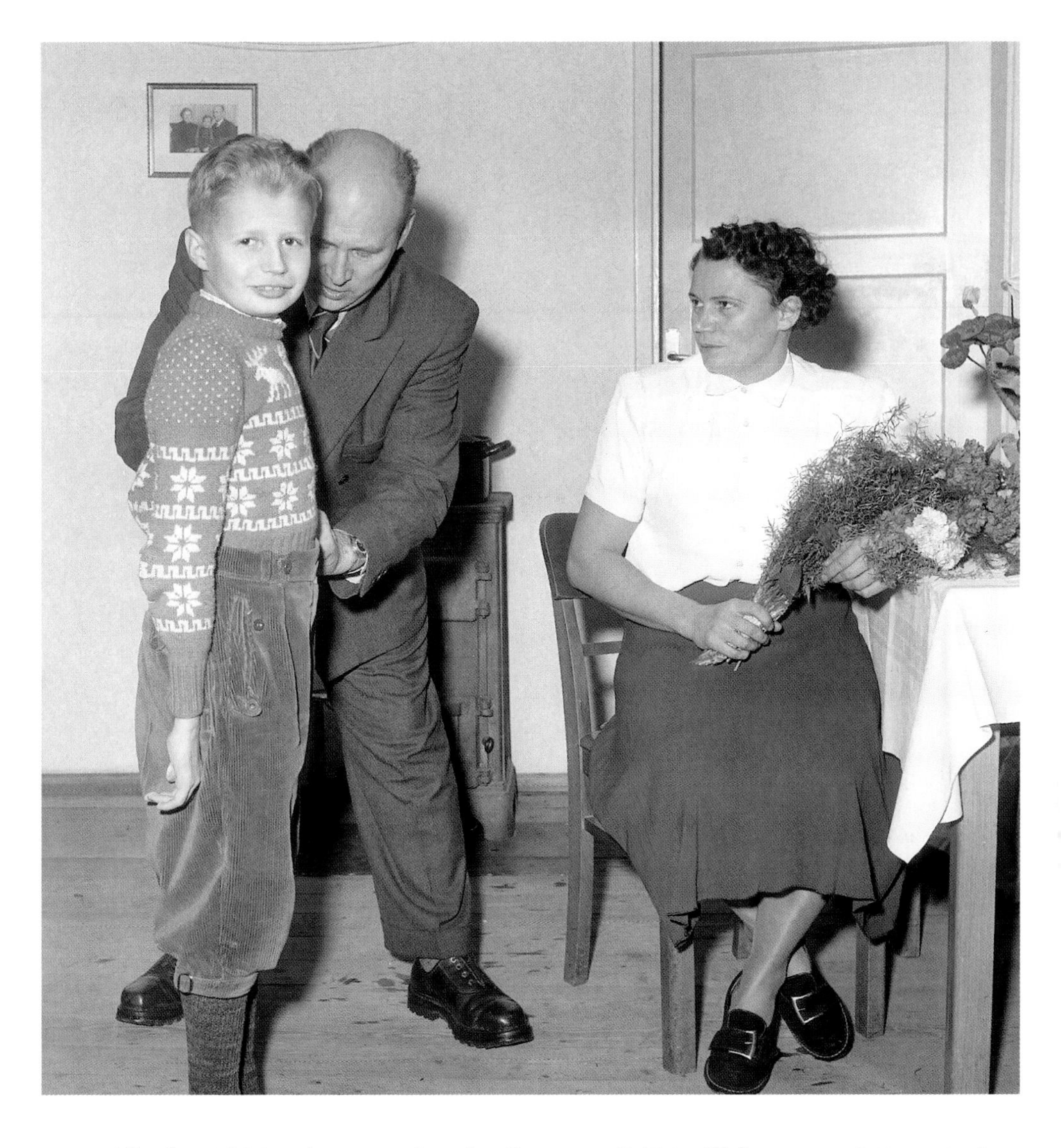

am 6. Oktober 1937, zuletzt gesehen im Sommer 1945 in Klein-Weißensee bei Wehlau/Ostpreußen.«

Seit 1947 heißt das inzwischen russische nördliche Ostpreußen Region Kaliningrad und gehört zum sowjetischen Staatsverband. »Ich bin einfach mit dem Zug nach Kaliningrad gefahren, um dort meinen Bruder Manfred und meine Schwester Christel zu suchen«, erinnert sich Liesabeth. Ohne Kontrolle gelangte sie in das militärisch hochgerüstete Sperrgebiet. Offiziell gab es hier keine Deutschen mehr, die letzten waren 1949 ausgewiesen worden. Aber das wusste Liesabeth nicht. Sie ging zu einer Behörde,

»Es gab Momente der Verlegenheit« – die heimgekehrte Mutter muss ihren Sohn erst kennenlernen

»Wann und wo zuletzt gesehen?«
Tageseingang von Suchmeldungen beim Suchdienst Berlin, 1945

POLSKA
POLSKA
POLSKA
Drucksache
An den
Suchdienst für vermißte Deutsche
in der
sowjetischen Besatzungszone
BERLIN W 8
Kanonierstr. 35
Greifswald
Drucksache
Drucksache
An den
Suchdienst für vermißte Deutsche
in der
sowjetischen Besatzungszone

»Das Ende des Schreckens« – im November 1946 ist eine auseinandergerissene Familie wiedervereint

»Du lebst noch!« Wiedersehen von Mutter und Kind in Dresden, 1947

bat um Hilfe, »aber die haben mich gleich zum KGB geschickt. Da habe ich dann erfahren, dass meine Geschwister wahrscheinlich in Deutschland sind, wenn sie die Hungersnot überlebt haben.« Liesabeth Otto musste das Sperrgebiet binnen 24 Stunden verlassen. Bei Zuwiderhandlung drohte ihr erneut eine Gefängnisstrafe.

Enttäuscht kehrte sie zurück nach Russland, fand in Sibirien Arbeit, kam endlich ein wenig zur Ruhe. Erst 1975 erfuhr sie hinter vorgehaltener Hand von der Möglichkeit, ihre Angehörigen mithilfe des Roten Kreuzes in Moskau zu suchen. In ihrem Brief nach Moskau zählte sie alle Fakten auf, an die sie sich erinnern konnte: »Ich heiße Liesabeth Otto, geboren am 6. Oktober 1937 in Wehlau, mein Vater hieß Albert Otto, aber ob Otto sein Vor- oder Familienname ist, weiß ich nicht. Außerdem hatte ich noch einen Bruder Manfred und eine Schwester Christel.« Kurz darauf war der Bus, in dem sie als Busbegleiterin arbeitete, in einen Verkehrsunfall verwickelt. Liesabeth wurde so schwer verletzt, dass die Ärzte sie fast aufgegeben hatten. »Da kam das Telegramm aus Deutschland, aber wir konnten es nicht lesen. Es dauerte einige Tage, bis jemand den Text übersetzte: ›Vater Albert Otto und Bruder Manfred leben in Deutschland.‹ Es war ein Wunder geschehen, nach so langer Zeit, nach über dreißig Jahren hatte ich meine Angehörigen gefunden. Und dann geschah das zweite Wunder, ich wurde wieder gesund.«

Mitte der siebziger Jahre war der Kalte Krieg trotz aller Entspannungsschalmeienklänge noch in vollem Gange. Im Westen wurde die Angst vor dem Weltkommunismus geschürt, im Gegenzug stellte die Sowjetpropaganda den Westen in den düstersten Farben dar. In einem Brief an die Deutsche Botschaft bot Liesabeth Otto deshalb an, den Vater regelmäßig mit einem Teil ihres Monatslohns zu unterstützen. Sie war überzeugt, ihr alter Vater würde in Armut leben. Im Herbst 1976 verließ sie die Sowjetunion. Mit ihrer neunjährigen Tochter Elena wollte sie beim Vater in der Bundesrepublik ein neues Leben anfangen. Noch heute erzählt sie mit Tränen in den Augen von ihrer Ankunft: »Damals, nachts in Braunschweig, da stand ich da, hielt meine Tochter an der Hand. Und auf einmal hörte ich nur ›Liesabeth!‹ Das war mein echter Name, den ich so lange Jahre nicht gehört hatte. Und auf einmal habe ich mich umgedreht, habe einen großen Mann gesehen und ich wusste, dass das Manfred war. Ich hatte mein Kind vergessen, ich lief, ich habe ihn nur umarmt, ich konnte ja damals kein Deutsch mehr. Ich habe ihn umarmt, und wir zitterten beide.«

Ich bin den Litauern bis heute dankbar, dass sie Kinder wie mich gerettet haben. Die waren selber so arm.

Liesabeth Otto,
Jahrgang 1937, Wolfskind

Die Tragödie des kleinen Mädchens aus Ostpreußen schien ein Ende zu haben. Liesabeth war überzeugt, dass nun ein glücklicher Lebensabschnitt für sie beginnen würde. Aber alles kam anders. Liesabeth lernte zwar schnell ihre Muttersprache, ihre Tochter besuchte eine deutsche Schule, aber die Frau, die ihr Leben immer in die eigenen Hände genommen hatte, fand im Westen kein Verständnis. Mehr und mehr vereinsamte sie, spielte immer häufiger mit dem Gedanken, in die Sowjetunion zurückzugehen. Etwas mehr als ein Jahr blieb sie in Deutschland, dann ging sie zurück in das Land, in dem sie so viel Schlimmes erlebt hatte. Die Verwandten waren konsterniert, keiner konnte begreifen, warum Liesabeth das Leben in der reichen Bundesrepublik

gegen das ärmliche Dasein in der Sowjetunion tauschen wollte. »Alle haben sich Mühe gegeben, ich hatte zu essen und schöne Kleider, aber ich habe für mich nur wenig Verständnis gefunden ... und vielleicht stimmt ja, was die Russen sagen: Mit vierzig Jahren kann man nicht mehr so einfach sein Fell wechseln.«
Seit Ende des Zweiten Weltkrieges träumte auch Charlotte Milowski immer wieder davon, ihren Vater wiederzusehen. Ein Briefkontakt zwischen den beiden konnte zwar Anfang der fünfziger Jahre über das Rote Kreuz hergestellt werden, doch dem Vater gelang es nicht, seine Tochter aus Litauen in den Westen zu holen. Erst 1997 wurde Charlotte zu einem ersten Besuch nach Deutschland eingeladen. Sie wusste, ihr Vater lebte in Bad Bevensen, doch als sie dort ankam, war niemand zu Hause. Der Vater habe einen Schlaganfall erlitten, sei im Krankenhaus, erfuhr sie von den Nachbarn. Zuerst wollte die Ehefrau – Charlotte nannte sie »Stiefmutter« – das Wiedersehen nach mehr als fünfzig Jahren verhindern. Dann durfte Charlotte doch an das Bett des Vaters treten. »Dies ist deine Lotti!«, schluchzte die Frau, »hast du verstanden?« Der alte Mann blickte zu seiner Tochter, erkannte sie. »Ja, ich habe alles verstanden. Und jetzt werde ich langsam sterben.« »Nein, Vati, du wirst gesund und kommst nach Hause.« Sechs Wochen später lief Charlottes Besuchsvisum ab, sie musste zurück nach Kaliningrad, das für sie immer noch Königsberg heißt. Zur gleichen Stunde, als der Zug in den Bahnhof der Stadt am Pregel einlief, starb Fritz Milowski im Alter von 93 Jahren.
Mit zunehmendem Alter werden Wolfskinder wie Liesabeth und Charlotte ebenso wie die in die Sowjetunion Verschleppten – Christel Schack, damals sieben Jahre alt; Gerda Bluhm, zwölf; Christel Grunwald, fünfzehn; Gertrud Krawitzki, fünfzehn; Hildegard Krebs, 18; Hugo Räuber, vierzehn; Manfred Peters, 16 – mehr und mehr von ihren schmerzlichen Kindheitserlebnissen heimgesucht. Sie erleben alles noch einmal, wieder und wieder. Heute wissen sie: Was ihnen angetan wurde, war eine Folge des Zweiten Weltkriegs, Antwort auf die Gräueltaten, die von Deutschen und in deutschem Namen begangen worden waren. Rachegefühle hegt keiner von ihnen. Doch sie wollen offen über ihre Erlebnisse sprechen. Solange noch Zeit ist.

»Wohin gehen wir?«
Elternlose Kinder 1945

Nach der Offensive der Sowjets Anfang 1945 ist Pommern abgeschnitten. Während die meisten Männer noch im verlorenen Krieg kämpfen, nehmen die Frauen Flüchtlinge auf, sorgen für Verpflegung und Schutz, schlagen sich mit Kindern und verbliebenem Hab und Gut nach Westen durch.

Die Stunde der Frauen

Anfang März 1945. Der Himmel über Stolp in Hinterpommern hatte sich im Widerschein der grell auflodernden Flammen glutrot verfärbt. Der jungen Katharina Schmidt traten beim Anblick ihrer brennenden Heimatstadt Tränen in die Augen: »Ich merkte, dass alles verloren ging. Alles, was die Deutschen sich über Jahrhunderte aufgebaut hatten, war nun der Zerstörung preisgegeben.« Zerstört werden sollte aber nicht nur die Stadt, sondern auch ihre Menschen.

»Die Zähne zusammengebissen und gehandelt« – eine junge Mutter hat sich im Januar 1945 bis nach Potsdam durchgeschlagen

An das ständige Grollen der Front hatten sich die 50 000 Bewohner der Stadt schon fast gewöhnt. Bis zuletzt glaubten sie den Durchhalteparolen der Nazipropaganda und hatten das Näherrücken der Ostfront einfach ignoriert. Am 7. März 1945, als die Familie von Katharina Schmidt beim Mittagessen beisammensaß, meldete der Wehrmachtsbericht im Radio: »Russische Panzerspitzen vor Stolp.« Die Nachricht schreckte die alte Tante, die Mutter und die Kinder auf. In aller Eile packten sie das Nötigste zusammen und flüchteten mit einem Pferdegespann aus der Stadt. Dass es ein endgültiger Abschied sein würde, ahnte die junge Ärztin. Doch wie Millionen anderen Frauen standen ihr die Leiden und Schrecken von Flucht und Vertreibung noch bevor.

Mein Vater hatte natürlich die beschützende Funktion in der Familie, aber in dieser Zeit war auch er ohnmächtig. Meine Mutter war da die Stärkere. Wie eine Glucke scharte sie ihre Küken um sich. Mein Vater war wie ein Hahn, der versuchte die Glucke zu verteidigen, aber die Hauptrolle, muss ich sagen, hatte eindeutig meine Mutter übernommen.

Isis von Puttkamer,
geb. von Zitzewitz, Stolp

Die Last dieses größten Exodus der Geschichte ruhte weitgehend auf den Schultern der Frauen. Brüder, Väter, Ehepartner und Söhne kämpften an der Front des maroden Hitler-Reichs, galten als vermisst, waren gefangen genommen worden oder im Krieg gefallen. Und die Männer, die zurückgekehrt waren, waren oft nicht mehr die, die vor sechs Jahren die Uniformen angelegt hatten. »Zuvor waren die Männer diejenigen, die befahlen, und die Frauen sagten: ›Ja, Papi, wir machen das‹«, beschreibt der pommersche Schriftsteller Christian Graf von Krockow die Geschlechterordnung der Vorkriegszeit. Nun, zu Kriegsende – ohne Uniform, ohne Rangabzeichen, ohne Titel, ohne Funktion, ohne Besitz – waren viele dieser Männer zutiefst verunsichert und hilflos. Hinzu kam die Scham. Gerade den deutschnational gesinnten Familien des Ostens war bewusst geworden, dass unter Hitlers Herrschaft die moralische Wertordnung zusammengebrochen war. Schon zwei Monate nach dem Überfall auf Polen 1939 hatte ein deutscher Frontoffizier in einem Brief an seine Familie vor den möglichen Konsequenzen des nationalsozialistischen Eroberungszugs gewarnt: »Die blühendste Phantasie einer Gräuelpropaganda ist arm gegen die Dinge, die eine organisierte Mörder-, Räuber- und Plündererbande unter angeblich höchster Duldung dort verbricht. Ich schäme mich, ein Deutscher zu sein. Diese Minderheit, die durch Morden, Plündern und Sengen den

deutschen Namen besudelt, wird das Unglück des ganzen deutschen Volkes werden, wenn wir ihr nicht bald das Handwerk legen.« Er sollte Recht behalten.

»Es gab natürlich auch Gefühle der Rache.« Sowjetische Panzerartillerie rollt durch einen Ort in Pommern

Als 1945 die Rote Armee einrückte, wussten alle, dass die Stunde der Rache geschlagen hatte. Während die Männer den Gräueln der Sieger wie erstarrt gegenüberstanden, sahen sich die Frauen zum Handeln gezwungen. Mochte auch das »Dritte Reich« zu Ende sein, das Volk ging aber nicht mit unter, wie sein »Führer« Adolf Hitler es gerne gesehen hätte. Das Leben ging weiter, Kinder kamen auf die Welt. Der Kampf der Männer war vorbei, der Kampf der Frauen begann erst. Sie sorgten für das Überleben der Familien. Der Preis für diese Kraftanstrengung und Stärke war hoch.

Im Oktober 1944 waren Soldaten der Roten Armee erstmals in Ostpreußen eingedrungen. Tage später hatte die Wehrmacht sie wieder hinter die Reichsgrenzen zurückgedrängt. Die Blutspur der Vergeltung jedoch, die Nachricht über vergewaltigte Frauen, geschändete Kinder und ermordete Greise, verbreitete überall im deutschen Osten Angst und Schrecken. Goebbels' Propaganda tat ein Übriges: Allen Deutschen, hieß es, erginge es so, wenn die Rote Armee ins Reich einbrechen würde.

Die preußische Provinz Pommern war Agrarland, der Vorgarten Berlins. Mit 62 Einwohnern je Quadratkilometer verzeichnete dieser Landstrich die geringste Bevölkerungsdichte Preußens, für das die damalige Statistik 130 Einwohner je Quadratkilometer auswies. Städte wie Stolp oder Stralsund galten mit ihren rund 50 000 Einwohnern schon als groß. Stargard, Kolberg, Greifswald und Köslin kamen auf 34 000 bis 38 000 Bürger. Lediglich Stettin mit seiner Viertelmillion Menschen war eine richtige Großstadt. Rund ein Viertel der insgesamt 38 000 Quadratkilometer, die Pommern ausmachten, war seit Jahrhunderten im Besitz von einigen dort ansässigen, namhaften preußischen Adelsgeschlechtern. Dazu gehörten die Familien Putbus, Puttkamer, Maltzahn, Schwerin, Zitzewitz und Kleist.

Im Land der weiten Felder und verschwiegenen Seen, der weißen Strände und dunklen Wälder war der Alltag, auch während der ersten Kriegsjahre, vom Rhythmus der Aussaat und Ernte bestimmt. Erst ab dem Sommer 1943 mehrten sich die Zeichen, dass diese beschaulichen Zeiten bald ein Ende haben würden. Es begann mit den vereinzelten Luftangriffen der Alliierten auf

»Die Menschen hatten schreckliche Angst vor der Roten Armee.« Sowjet-Panzer auf dem Vormarsch

Stettin, auf die Hydrierwerke in Pölitz und die Raketenversuchsanstalt in Peenemünde. Als in den folgenden Monaten immer mehr Menschen aus den gefährdeten Gebieten Westdeutschlands in die vermeintlich sicheren Regionen im Osten evakuiert wurden, erfuhren auch die übrigen Pommern aus erster Hand, dass der Krieg keineswegs die deutsche Zivilbevölkerung verschonte. Aber noch schienen die Gefahren weit entfernt.

Ihr Soldaten aus dem Osten wisst zu einem hohen Teil selbst, welches Schicksal vor allem den deutschen Frauen, Mädchen und Kindern droht. Während die alten Männer und die Kinder ermordet werden, werden Frauen und Mädchen zu Kasernenhuren erniedrigt. Der Rest marschiert nach Sibirien.

Proklamation Hitlers an die Soldaten der Ostfront, 13. April 1945

Im Lauf des Jahres 1944 wurden zahlreiche Pferde und Fahrzeuge der pommerschen Güter von der Wehrmacht beschlagnahmt. Und die Bauern der Region wurden dazu angehalten, jeden Liter Milch abzuliefern. Im »totalen Krieg«, den die Nazis ausgerufen hatten, mussten alle Ressourcen der absoluten Kontrolle des Staates unterworfen werden. Noch bevor im Herbst und Winter 1944 die ersten Flüchtlinge aus dem Memelland eintrafen und auf den Gütern und in Stadtwohnungen einquartiert wurden, geschah etwas, was den Pommern mit einem Schlag den Ernst der Lage vor Augen führte.

Es war zur Erntezeit. Wie immer zogen die Leiterwagen hoch beladen mit Getreidegarben über die weiten Felder. Frauen und Jugendliche, aber auch Kriegsgefangene leisteten die schwere Arbeit. Als Anfang August die Dreschkästen auf Hochtouren ratterten, kam der Befehl zum Schippen. Alle »Parteigenossinnen und Parteigenossen, alle arbeitsfähigen Männer und Frauen im Alter ab vierzehn Jahren« wurden zum Schanzdienst aufgerufen. Mit den drei Meter tiefen Gräben sollte der sowjetische Vorstoß zum Erliegen gebracht werden. Außerdem sollte die so genannte »Pommernstellung« wieder instand gesetzt werden. Dieses Bunkersystem existierte seit 1934 zur Verteidigung der Ostgrenze und war baufällig geworden. Bewaffnung und technische Anlagen hatte die »Organisation Todt« bereits nach dem Überfall auf Polen abgebaut und an die Atlantikküste verfrachtet.

Schlagartig drang jetzt das Militär auch in die letzten zivilen Nischen ein. Gutsställe, Tanzböden, Schulen und Turnhallen wurden zu Massenunterkünften umfunktioniert, um die mit Sonderzügen zusätzlich herbeigeholten Helfer unterzubringen.

Zu diesem Zeitpunkt standen deutsche Soldaten noch in Weißrussland und Polen, doch der Krieg hatte nun Pommern erreicht. Es wurde hier nur noch nicht geschossen.
Im Herbst rief Hitler auch in Pommern das letzte Aufgebot, den »Volkssturm«, zu den Waffen. Damit verschwanden noch mehr Männer aus dem Alltagsleben, die ganz jungen und die alten. Damit gerieten die Frauen stärker als bisher in den Sog des Krieges. »Schaufeln für den Sieg« hieß die Losung. Die Erinnerungen an unbezahlte, schwere körperliche Arbeit bei Hitze und Frost, an Nächte auf Strohschütten, an Läuse und anderes Ungeziefer teilen viele der so genannten »Schippfrauen« im ehemals deutschen Osten. Der Befehlshaber der »Pommernstellung«, General Werner Kiebitz, äußerte später, er habe oft ein Gefühl der Scham empfunden, wenn er auf seinen Erkundungsfahrten durchs Land die Scharen der schwer arbeitenden Frauen und Mädchen gesehen habe. Zynisch dagegen klingt die Eintragung von Siegfried Schlug, dem Parteileiter des Kreises Stargard-Saatzig, der in einem Bericht über den Einsatz schrieb: »Manches, von der Zimmerluft blasse Büromädchen hat hier wieder Farbe und Gesundheit bekommen.« Die Arbeit der »Schippfrauen« war sinnlos. Militärisch spielte die »Pommernstellung« im weiteren Verlauf des Krieges nur eine untergeordnete Rolle.

Mein Vater war innerlich gebrochen. Er hatte das bittere Ende vorausgeahnt. Er hat es zwar nicht gesagt, ich habe ihn auch nicht danach gefragt, aber es war deutlich zu spüren. Er, den ich als einen stolzen, fleißigen und aufrechten Mann kannte, war seelisch so angeschlagen, dass er zum Teil gar nicht mehr handlungsfähig war. Er hat nur noch das Notwendigste machen können, auch als Treckführer.

Bruno Behrendt, Jahrgang 1929

230 Geschütze pro Kilometer hatten Stalins Marschälle entlang der Front zwischen der Ostsee und den Karpaten aufstellen lassen. Der Anblick des roten Nachthimmels über der Weichsel und der höllische Lärm zigtausender Abschüsse und Einschläge kündigten die letzte große Winteroffensive des Zweiten Weltkriegs an. Vom 12. bis 14. Januar 1945 stürmten vier sowjetische Armeekorps durch die nur dünn besetzten deutschen Linien entlang des Flusses. Fünfzehn Tage später erreichten die sowjetischen Panzer von Süden her bei Elbing die Ostsee. Die 3. Weißrussische Front stieß etwa zeitgleich vor zur über 500 Kilometer entfernten Oder bei Frankfurt und Küstrin, wo sie sich zum Sturm auf Berlin formierte. Einige Verbände wandten sich nach Norden Richtung Hinterpommern. Einheiten der 1. Ukrainischen Armee

»Wir hörten schon das Feuer der russischen Artillerie.« Erst im allerletzten Moment wurde die Flucht organisiert

jagten weiter südlich nach Oberschlesien. Befestigte Städte wie Breslau, Glogau oder Posen, wie Königsberg in Ostpreußen und später Kolberg in Hinterpommern wurden von den Truppen der Marschälle Rokossowski, Tschernjachowskij, Schukow und Konjew einfach umgangen und eingeschlossen. Nie zuvor in der Geschichte hatte eine Armee in so kurzer Zeit so große Geländegewinne erzielt. Der Zusammenbruch der deutschen Truppen war zeitweise total. Vereinzelte Soldaten, von Stalins Panzern auseinander getrieben und nur noch leicht bewaffnet, versuchten sich zu den deutschen Linien durchzuschlagen. Und inmitten der erbitterten Kämpfe spielte sich die Tragödie der deut-

schen Zivilbevölkerung ab. Es war vor allem die Tragödie der Frauen.
Als Erstes traf es die deutsche Zivilbevölkerung im »Generalgouvernement« und im »Reichsgau Wartheland«, wie die besetzten polnischen Gebiete noch hießen. Dorfgemeinschaft um Dorfgemeinschaft brach auf, um sich vor dem Ansturm der Roten Armee zu retten.
Auch Sofie Jesko war auf der Flucht. Als sie das ferne Motorengeräusch hörte, erschrak sie. »Die Russen sind da«, schrie jemand. Nach den Mühen des Marsches über die tief verschneite Wartheebene westlich von Posen hatte keiner der Flüchtlinge mehr die Kraft zu fliehen. Wohin auch?
Unter den Schneewehen war der Verlauf der Straßen kaum noch zu erkennen, die einzig verbliebenen Fluchtwege für rund eine Million Deutsche auf polnischem Gebiet. Deutsche Lastwagen näherten sich. Für einen Moment kam Hoffnung bei den Flüchtlingen auf. Doch die Erleichterung schlug jäh in Angst um. Polnische Partisanen hatten sich der Wehrmachtsfahrzeuge bemächtigt. Sie waren der vorwärts stürmenden Roten Armee gefolgt. Befreiten die Sowjets ein Dorf oder ein Lager, schlossen sich polnische Männer und Frauen zu Partisanengruppen zusammen und beteiligten sich an der Jagd auf die flüchtenden Deutschen. Nach Jahren brutaler Erniedrigungen, nach der Ermordung von Millionen ihrer Landsleute suchte so mancher ein Ventil in sinnloser Gewalt.

Bei der Roten Armee hatte sich viel Hass angestaut, weil die Soldaten wussten, dass die Deutschen tief ins russische Reich eingedrungen waren und dort auch grässliche Taten verübt hatten. Wenn Krieg ist, dann sind eben alle bösartigen Dämonen losgelassen, ganz egal wo.

Elisabeth Kath, Stolp

Auf eine solche Gruppe war der Treck von Sofie Jesko gestoßen. Eine alte Frau führte die Partisanen an. Der schneidende Wind blies ihr ins Gesicht und ließ ihr langes, schlohweißes Haar aufwehen. Mit gebieterischer Geste verlangte sie, dass sich alle jungen Mütter mit kleinen Kindern vor ihr aufstellten. Wie eine Furie riss sie ihnen anschließend die Babys aus den Armen und schlug die kleinen Köpfe mit Wucht auf die Ladekante des Lastwagens. Sofie Jesko, die fließend Polnisch sprach, hörte, wie sie dabei jedes Mal in zärtlichem Tonfall das polnische Wort für »Engelchen« murmelte.
Der Alptraum war noch längst nicht vorbei. Sofie Jesko spürte plötzlich, wie der Boden unter ihren Füßen vibrierte. Auch unter

»Wir mussten sehr stark sein.« Eine Mutter mit ihren Kindern im Kampfgebiet

den Polen entstand Unruhe. In einer breit aufgefächerten Formation rollten T-34-Panzer auf den Treck der aus Penczniew im Kreis Turek stammenden Menschen zu. Einer der Panzerkommandanten öffnete den Turm und fragte: »Wie viele deutsche Soldaten sind bei euch?« Sofie Jesko, die auch Russisch sprach, verstand jedes Wort. Der Rotarmist blickte misstrauisch auf die Frauen, Kinder, Alten und Kranken. Auch einige gesunde Männer befanden sich unter ihnen. »Liquidiert alle Verdächtigen«, befahl er anschließend knapp.

Die Besatzung feuerte zunächst ein paar Nebelgranaten in die Menge, als wollte sie sich vor den Blicken von Zeugen schützen. Dann fielen Schüsse, Schreie des Entsetzens waren zu hören, Kinder riefen verzweifelt nach ihren Müttern. Die Angreifer grölten, traten und vergewaltigten. Es war ein Bild wie aus Dantes »Inferno«. Sofie Jesko hat verdrängt, wie lange die Soldaten wüteten. Einige ihrer Freundinnen wurden getötet, andere starrten, auf dem Boden sitzend, ins Leere, während die Soldaten noch das Gepäck plünderten. Dann brachen sie auf.

Männer wurden verschleppt, Frauen wurden verschleppt. Kinder wurden weggerissen. Es war eine entsetzliche Zeit. Heute denke ich mir, wie wir das alles überhaupt überleben konnten.

Gertrud Loeck, Stolp

In der »Dokumentation der Vertreibung der Deutschen aus Ost-Mitteleuropa«, die das frühere Bundesministerium für Vertriebene zusammengestellt hat, sind einige solcher unvorstellbaren Grausamkeiten geschildert. Auch wenn sich nicht mehr alle der dort erfassten Ereignisse endgültig beweisen und zuordnen lassen, so können sie doch in der Summe als Beleg dafür gelten, welche Wut selbst die besiegten Deutschen noch auslösten. Und nicht immer war die Erinnerung an eigene Qualen und eigenes Leid die Quelle für Rache und Vergeltung.

In der Endphase des Krieges hat die Rote Armee hunderttausendfach Verbrechen begangen. Grausame, völkerrechtswidrige Gewalttaten gingen auf ihr Konto. Gemessen an den Maßstäben, die heute die Internationalen Tribunale zur Untersuchung der Kriegs- und Bürgerkriegsverbrechen im ehemaligen Jugoslawien anlegen, hätten Hunderttausende verurteilt werden müssen. Doch nach dem schrecklichen, beinahe sechs Jahre andauernden Krieg, mit dem Deutschland, Italien, Japan und ihre Mitläuferstaaten die Welt überzogen hatten, war im Osten von »soldatischen Tugenden« und »Großmut gegenüber den Besiegten«

nichts übrig geblieben. Was allein zählte, war die Vergeltung für den Vernichtungsfeldzug des Deutschen Reichs. Hitlers erklärte Ziele waren die Ausrottung der Juden in Europa und die Ermordung oder Versklavung der slawischen Bevölkerung gewesen. Dass allzu viele Deutsche zu willigen Helfern dieser mörderischen Ziele wurden, daran haben SS und Teile der Wehrmacht in den besetzten Gebieten keinen Zweifel gelassen.

»Bolschewismus ist gleich asoziales Verbrechertum«, hatte Hitler am 30. März 1941 vor den Spitzen der Wehrmacht geäußert. »Der Kommunist ist vorher kein Kamerad und nachher kein Kamerad. Es handelt sich um einen Vernichtungskampf.« Am 13. Mai 1941 hatten die Nazibürokraten den so genannten »Gerichtsbarkeitserlass« verfasst, dem zufolge es deutschen Soldaten erlaubt war, sowjetische Zivilisten grundlos und straffrei zu massakrieren. Der berüchtigte »Kommissarbefehl« vom 6. Juni 1941 nahm jeden Soldaten in die Pflicht, gefangen genommene sowjetische Offiziere der Roten Armee »grundsätzlich sofort mit der Waffe zu erledigen«. Wenige Tage nach dem Einmarsch in die Sowjetunion legte Heinrich Himmlers »Reichskommissariat« einen »Generalplan Ost« vor, der vorsah, 31 Millionen Polen, Ukrainer und Russen hinter dem Ural zu »verschrotten«. Als die Wehrmacht schon vor Moskau und Leningrad stand, forderte Hitler, die Millionenstädte »dem Erdboden gleichzumachen«, um die Bevölkerung nicht ernähren zu müssen.

Beflissen übersetzte das Oberkommando der Wehrmacht diese Befehle, die den Bruch der Haager Landkriegsordnung und der Genfer Konventionen bedeuteten, der Truppe mit den Worten: »Der Soldat muss für die Notwendigkeit der harten, aber gerechten Sühne am jüdischen Untermenschen volles Verständnis haben.« Fast zwei Millionen sowjetische Kriegsgefangene kamen in den Gefangenenlagern der Wehrmacht elend um. Als sowjetische Soldaten vier Jahre später in Ostpreußen, Schlesien und Pommern auf die deutsche Zivilbevölkerung trafen, kehrten sie den Spieß um.

Die Polen haben meiner Tochter die schönen, blonden, langen Zöpfe abgeschnitten. »Gib mal die Haare her, euer Führer liebt ja so die Zöpfe.« Die Kinder wurden auch geschlagen.

Gertrud Loeck, Stolp

»Die Deutschen werden die Stunde verfluchen, da sie unseren Boden betraten. Die deutschen Frauen werden die Stunde verfluchen, in der sie ihre Söhne – Wüteriche – geboren haben. Wir

werden nicht schänden. Wir werden nicht verfluchen. Wir werden totschlagen«, schrieb Ilja Ehrenburg am 17. September 1944 in einer Frontzeitung. Die glühenden Hasstiraden des Autors waren berüchtigt. Und sie waren im Deutschen Reich bekannt, dafür hatte Goebbels' Propaganda gesorgt. Am Vorabend der ersten sowjetischen Offensive auf Ostpreußen im Oktober 1944 hielten die Rotarmisten ein ebenfalls Ehrenburg zugeschriebenes Flugblatt in den Händen: »Tötet! Es gibt nichts, was an den Deutschen unschuldig ist, die Lebenden nicht und die Ungeborenen nicht! Folgt der Weisung des Genossen Stalin und zerstampft für immer das faschistische Tier in seiner Höhle. Brecht mit Gewalt den Rassenhochmut der germanischen Frauen! Nehmt sie als rechtmäßige Beute!« Alttestamentarisch anmutender Hass, der seine Wirkung nicht verfehlte.
Ein britischer Kriegsgefangener, der in einem Lager im Osten Hinterpommerns den Einmarsch der Roten Armee erlebte, berichtete im Dezember 1945 den amerikanischen Behörden: »Im Gebiet um unser Internierungslager, wo die Städte Schlawe, Lauenburg, Buckow und viele größere Dörfer lagen, vergewaltigten die Roten Soldaten in den ersten Wochen nach der Eroberung jede Frau und jedes Mädchen zwischen zwölf und sechzig Jahren. Das klingt übertrieben, ist aber die Wahrheit. Die einzigen Ausnahmen bildeten die Mädchen, denen es gelang, sich in den Wäldern zu verstecken, oder die genug Geistesgegenwart besaßen, eine Krankheit vorzutäuschen – Typhus, Diphtherie oder eine andere ansteckende

Wo endet die gerechte Vergeltung, wo beginnt das Verbrechen? Wer könnte kalten Herzens auf die Leiche einer jungen Frau blicken, die im Straßengraben liegt – mit einer Bierflasche zwischen den Beinen? In endlosen Reihen ziehen die Truppen die Chaussee entlang. Alle sehen die Leiche im Straßengraben. Die meisten wenden sich ab, niemandem fällt es ein, sie beiseite zu bringen. Wie ein Symbol liegt sie da. Ein Symbol für was? Für so viel Grausamkeit ringsherum, sinnlose Grausamkeit. Die Deutschen werden später voller Empörung sein über diese Grausamkeit. Mögen sie von Gott Rechenschaft verlangen!

Grigorij Klimow,
Hauptmann der Roten
Armee

»Sie haben die Pferde ausgespannt und erschossen.«
Ein Treck, der von sowjetischen Truppen eingeholt wurde

Sache. Im Siegestaumel – und oft voll des Weines, den sie in den Kellern reicher pommerscher Gutsbesitzer gefunden hatten – durchsuchten die Roten jedes Haus nach Frauen, schüchterten sie mit Pistolen und Maschinengewehren ein und zerrten sie in ihre Panzer oder Wagen. Väter und Gatten, die versuchten, die Frauen zu schützen, wurden erschossen, und Mädchen, die zu viel Widerstand leisteten, wurden ebenfalls ermordet.«

Es gab natürlich gegenüber den Deutschen Rachegefühle. Nächste Verwandte hatten sie ermordet, Häuser und Höfe zerstört. Als wir nach Deutschland kamen, dachten viele von uns, nun endlich mit den Deutschen abrechnen zu können.

Grigorij Michailowitsch Iwanitzkij, Aufklärungschef in einem Artillerieregiment

In den Heldengesängen aus dem Großen Vaterländischen Krieg der Sowjetunion fehlen solche Schilderungen. Doch es gab auch sowjetische Stimmen, die sich öffentlich zu den Gräueltaten äußerten. Alexander Solschenizyn zum Beispiel, der als junger Hauptmann der Roten Armee im Januar 1945 im ostpreußischen Neidenburg die Übergriffe seiner Landsleute erlebte. Nach einer Nacht, während der er die entsetzlichen Schreie vergewaltigter Frauen mit anhören musste, griff er zur Feder und schrieb: »Zweiundzwanzig Höringstraße. Noch kein Brand, doch wüst, geplündert. Durch die Wand gedämpft – ein Stöhnen: Lebend finde ich noch die Mutter. Waren's viel auf der Matratze? Kompanie? Ein Zug? Was macht es! Tochter – Kind noch, gleich getötet. Alles schlicht nach der Parole: Nichts vergessen! Nichts verzeihn! Blut für Blut! – Und Zahn für Zahn. Wer noch Jungfrau, wird zum Weibe, und die Weiber – Leichen bald. Schon vernebelt, Augen blutig, bittet: ›Töte mich, Soldat!‹ Sieht nicht der getrübte Blick? Ich gehör doch auch zu jenen.« Für diese und andere kritische Äußerungen über die Ausschreitungen sowjetischer Soldaten ließ Stalin den Dichter noch 1945 in den Archipel GULAG verbannen.

Lew Kopelew, Germanist, Schriftsteller und späterer Friedenspreisträger des Deutschen Buchhandels, erlebte den Einmarsch der Roten Armee als Major einer Nachrichtenabteilung in Allenstein. Auch ihn entsetzten die wochenlangen Plünderungen und Vergewaltigungen. Einmal begleitete er eine ältere Dame nach Hause, die nach all dem Erlebten unter Wahnvorstellungen litt. Unterwegs trafen die beiden auf einen sowjetischen Offizier, der die deutsche Frau, nachdem er ihre Papiere überprüft hatte, vor Kopelews Augen kurzerhand erschoss. In sei-

»Die nach uns kommen, sind schlecht.« Die Zivilbevölkerung war der Rache der Sieger schutzlos ausgeliefert

nem Buch »Aufbewahren für alle Zeit« beschreibt Kopelew, wie ihn in Allenstein eine Frau anflehte, er solle doch die Soldaten daran hindern, sie und ihre dreizehnjährige Tochter weiter zu vergewaltigen und den elfjährigen Sohn zu misshandeln. Da mischte sich die Tochter ein und sagte zu Kopelew, er brauche sich keine Mühe mehr zu geben: Der Bruder sei schon tot.

Auch Kopelews scharfe Kritik an den Gräueltaten der Roten Armee blieb nicht ohne Folgen: Wegen »bürgerlich-humanistischer Propaganda« wurde er für fast zehn Jahre hinter Stacheldraht verbannt.

»Die nach uns kommen, sind schlecht«, schrien Panzerkommandanten aus den Luken ihrer Gefährte den flüchtenden Frauen und Dorfbewohnerinnen zu, »versteckt euch!« Solche Warnungen erhielten viele Frauen, als sie dem einrückenden Feind zum ersten Mal begegneten. Tatsächlich erwiesen sich vor allem die später eintreffenden sowjetischen Besatzungstruppen als äußerst gewalttätig. Auf Befehl Stalins müssten alle noch jüngeren Frauen und Mädchen den sowjetischen Soldaten »zur Verfügung stehen«, äußerte einmal ein Deutsch sprechender Rotarmist im schlesischen Freystadt und forderte die Bewohner auf, diese zu verstecken. Ob Stalin seinen Soldaten wirklich Handlungsfreiheit gewährte, ist nicht eindeutig belegt. Mit Sicherheit jedoch war der Generalissimus über das Verhalten seiner Truppe bestens informiert. Skrupel dürften ihn wohl kaum geplagt haben. Als sich der Leiter der jugoslawischen Militärmission in Moskau, Milovan Djilas, bei dem roten Diktator über die Misshandlungen der jugoslawischen Zivilbevölkerung beschwerte, soll Stalin geantwortet haben: »Haben Sie kein Verständnis dafür, dass ein Soldat, der tausende von Kilometern durch Blut und Feuer gegangen ist, Spaß an einer Frau hat und etwas plündert?« Da viele der sowjetischen Soldaten während des gesamten Krieges keinen Heimaturlaub erhalten hatten, entschuldigten sowjetische Offiziere das Verhalten ihrer Untergebenen häufig damit, dass sie sich in »sexueller Not« befunden hätten.

Die russischen Soldaten wollten meine Schwester vergewaltigen. Sie hielt sich an meinem Vater fest. Daraufhin schlugen sie die beiden mit einem Gewehr auseinander. Meiner Schwester schnitten sie dann beide Hände ab. Sie ist daran innerhalb einer Stunde verblutet. Mein Vater, dem sie auch die Hände angeschnitten hatten, konnte sich in eine Försterei retten, wo er notdürftig versorgt wurde.

Erna Schützeck,
Kreis Rummelsberg

Dem Journalisten der britischen *Sunday Times*, Alexander Werth, schilderte ein sowjetischer Major: »Unsere Soldaten brauchten nur zu sagen ›Frau, komm‹, und sie wusste, was er von ihr erwartete... Wir wollen uns nichts vormachen. Nach nahezu vier Jahren waren die Soldaten der Roten Armee in dieser Beziehung völlig ausgehungert. Für die Offiziere, besonders für die Stabsoffiziere, war das kein so großes Problem, da viele von ihnen eine ›Kriegsfrau‹ hatten – eine Sekretärin, eine Stenotypistin, eine Krankenschwester oder Kellnerin. Der gewöhnliche ›Wanka‹ hatte es nicht so gut. In den befreiten russischen Städten hatten zwar ein paar Burschen Glück, aber eben die meisten doch nicht. Die Frage, ob man eine russische Frau vergewaltigen durfte, stellte sich praktisch nie. In Polen ereigneten sich eine Reihe bedauerlicher Dinge, aber was die Frauen anging, so wurde doch streng auf Disziplin geachtet. Es wurde schrecklich viel gestohlen und geraubt. Unsere Burschen waren geradezu verrückt nach Armbanduhren, das lässt sich nicht bestreiten. Aber Plünderungen und Vergewaltigungen in großem Maßstab begannen erst, als unsere Soldaten nach Deutschland kamen.« Wie frauenverachtend der Major auf die Ereignisse zurückblickt, zeigt die folgende Aussage: »Sie (die Soldaten) waren sexuell so ausgehungert, dass sie oft alte Frauen von sechzig, siebzig oder gar achtzig überfielen – für viele dieser Großmütter eine nicht unangenehme Überraschung. Aber ich gebe zu, es war eine hässliche Angelegenheit, und der Ruf der Kosaken und der übrigen asiatischen Truppen war besonders schlecht.«

Die Verfolgung der Frauen war ganz schlimm. Es gab einen russischen Soldaten, der lief halb nackt durch die Straßen. Er war nur mit einer Schürze bekleidet. So kam er Nacht für Nacht zu den Frauen. Zu uns Kindern war er immer freundlich. Manchmal steckte er uns sogar Bonbons zu. Wir hatten Angst vor ihm und wollten die Bonbons gar nicht annehmen.

Gisela Jahn, Naugard

Was war noch Kriegshandlung, was war schon Verbrechen in dem Chaos der letzten Monate? Die Rote Armee machte zu Beginn ihrer Offensive kaum einen Unterschied zwischen zivilen und militärischen Zielen. Ein abgeschossener sowjetischer Tieffliegerpilot äußerte in einem Verhör, er habe die Anordnung, auf Flüchtende zu schießen, weil in den Flüchtlingstrecks und Eisenbahnzügen zurückweichende deutsche Soldaten vermutet würden. Grausam erging es den Flüchtlingen stets dann, wenn sie in Gefechte zwischen deutschen und sowjetischen Truppen

Persil

gerieten. Geschossen wurde auf alle. Überdies brachten Befehlsnotstand und Rücksichtslosigkeit die Panzerfahrer dazu, Trecks zu überrollen. Die T 34 stürmten auf den gleichen Straßen voran, auf denen die Flüchtlinge vor ihnen zu entkommen versuchten. Panzereinheiten, die Order hatten, zu einer bestimmten Zeit an einem bestimmten Ort zu sein, wichen nicht aus, sondern rasten durch die Wagenreihen und zermalmten unter ihren Ketten Mensch und Tier.

»Meine Mutter hat uns immer Mut gemacht.« Flüchtlinge mit dem, was sie retten konnten

Flüchtlinge, die es nicht bis zur Oder oder nach Pommern geschafft hatten, wurden von den Sowjets oft in ihre Heimatdörfer zurückgeschickt, nachdem sie zuvor ausgeplündert worden waren. Dann fraß sich die sowjetische Kriegswalze nach Norden weiter. Am 26. Januar schlugen die ersten Granaten im pommerschen Schneidemühl ein. Schon Tage zuvor hatten die Nazibonzen die Flucht ergriffen und waren heimlich aus der Stadt verschwunden. Es sollte sich zeigen, dass Hitlers Statthalter, vom Gauleiter Franz Schwede-Coburg angefangen, bis hinunter zu den Ortsgruppenleitern, nichts aus den in Ostpreußen begangenen Fehlern gelernt hatten. Wer ohne entsprechende Genehmigung davonzog, riskierte wegen Defätismus aufgehängt zu werden. Viel zu spät erhielten die Menschen die Erlaubnis zu gehen.

Nach dem Krieg kursierte die so häufig wiederholte wie falsche Behauptung, erst der fanatische Widerstand der deutschen Truppen habe die Wut der Sowjets gegen Frauen und Kinder entzündet. Doch das stimmt so nicht: Für das Ausmaß der Übergriffe war entscheidend, ob die Menschen rechtzeitig hatten fliehen dürfen oder nicht.

Als die Rote Armee unseren Treck überrollte, gab es viele Tote und Verletzte. Die russischen Soldaten haben wild um sich geschossen. Besonders alte Menschen sind dabei zu Tode gekommen. Wer dazu in der Lage war, ist um sein Leben gerannt. Mütter und Kleinkinder, die nicht so schnell laufen konnten, haben sich irgendwo versteckt. Auch viel Viehzeug starb. Kühe sind tagelang herumgeirrt und haben gebrüllt. Ihre Euter waren voll und platzten in der Kälte.

Erna Schützeck,
Kreis Rummelsberg

Die fünfzehnjährige Gabi Köpp freute sich riesig. Scharführerin beim Bund Deutscher Mädel (BDM) sollte sie werden. »Das hieß, ich sollte die so heiß ersehnte dicke grüne Kordel bekommen, die um den Hals zu tragen war und die die kümmerlich dünne rotweiße Kordel ablöste, die man als Scharführerin nur durch den Knoten ziehen konnte. Juliane lachte mich aus! Sie prophezeite mir, dass dort im Landeshaus zum angesetzten Termin

längst alle ausgeflogen sein würden. Dass sie längst alle das Weite gesucht haben würden, diese Parteibonzen. Aber ich wollte es nicht glauben. Dienst war für mich Dienst, und Versprechen auch Versprechen. Eben dieses Versprechen der Übergabe der grünen Kordel an mich. So war ich pünktlich im Landeshaus, dort oberhalb der Küddow und musste erleben, dass Juliane Recht hatte. Kein einziger Mensch war dort. Alles war leer!«
Einen Tag vor dem ersten Angriff auf Schneidemühl war den Bewohnerinnen und Bewohnern immer noch nicht genehmigt worden, die Stadt zu verlassen. Die Züge in den Westen waren für die Bombenflüchtlinge aus dem Westen reserviert. Viel zu spät – die Sowjetpanzer waren schon zu sehen – durften die Schneidemühler aufbrechen.
Dieses Muster sollte sich überall in Pommern wiederholen. Bis zuletzt versuchten die Nazis, den schönen Schein zu wahren. In der Adventszeit 1944 hatten die pommerschen Kreisleiter und Landräte die Evakuierung gefährdeter Landstriche auf dem Papier durchgespielt. In aller Heimlichkeit, versteht sich. Weil nicht sein konnte, was nicht sein durfte. Aufgrund der Erfahrungen, die Parteidienststellen und Verwaltungsbehörden an den Fronten gemacht hatten, berechneten sie die Vormarschgeschwindigkeit des Feindes. Die Funktionäre beschlossen, dass die sofortige Räumung immer dann erfolgen sollte, wenn der Feind auf etwa fünfzehn Kilometer herankommen würde. »Regen«, »Hagel« und »Schnee« wurden die drei Alarmstufen entsprechend der Dringlichkeit des Aufbruchs bezeichnet.

In Schneidemühl haben wir nur kurz angehalten. Wir erhielten einen sehr einprägsamen Eindruck von der verängstigten Zivilbevölkerung. Nachdem die umringte Stadt erobert worden war, hatten die Menschen schreckliche Angst vor der Rache der Roten Armee. Sie saßen in den Bunkern und Kellern und die Angst stand ihnen ins Gesicht geschrieben. Überall an den Fenstern und Türen hingen weiße Laken. Wenn sie uns sahen, hielten sie unwillkürlich die Hände nach oben. Wir mussten ihnen immer sagen: »Macht doch die Hände runter! Ihr seid doch keine Soldaten, sondern Zivilbevölkerung!«

Grigorij Michailowitsch Iwanitzkij, Aufklärungschef in einem Artillerieregiment

»Es galt nur, durchzukommen.« Nur wer Glück hatte, fand Straßen, die nicht von Wehrmachtskonvois blockiert waren

»Die Angst war schlimmer als der Hunger.« Auf der Flucht war warmes Essen ein seltenes Glück

Als dann der Sturm wirklich losbrach und die Sowjets schneller marschierten als jemals zuvor, nutzten die ausgeklügeltsten Pläne nichts. »Beinahe schlagartig wurden jetzt der Kreis Friedberg, der Netzekreis, die Stadt Schneidemühl und die Kreise Flatow und Schlochau von Flüchtlingstrecks aus dem Wartheland überströmt«, beschrieb Helmut Lindenblatt in seinem Buch »Pommern 1945« die kalten Tage und Nächte um den 20. Januar. »Nachts rasteten sie bei erstbester Gelegenheit und nahmen Unterkunft, wo sich gerade ein Dach über dem Kopf fand, vielleicht ein wenig warm, mindestens windgeschützt und mit einer bescheidenen Kochstelle, damit wenigstens die Babys warme Milch bekommen konnten. Die Quartiergeber sahen sich aus der tiefen Winterruhe ihrer hinterpommerschen Heimat aufgeschreckt, die gerade noch an unvergessene Friedenszeiten erinnert hatte, und sie konnten sich nicht vorstellen, dass sie selbst auch bald auf die Straße hinausmüssten, um das blanke Leben zu retten.«

Wie sehr die Zeit drängte, hatten die Spitzen von Partei und Wehrmacht noch immer nicht begriffen. In schönstem Bürokratendeutsch wandte sich ein gewisser Oberst Poleck am 26. Januar vormittags 10 Uhr an die Dienststellen im schon bedrohten Schneidemühl: »Es hat sich daher leider eine Fülle von Rückfragen ergeben, da allgemeine Richtlinien fehlten. Der Wehrmachtsführungsstab hat daher der Parteikanzlei einen Vorschlag gemacht, der in den Besprechungen mit den Ministerien abgeändert wurde, dann aber liegen blieb. Daher hat der Chef OKW (Oberkommando der Wehrmacht) ihn von sich aus, nach Vortrag beim Führer unterzeichnet. Es sind nun Zonen gebildet: Die Räumung soll dort, wo eine einigermaßen feste Front besteht, in einer Tiefe von dreißig Kilometern eingeleitet werden, wo nur eine stützpunktähnliche oder gar keine Front besteht, in einer Tiefe von sechzig Kilometern von den feindlichen Panzerspitzen.«

Etwas mehr als sechs Stunden später stand die Postfacharbeiterin Eleonore Bukow in der Schneidemühler Hauptpost am Wilhelmsplatz vor dem Dienststellenleiter und verlangte eine Genehmigung zur Flucht. Was ihr einfiele, antwortete der Beamte. Sie solle um 17 Uhr ihren Dienst antreten. Eleonore Bukow ging zurück zum Bahnhof, wo ihre Mutter bereits auf gepackten Koffern saß. »Am Bahnhof war die Hölle los. Die Menschen schrien, rannten durcheinander. Vom Luftdruck eines Einschlags flog ich die Tunneltreppe hinunter. Ich konnte nicht mehr denken, versuchte mich aufzurichten, doch Menschen purzelten über mich hinweg. Als ich mich am Treppengeländer hochziehen wollte, sah ich einen abgerissenen Arm neben mir liegen. Alles war blutverschmiert, Verletzte schrien. Mir wurde schlecht, ich musste mich übergeben.« Mutter und Tochter erreichten einen der letzten Transporte, der es noch über die Oder schaffte, den so genannten »Mutter-und-Kind-Zug«.

Meine Freundin war in einen Zug gestiegen, um gen Westen zu fahren. Als sie später ihre Kinder zählte, stellte sie fest, dass ein Kind fehlte. Es war wohl in dem Gewühl verloren gegangen. Das war ein großer Schock für die Mutter. Bis heute hat sie ihr Kind nicht wiedergesehen.

Elisabeth Kath, Stolp

Gabi Köpp hatte weniger Glück. Zusammen mit anderen Leidensgenossen hatte sie bereits gegen 14 Uhr einen Güterzug bestiegen, der in der einbrechenden Dunkelheit Richtung Süden fuhr. »Und dann begann das Furchtbare – der Beschuss dieses hölzernen Güterzugs durch russische Panzer. Sie standen in einem Waldstück nahe Stieglitz am Rande einer großen Lichtung, die auf der gegenüberliegenden Seite von einem hohen Bahndamm begrenzt wurde, auf dem sich unser Zug als Zielscheibe anbot.

»Wie überleben die Kinder?«
Flucht in offenen Viehwaggons bei eisiger Kälte

Der Zug hielt sofort, die Lokomotive war getroffen. Sehen konnten wir nichts in einem Güterzug ohne wirkliche Fenster. Aber man roch den Holzstaub«, erinnert sich die damals Fünfzehnjährige. »Alle raus!«, schrien die Soldaten und Eisenbahner. Entsetzt hetzten viele hundert Menschen über die tief verschneiten Felder. Nur weg von den Russen. Sie kamen nicht weit. Im Dorf Gornitz holten die Männer sie ein. Wie viele junge Mädchen jener Zeit war Gabi Köpp nicht aufgeklärt, verstand ihre Menstruation, die sie kurz zuvor zum ersten Mal bekommen hatte, »als störende und mich zeitweilig behindernde Scheußlichkeit«. Plötzlich stand ein Soldat vor ihr: »Frau, komm, dawai, dawai«, forderte er sie auf. »Aber was will dieser Mensch von mir«, rätselte das junge Mädchen noch. Dann fiel er über sie her. »So katapultierte mich dieser Mann durch Gewalt aus dem ›Kindsein‹ in die schlimmste Form des ›Frauseins‹. Und da ich meine Menstruation hatte, fühlte ich mich doppelt besudelt. Meine Skihose zerriss – dann durfte ich hinaus ins Freie.« Die Angst vor Vergewaltigung, Misshandlung und Tod brachte die Solidarität der Frauen untereinander ins Wanken. Eine spätere Szene: »Als erneut betrunkene Russen mit dem Befehl ›Frau, Frau – jung Frau‹ das Zimmer betraten, rief Frau Weller: ›Wo ist die kleine Gabi?‹« Zurückgeblieben ist bei Gabi Köpp ein Gefühl der Verachtung gegenüber dieser Frau und allen anderen, die sie verrieten.

Ein Pole und ein Russe zerrten mich in eine Scheune und warfen mich zu Boden. Sie fingen an, mir die Hose auszuziehen. Ich schlug mit Händen und Füßen um mich. Ich bat den Polen, sie sollten mich doch laufen lassen, aber er antwortete: »Deutsche Soldaten haben das auch mit unseren Frauen gemacht.« Während die beiden an mir zerrten, standen plötzlich ein Leutnant und ein Feldwebel im Scheunentor. Rasch ließen sie von mir ab. Die Hilfe kam in letzter Minute. Später erfuhr ich, dass der Russe, der mich vergewaltigen wollte, für vierzehn Tage ins Gefängnis gekommen ist.

**Margarethe Kluge,
Flüchtling**

Anfang März 1945 hatte die Rote Armee fast alle Fluchtwege aus Pommern in den Westen abgeschnitten. Bis auf zwei – die Ostsee und einen schmalen Brückenkopf bei Dievenow gegenüber Swinemünde. Wer dieses Nadelöhr passiert und sich bis Swinemünde durchgeschlagen hatte, war aber noch längst nicht in Sicherheit.

Am 12. März brach über Swinemünde das Inferno herein. Es war ein klarer Frühlingstag an der Ostsee. Nur einige wenige Wolken trieben über den Himmel. Um die Stadt herum stauten sich Flüchtlingszüge aus dem Westen Hinterpommerns. Eine beschä-

»Das Dresden des Nordens« – bei einem Bombenangriff auf Swinemünde im März 1945 starben 22 000 Menschen (Luftbild aus der Vorkriegszeit)

digte Pontonbrücke hatte den Fliehenden in der Nacht einen unfreiwilligen Aufenthalt an der Swine beschert. Auch der Treck aus Fritzow im Kreis Cammin hatte am Vorabend Swinemünde erreicht. Am Morgen zwischen 8 und 9 Uhr setzten die 190 Menschen ihren Zug in Richtung Vorpommern fort. Der Treck hatte gerade erst den Stadtrand passiert. Plötzlich heulten die Sirenen. Fliegeralarm. Amerikanische Bomberverbände legten große Teile der Stadt in Schutt und Asche. In den Trümmern starben etwa 22 000 Menschen. Die Metapher »Dresden des Nordens« sollte später dazu dienen, die Schrecken des verheerenden Angriffs zu verdeutlichen.

Dietlinde Bonnlander aus Fritzow erinnert sich noch heute daran, »wie die ersten Bomben so herunterklackerten«. Eine halbe Stunde lang fielen Bomben auf die Stadt, »eine Ewigkeit« in ihrer Wahrnehmung. Tiefflieger rasten über die Ausfallstraße und feuerten blindlings auf die Flüchtlinge. Die Kampfmaschinen flogen so niedrig, dass Dietlinde Bonnlander aus ihrer Deckung hinter einer so genannten Kartoffelmiete, wie die Menschen in Pommern unterirdische Lagerstätten nannten, die Gesichter der Piloten in den Kanzeln sehen konnte. Als die

Eigentlich konnte man gar nicht viel für die Flucht vorbereiten, weil wir uns überhaupt nicht vorstellen konnten, was es hieß, zu flüchten. Meine Mutter dachte, man könne nur so viel mitnehmen, wie man tragen kann. Der Vater meiner Mutter war siebzig Jahre und konnte nicht viel tragen. Meine kleine Schwester war elf und konnte eigentlich auch nicht viel tragen. Meine Mutter hatte kurz zuvor eine Brustoperation und konnte auch nicht viel tragen. Meine Großmutter war achtzig Jahre und konnte überhaupt nichts tragen. Mein kleiner Bruder von zwei Jahren war viel zu klein. Ich war auch nicht die Kräftigste, da ich durch eine Krankheit so geschwächt war, dass ich auch nicht viel tragen konnte. Jeder sollte aber wenigstens einen Rucksack tragen. Meine Mutter hat dann aus rotem Matratzenstoff drei Rucksäcke genäht. Darin verstaute sie unser Silberbesteck.

Sigrid Wehner, Naugard

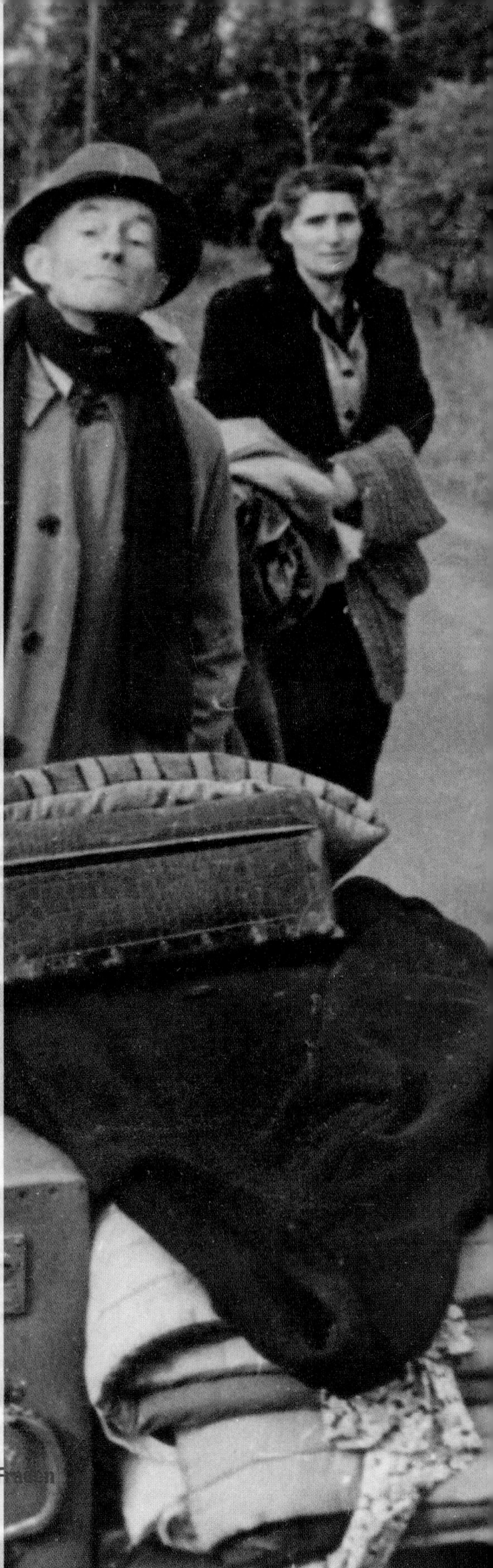

Motorengeräusche verklangen, brannte Swinemünde. Gemeinsam mit ihrem Vater machte sich das Mädchen Richtung Stadt auf. Sie wollten nach einer Frau suchen, die am Morgen den Treck verlassen hatte, um bei ihrer Schwester in Swinemünde zu bleiben. »Wir sind gar nicht weit gegangen, vielleicht einen Kilometer, da lagen schon einzelne Körperteile auf der Straße, das Hab und Gut von Leuten, Flüchtlingsgut, Töpfe und Kaputtes«, erinnert sich Dietlinde Bonnlander. Ihrem Tagebuch vertraute sie eine besonders schreckliche Szene an: »Und dann sah ich ein Mädchen in meinem Alter, tot und ohne Beine, und als ich noch einmal hinsah, erkannte ich sie, sie war aus unserem Dorf.«

Am 2. März erreichte die sowjetische Vorhut nördlich von Köslin die Ostsee. Hinterpommern war geteilt. Die flüchtenden Deutschen aus den bereits eroberten Gebieten, die zuvor nach Westen gezogen waren, schwenkten nun nach Osten in Richtung Danzig und Gotenhafen (Gdingen), die noch in deutscher Hand waren, oder nach Norden zu den Häfen Leba und Stolpmünde. Westlich des Durchbruchs schlugen viele den Weg nach Kolberg ein. Chaos herrschte überall. »Die Trecks sind in Unordnung geraten. Viele fahren noch immer nach Westen. Wer auf der Straße liegt, empfängt kaum Nachrichten oder vermag sie nicht zu deuten, weil es an Ortskenntnissen und Karten fehlt. Die Dienststellen der Partei oder die sonstigen Behörden sind ebenfalls oder erst recht in Verwirrung geraten, wenn nicht gar in Auflösung begriffen. Niemand möchte Entscheidungen treffen und Befehle erteilen, die einem Eingeständnis der Katastrophe gleichkämen. Die Angst, als Panikmacher gebrandmarkt, als Defätist erschossen oder gehenkt zu werden, lässt die Verantwortlichen – oder vielmehr die Unverantwortlichen – noch weiter hinter die Wirklichkeit zurückfallen als die Wehrmachtsberichte«, beschreibt Libussa Fritz-Osner aus Rumbske jene Tage, in denen sie und ihre Familie ungeduldig auf die schriftliche Erlaubnis zum Aufbruch warteten. »Was nicht ausdrücklich erlaubt ist, bleibt strikt verboten. Wenn überhaupt noch etwas funktioniert, dann dieser unerbittliche Kontrollapparat: Ohne das Papier würden wir schon an der nächsten Wegkreuzung an den Gendarmen, den Feldjägern der Wehrmacht, den SS-Kommandos scheitern, die sich in dem Maße zu vermehren scheinen, in dem es an Kampftruppen mangelt. Nicht der Feind lässt sich noch aufhalten, bloß noch die eigene Bevölkerung.«

In Schievelbein befahl ein Polizist einer jungen Frau, ihren Schuhladen offen zu halten. Eine Stunde später rollten die Panzer vor. In Stolp bestellte der Kreisleiter ausdrücklich sämtliche Mütter in den Kinopalast. Eine neue deutsche Armee sei im Anmarsch und stehe kurz vor Stolp, versuchte er das schon deutlich zu hörende Geschützfeuer zu übertönen. »Schlafen Sie ruhig. Es wird Ihnen nichts passieren. Sie werden hier alle beschützt von der marschierenden deutschen Armee«, rief er den Frauen zu, von denen einige es längst besser wussten, weil sie nachts den britischen Radiosender BBC abhörten. Darüber durften sie sich untereinander jedoch nicht austauschen. Denn auch die Denunziantinnen vermehrten sich.

Wir haben über die Treckwagen eine Plane gelegt, damit man wenigstens im Trockenen blieb und ein bisschen Schutz hatte. Nachts liefen wir meistens neben dem Wagen her. Wir fuhren durch hügeliges Land. Die Wagen rutschten immer wieder weg, denn es war Winter und die Wege waren vereist und glatt. Die Männer brachen deshalb im Wald Zweige ab, die sie zwischen die Räder steckten. So konnte man ein bisschen besser bremsen.

Erna Schützeck,
Kreis Rummelsberg

Drei Tage vor der Besetzung am 7. März erlaubten die Behörden auf einmal den Apothekern, allen Frauen, die danach verlangten, Gift auszuhändigen. Überhaupt gab es plötzlich vieles im Überfluss, was zuvor nur gegen Marken erhältlich gewesen war. Warum rationieren, wenn die Ware ohnehin nur noch wenige Tage reichen musste?

Alle, die nicht mehr an den »Endsieg« glaubten, rüsteten derweil heimlich zum Aufbruch. Sie beluden in Scheunen und Remisen versteckte Wagen mit dem Allernötigsten. Für die einen war das Wäsche, für die anderen waren es persönliche Erinnerungsstücke, Fotos oder Filme. Aus Matratzenbezügen und Handtüchern nähten die Frauen Rucksäcke für sich und die Familienmitglieder. Kleidungsstücke wurden an den Nähten aufgetrennt, damit mehrere Hosen und Hemden übereinander getragen werden konnten. Zu Hause und in den Dorfbäckereien buken die Frauen Brot, vor allem haltbares Knäckebrot.

Ihre Habe verstauten die Menschen auf den unterschiedlichsten Fahrzeugen. Weit verbreitet waren die hochrädrigen Karren, vor die kleine Panjepferde gespannt wurden. Viele schlugen die Ladung in Teppiche ein. So hoch ein Wagen auch bepackt werden konnte, der ganze Hausstand passte selten darauf. Wo sich ein Winkel als Versteck eignete, vergruben die Menschen ihre Wertsachen – von Gold und Silberbesteck über das gute Porzellan bis hin zur Aussteuer. Alles war vorbereitet. Nur die Räumungsbefehle kamen zu spät – wenn sie überhaupt noch eintrafen.

Der Kampfkommandant von Kolberg – wenn man ihm diesen Titel überhaupt zuerkennen will – hat beim Führer den Antrag gestellt, Kolberg kampflos dem Feind zu übergeben. Der Führer hat ihn gleich ab- und einen jungen Offizier an seine Stelle gesetzt. Haben denn diese verkommenen Generäle überhaupt kein geschichtliches Empfinden und Verantwortungsgefühl… ?

Joseph Goebbels,
Tagebucheintrag vom
6. März 1945

Die Mehrzahl der deutschen Flüchtlinge von 1945 verließ ihre Häuser und Höfe mit der Absicht, eines Tages zurückzukehren. Schnitt die Rote Armee ihnen irgendwo den Weg ab, lenkten die meisten ihre Gespanne wieder heimwärts. Nur wenige ahnten, dass die Alliierten längst andere Pläne schmiedeten.

Stalin, Churchill und Roosevelt hatten vom 4. bis zum 8. Februar 1945 in Jalta auf der Halbinsel Krim in groben Zügen verabredet, dass Polen die deutschen Gebiete östlich von Oder und Neiße erhalten sollte. Um die Besitzansprüche des polnischen Staates symbolisch zu untermauern, ließ die Rote Armee den neu aufgestellten polnischen Einheiten in einigen Frontabschritten den Vortritt: zum Beispiel in Kolberg. Im Siebenjährigen Krieg, vor allem aber 1807 beim Sieg Napoleons über Preußen galt die Stadt an der Persantemündung als uneinnehmbar. Sechs Monate lang hatte sie damals einer überlegenen französischen Belagerungsarmee getrotzt. In der Nazipropaganda stand sie deshalb für Opfermut und Durchhaltewillen. Trotz der aussichtslosen Lage

»Der Abtransport ist angelaufen« – Flüchtlinge im Hafen von Kolberg

befahl Hitler, die zur »Festung« erklärte Stadt mit allen Mitteln zu verteidigen, erteilte aber die Erlaubnis, die Zivilbevölkerung zu evakuieren. Am 7. März waren in Kolberg rund 85 000 Zivilisten und 3300 Soldaten eingeschlossen, denen die Wehrmacht über See im Verlauf der Kämpfe noch ein paar tausend Mann zur Verstärkung zuteilte. Pausenlos feuerte die Artillerie der polnischen Belagerer auf die Stadt. Immer näher fraßen sich die Einschläge an den Hafen heran. Überall standen die Häuser in Flammen, am 9. März auch der Dom, das Wahrzeichen Kolbergs. Frisches Trinkwasser gab es kaum noch.

Durch Trümmer und Granattrichter bahnten sich mühsam unzählige Menschen, unter ihnen auch junge Mütter mit Säuglingen, den Weg zu den Rettung verheißenden Molen. Die Fliehenden trugen meist mehrere Kleidungsstücke übereinander, was ihre Bewegungsfreiheit zusätzlich einschränkte. Viele schleppten schwere Koffer oder Rucksäcke. Es herrschte ein heilloses Durcheinander: »Den Menschen war klar, was ihnen bevorstand. Alle versuchten, das Hafengelände zu erreichen. Die Soldaten liefen nur hin und her. Sie wussten nicht, an welcher Stelle sie eingesetzt waren. Es bestand keine einheitliche Frontlinie. Jeder musste zusehen, wo er verteidigen konnte«, beschreibt der Augenzeuge Ernst-August Dumtzlaff die Situation in Kolberg. Dumtzlaff erlebte als Soldat die Belagerung bis zum

»Eine völlig niedergebrannte, verwüstete Stadt.« Flucht aus dem brennenden Kolberg, März 1945

Ende mit. In den Kellern des brennenden Kolberg saßen viele Menschen, die ihre Deckung nicht verlassen wollten. Auf Befehl des Festungskommandanten Oberst Fritz Fullriede durchkämmten Suchtrupps die Stadt. »Wir mussten die Menschen unter Anwendung von Gewalt aus den Kellern holen, weil wir wussten, was die Russen mit den Frauen und Kindern machen würden.« Dumtzlaff erfuhr erst später, dass den Deutschen vor allem polnische Einheiten gegenüberstanden. Im Hafen drängten sich die Menschen. Über die Köpfe der Menge hinweg rauschten die schweren Granaten aus den Geschützen der deutschen Zerstörer »Z 43« und »Z 34« und des Torpedoboots »T 33«.

Sie verteidigen nicht diese Stadt Kolberg, sondern die Bevölkerung und alle in der Stadt lebenden Menschen. Dies ist Ihre Aufgabe!

Oberst Fritz Fullriede, letzter Kommandant Kolbergs, in einem Appell an seine Soldaten

Durch ihren verbissenen Einsatz ermöglichte es die Schiffsartillerie der Marine, die in Kolberg eingeschlossenen Menschen zu retten. Trotz aller Einschläge um sie herum wagten sich die Matrosen immer wieder mit Landungs-, Schnell- und Schlauchbooten in den Hafen und brachten die Menschen auf die außer Reichweite der polnischen Artillerie liegenden Dampfer. Zu den größten zählten die »Westpreußen« und die »Winrich von Kniep-

»Wir mussten ja die Kinder durchbringen.« 1945 waren viele Frauen ganz auf sich allein gestellt

rode«. Zwei Aufforderungen des polnischen Armeeoberkommandos, die »Festung« Kolberg zu übergeben, lehnte Fullriede am 14. März ab. Drei Tage später hielten die Deutschen nur noch einen schmalen Streifen an der Persantemündung von 1800 Metern Länge und 400 Metern Breite. Grausame Szenen spielten sich ab. Alle wollten die Boote erreichen. »Einer stieß den anderen ins Wasser. Jeder war sich selbst der Nächste. Man hörte das Gurgeln und das Schreien«, erinnert sich Ernst-August Dumtzlaff. Am Morgen des 18. März erreichte auch Oberst Fullriede das rettende Schiff. 68 000 Zivilisten und etwa 5400 Soldaten hatten die Schlacht überlebt. Mit der Einnahme Kolbergs durch die Polen und Sowjets endeten die Kampfhandlungen. Pommern war nun fest in der Hand des Feindes.

Für manche preußischen Junker in Pommern war es eine Frage der Ehre, nicht lebend in die Hände der Roten Armee zu fallen. Auch Baron Jesko Ludwig Günther Nikolaus Freiherr von Puttkamer, seine Frau und die hochschwangere Stieftochter Libussa hatten den Selbstmord in Erwägung gezogen, sollte es tatsächlich so weit kommen. Am Abend des 9. März erreichte der Treck ihres Gutes die Ortschaft Zackenzin. Von dort aus wollten sie in einen der noch nicht besetzten Häfen östlich von Kolberg gelangen. Brände erleuchteten den Horizont ringsum, immer näher rückte der Kanonendonner. Da stand der Freiherr auf, legte seine Offiziersuniform mit allen Ehrenzeichen an, auch mit denen aus dem Ersten Weltkrieg, und weckte seine Familie: »Es ist so weit. Wir wollen in den Park gehen.« Libussa aber, die das ungeborene Kind in ihrem Leib spürte, weigerte sich mitzukommen: »Mutti, warte bitte, ich kann es nicht.« Die Freifrau redete beruhigend auf die Tochter ein: »Es geht ganz schnell und ohne Schmerz.« Doch Libussa war fest entschlossen: »Ich habe keine Angst, ich will ja mitgehen, aber ich kann nicht. Ich trage doch das Kind in mir, mein Kind. Es strampelt so kräftig. Es will leben. Ich darf es nicht umbringen.« Die Mutter verstand und entschloss sich, bei ihr zu bleiben. Fassungslos hatte Freiherr von Puttkamer das Gespräch verfolgt. Die Entscheidung, die die beiden Frauen gerade getroffen hat-

Ich fragte einen Mann nach Rasierklingen. Er erzählte es seiner Frau, und sie kam zu uns und sagte: »Was haben Sie vor? Denken Sie an die Kinder! Sie sterben vielleicht, wenn Sie sich die Pulsadern durchschneiden, aber die Kinder bleiben am Leben, was soll dann werden?«

Hildegard Gogolla, Jahrgang 1914

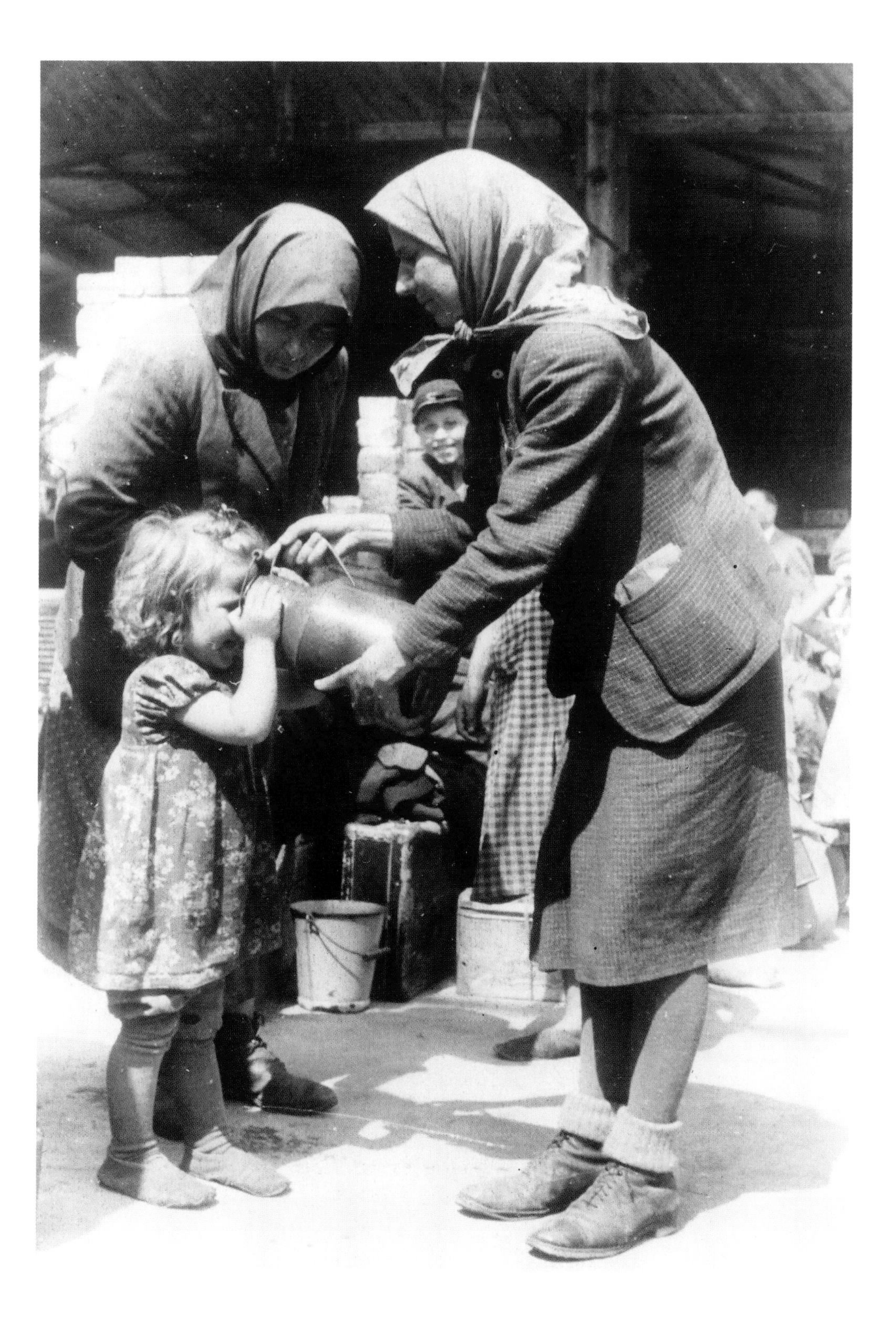

»Die größte Völkerwanderung des 20. Jahrhunderts« – Flüchtlinge ziehen durch Berlin

»So habe ich mir den Dreißigjährigen Krieg vorgestellt.« Mutter und Kind auf dem Weg nach Westen

ten, passte absolut nicht in sein Weltbild. »Unsere Meinungen von dem, was sich gehört und nicht gehört, die Gefühle für Ordnung und Unordnung, unsere Tugenden und Untugenden sind über lange Zeiträume hin sehr einseitig und in der beherrschenden Linie sehr protestantisch, preußisch und soldatisch, sehr männlich geprägt worden, mitunter bis ins Extreme«, schrieb Christian Graf von Krockow, der die Lebensgeschichte seiner Schwester Libussa aufgezeichnet hat. »Die Leistungsbereitschaft und der Kampf, das Selbstopfer fürs Ideale, der Dienst am Staate und die Amtshoheit, Befehl und Gehorsam, eine Pflichterfüllung, für die der Sinn des Lebens erst im Tode sich verklärt: Daraus sind unsere Möglichkeiten der Größe wie die Gefahren des Absturzes gewachsen. Und offenbar unausweichlich trieb die einseitige Prägung einem Entweder-oder zu: Freund oder Feind, alles oder nichts, Sieg oder Untergang. Im Untergang aber, wenn er unversehens denn eintritt, verliert das einseitig männliche Prinzip jeden Glanz. Auf einmal taugt es nicht mehr, niemand kann es noch brauchen, es zerbricht. Zum Überleben im Untergang wie zum Leben überhaupt ist anderes nötig.« Für Freiherr von Puttkamer zerbrach diese alte Welt, als

sich seine Frau und seine Tochter gegen den von ihm für unausweichlich angesehenen Tod entschieden. Nun mussten andere entscheiden. »Und ich, was soll ich denn nur tun?«, fragte er völlig hilflos. In der Ferne waren schon die sowjetischen Panzer zu hören. Da vollzog Libussa den endgültigen Bruch mit der Vergangenheit. Sie befahl dem Stiefvater, Zivilist zu werden: »Zieh' dieses verdammte Zeug aus, schmeiß es in den Teich, die Pistolen dazu. Wehe, wenn die Russen etwas davon finden.« Es fiel dem Vertreter der alten Ordnung schwer, das »Zeug« zu versenken. Er tat es trotzdem, und es sollte ihm das Leben retten.
Was fühlten die Frauen in den letzten Stunden vor dem Eintreffen der Roten Armee? Schließlich ahnten die meisten, was sie erwarten würde. »Eigentlich erstaunlich wenig. Man wartete ab«, so Libussa Fritz-Osner, »ich wusste ja nicht wirklich, wie sie sich benehmen würden. Ich hatte so schreckliche Sachen gehört. Aber irgendwo im Hinterkopf gab es doch noch einen kleinen Funken Hoffnung. Vielleicht ist das normal, vielleicht ist das menschlich. Es bleibt einem irgendwo immer ein kleiner Rest Hoffnung.«
Erst war das Rasseln der Ketten auf dem Kopfsteinpflaster zu hören, dann polternde Stiefel auf der Treppe. »Die Ersten, die reinkamen, fluchten fürchterlich.« Der Feuerstoß einer Maschinenpistole durchlöcherte die Wand. »Urri, Urri«, schrien die Gardisten und rissen den Anwesenden die Armbanduhren und den Schmuck ab und sammelten alles ein, was sie sonst noch für wertvoll hielten. Schon war der Spuk vorüber. Anschließend ertönte Pferdegetrappel, die Etappe rückte nach. Die nun folgenden Tage mussten die Hausangestellten der Puttkamers den Rotarmisten »zur Verfügung stehen«. Nach 72 Stunden wurde ihnen befohlen, in ihre Heimatdörfer zurückzukehren.
Es gab jedoch auch ganze Dorfgemeinschaften, die nicht flohen, sondern blieben. »Meine Mutter hatte von Trecks gehört, die bei Schnee und Eis auf der Straße liegen geblieben waren«, äußerte Isis von Zitzewitz, »und sie war der Meinung: ›Entweder gehen wir als Gutsbesitzer gemeinsam mit dem ganzen Dorf oder überhaupt nicht. Alle oder keiner. Der liebe Gott wird uns schon schützen!‹« Zunächst drang eine kleine Panzergruppe in den Ort zwischen Stolp und Lauenburg ein, in dem sie damals lebten. »Dieses Vorauskommando ging direkt in unser Gutshaus. Die ersten Wörter, die wir hörten, waren: ›Urri, Urri, Schnaps,

Schnaps!‹ Mutter öffnete den Schrank und servierte den Offizieren Likör. Dann zogen sie wieder ab. Anschließend wischte meine Mutter mit Sagrotan die Türklinke ab. Das war so ihre Eigenart. Dann kam die nächste Gruppe. Noch konnten wir in unserem Haus bleiben. Und dann kamen auf einmal ganz viele russische Soldaten. Wie die Ameisen rückten sie an, alles war übersät.« Die von Zitzewitz' mussten ihr Gut verlassen. Zusammen mit anderen Flüchtlingen, die von der Straße getrieben worden waren, suchten sie Unterschlupf in der Dorfschule. »Jetzt begann die Hölle. Die Russen holten die Frauen raus. Auch meine Mutter. In der Schule befand sich eine kleine Wohnung. Dorthinein haben sie sie gezerrt. Wir vier Kinder haben uns an ihr festgeklammert. Vor unseren Augen ist sie dann das erste Mal in dieser Wohnung vergewaltigt worden. Damit wir Kinder nicht schrien, hat der russische Soldat mehrmals in die Luft geschossen. Es dämmerte schon. Das Mündungsfeuer sehe ich heute noch vor mir«, fasste Isis von Zitzewitz später ihre dramatischen Erinnerungen zusammen.

Im Frühjahr 1945 wurde es immer bedrohlicher. Wir hörten in der Ferne Geschützdonner. Es klang weit weg, wie ein Gewitter, ein Grollen, Brummen und Donnern. Wenn wir in der Stadt mehr Männer gehabt hätten, wäre sicherlich mehr darüber gesprochen worden, aber die Frauen wussten gar nicht, was los war. Das war die Zeit, in der man Angst bekam. Wir rechneten fest damit, dass wir evakuiert werden würden. Wir konnten uns nicht vorstellen, dass wir vergessen würden.

Sigrid Wehner, Naugard

Auch in den Straßen von Naugard drängten sich Anfang März die Sowjetsoldaten in Massen. Mitten hindurch hastete die Familie Jolitz, die die Sowjets aus ihrem Haus vertrieben hatten. Ohne dass sie jemand angesprochen hatte, erreichte sie einen Feldweg und entfernte sich von der Stadt. In einer Laube, in der die Familie später rastete, wurde sie von drei Rotarmisten aufgegriffen. Weil sie nichts Wertvolles bei sich trugen, trollten sich die Soldaten wieder. Einer kehrte kurz darauf zurück und verlangte nach Frauen. Doch diese weigerten sich: »Dann hat er meine Schwägerin gepackt und sie aus dem Raum gezerrt. Daneben war noch ein kleiner Stall. Wir hörten drei Schüsse. Er kam wieder und wollte nun uns haben. Wir aber sagten zu ihm, er solle uns auch erschießen. Daraufhin erschoss er die Oma Schwiechtenberg. Da war uns klar, dass er nicht davor zurückschrecken würde, uns alle zu töten. Wir fingen an zu beten. Nachdem mein Vater allen die Hand gegeben und ›Auf Wiedersehen‹ gesagt hatte, erschosss der Rotarmist meinen Vati, dann meine Mutter.

Meine Schwester saß an der Seite und hatte rechts und links ihre beiden Jungen im Arm. Vor ihr stand der Kinderwagen mit dem Baby. Weil man mir erzählt hatte, der Russe würde ins Genick schießen, hatte ich mich mit Gisela flach auf den Boden gelegt. Er hat meine Schwester und meine Tochter erschossen.« Die Tochter röchelte noch, weil er sie nicht richtig getroffen hatte. Dann musste die junge Christel Jolitz mit ansehen, wie der Soldat auch die beiden Söhne der Schwester tötete. »Als er sah, dass ich noch lebte, wollte er mich vergewaltigen. Aber ich widersetzte mich. Da schlug er mit dem Gewehrkolben auf mich ein, dass ich dachte, ich müsste ohnmächtig werden. Aber ich blieb bei Bewusstsein, täuschte die Ohnmacht nur vor. Er hat mir die Hose aufgeschnitten und mich vergewaltigt. Danach ist er

»Die Deutschen erlitten nun, was wir Russen auch erlitten hatten.«
Nichts als das nackte Leben haben diese Flüchtlinge gerettet

los, kam aber noch einmal zurück und feuerte dreimal durch das Verdeck in den Kinderwagen.«
Viele Frauen berichteten, die Vergewaltiger und Mörder seien Asiaten gewesen. Häufig war von »kleinen, pockennarbigen Tataren« die Rede. Genauere Nachfragen ergaben aber, dass sich viele Frauen oft gar nicht exakt an das Äußere ihrer Peiniger erinnern konnten. Auch legt die Zusammensetzung von Truppenteilen der Roten Armee nicht den Schluss zu, die Vergewaltiger seien eher unter asiatischen Soldaten zu finden gewesen. Vielmehr hatte die Nazipropaganda die Bewohner der Sowjetunion über Jahre hinweg als »slawische Untermenschen«, »Mongolen« und »Tataren« bezeichnet, Begriffe, die die deutsche Bevölkerung längst verinnerlicht hatte. Wer die hemmungslose Brutalität der Invasoren erklären will, wird argumentieren, dass die nun mordenden, plündernden und vergewaltigenden Rotarmisten in den Jahren zuvor unter dem Regime der deutschen Besatzung ungemein gelitten hatten. So stammten zum Beispiel 53 000 Soldaten der nach West- und Ostpreußen vorstoßenden 2. Weißrussischen Front aus ehedem von Deutschen besetzten Gebieten, 10 000 waren ehemalige deutsche Kriegsgefangene und 39 000 aus Lazaretten entlassen worden. Doch jene Rotarmisten, die die Grausamkeiten auf dem Boden Russlands selbst erlebt hatten, erwiesen sich deshalb nicht zwangsläufig als die rücksichtslosesten Rächer.

Worunter ich damals am meisten litt, war die Angst. Es war nicht der Hunger, obwohl wir furchtbar gehungert haben, und es waren auch nicht Krankheiten – ich hatte die Ruhr und Krätze. Doch dieses Gefühl der Angst begleitet mich bis heute.

Gisela Jahn, Naugard

So gab es Eliteeinheiten, in denen ebenfalls junge Männer dienten, deren Familien unter der deutschen Besatzung gelitten hatten, und die sich anders verhielten. Nach den verheerenden Niederlagen der Jahre 1941 und 1942 hatte die Rote Armee die so genannten Garderegimenter aus der Zarenzeit neu belebt. Manche dieser Einheiten trugen wieder die Uniformen der zaristischen Armee. Ihre zumeist jungen und gut ausgebildeten Offiziere waren an besonderen Schulterstücken und Tressen zu erkennen. Von plumper sozialistischer Propaganda hielten sie wenig. Politkommissare duldeten sie in ihren Reihen nicht. Diese Regimenter waren meist in vorderster Linie zu finden. Vor allem ihnen werden Äußerungen wie: »Die nach uns kommen,

sind schlecht« oder »Die nach uns kommen, sind Stalin-Schüler« zugeschrieben. Tatsächlich gab es in den nachrückenden Einheiten deutlich mehr Mitglieder der Kommunistischen Partei. Für das Ausmaß der Gewalt, das sie angewandt haben, mag es eine Rolle gespielt haben, dass sie für die offizielle Propaganda erreichbarer waren. Zudem fand das Bild vom »bösen Deutschen« immer wieder neue Nahrung. Der Anblick der befreiten Insassen der Konzentrationslager – am 27. Januar in Auschwitz – verstärkte den propagierten Eindruck, die Deutschen seien »totzuschlagende Bestien«, wie sie Ilja Ehrenburg bezeichnet hatte.
Solange der Krieg noch andauerte, verschleppten die Besatzer gefangene Frauen immer wieder in Lager. Berüchtigt war die Kaserne in Graudenz, wo viele der willkürlich Eingesperrten ihr Leben verloren. Der Leidensweg der Pommerin Sophie Charlotte Müller aus Groß-Garde begann am Gründonnerstag 1945. In mühsamen Märschen mussten sie und ihre Leidensgenossinnen nach Stolp laufen, wo die Sieger die Frauen für den Transport versammelten: »Hunderte von Frauen und Mädchen aus allen Kreisen Ostpommerns waren schon dort eingesperrt. In der katholischen Kirche verbrachten wir einen ganzen Tag, die Kirche war voll gestopft mit Frauen.« Die schneidende Kälte drang durch die zersprungenen Fenster. Hunger quälte die Frauen, die schon seit Tagen auf den Beinen waren, ohne etwas gegessen zu haben.
Aber die Not sollte noch lange nicht enden: »Wir wurden dann in eine Lagerhalle gebracht, die sich gegenüber der Kirche befand. Hier lagen wir vierzehn Tage lang auf einem kahlen Fußboden und litten unter Ungeziefer und ansteckenden Krankheiten«, erinnert sich Sophie Charlotte Müller. Die katastrophalen hygienischen Verhältnisse beschworen die Gefahr von Seuchen herauf: »Es gab weder Waschgelegenheiten noch Toiletten, die ganze Situation war einfach unerträglich. Dreimal am Tag durften wir austreten. In schnellstem Tempo mussten ich und einige hundert Frauen die schmale Holztreppe hinauf- und hinabsteigen. Dabei wurden wir von Wachen mit Stöcken angetrieben. Als Toiletten dienten lange Gräben. Im Magazin lagen wir im Kot der Typhuskranken, die auch nur dreimal am Tag austreten durften.« 75 Frauen pferchten die Besatzer in Viehwaggons, um sie auf die vier Tage währende Fahrt nach Graudenz zu schicken. Im Lager vegetierten 30 000 Deutsche wochenlang vor sich hin.

»Es war eine reine Frauengesellschaft« – der Alltag der Flüchtlingsfamilien war nur durch Organisationstalent zu meistern

Zweimal am Tag bekamen die gefangenen Frauen eine Mahlzeit aus den Schälabfällen von Zuckerrüben und schimmligem Brot. Den 1. Mai 1945, den Tag der Arbeit, begingen die sowjetischen Soldaten mit besonderer Inbrunst. Hitler hatte sich tags zuvor erschossen, der endgültige Sieg der Alliierten stand kurz bevor. Sophie Charlotte Müller und ihre Leidensgenossinnen mussten an jenem Tag frühmorgens auf dem großen Kasernenhof antreten, wo sie der diensthabende Kommandant in die Freiheit entließ. Neun Tage dauerte der Marsch der Frauen zurück in ihr Heimatdorf Groß-Garde. »Wir haben in Wäldern, Scheunen und Bahnhöfen übernachtet und auf Feldern und in Gärten nach etwas Essbarem gesucht. Viele Häuser standen leer und waren vollständig ausgeplündert. Andere hatten sich die Polen schon unter den Nagel gerissen, was an den rotweißen Fahnen zu erkennen war. An diese Türen klopften wir nicht. Wir wollten nicht Gefahr laufen, wieder festgenommen zu werden.«
Sophie Charlotte Müller kehrte aus dem Grauen des Lagerlebens in das Grauen eines Alltags zurück, den zu bewältigen längst

nicht mehr alle pommerschen Frauen in der Lage waren. Tausende nahmen sich in den folgenden Jahren das Leben, weil sie die erlittenen Demütigungen nicht ertragen konnten. Ärzte, die ihnen hätten helfen können, gab es kaum. Auch Abtreibungen waren so gut wie unmöglich. Allein in Stolp kamen zu Weihnachten 1945 etwa 600 so genannte »Russenkinder« zur Welt. »In Stolp gab es Selbstmorde am laufenden Band«, berichtet Gertrud Loeck, »wir haben versucht die Frauen mit Mund-zu-Mund-Beatmung wieder ins Leben zurückzuholen. Als ich einmal eine gerettete Frau fragte, ob wir sie lieber hätten sterben lassen sollen, antwortete sie: ›Es kommt darauf an, ob mein Mann aus dem Krieg zurückkehrt. Wenn nicht, wäre ich lieber gestorben.‹«

Keine Frau konnte das vergessen. Es hat zwölfjährige Mädchen genauso getroffen wie alte Großmütter von siebzig, achtzig Jahren. In unserem Keller hielten sich auch eine Großmutter, ihre Tochter und ihr Kind auf. Alle drei mussten daran glauben. Viele Frauen haben sich deshalb das Leben genommen.

Hildegard Gogolla,
Jahrgang 1914

Auch bei den Kindern hatten die vergangenen Monate ihre Spuren hinterlassen. »Sie spielten auf dem Hof ›Frau, komm mit‹. Wir dachten, wir hören nicht richtig. Paradox, aber es war so«, berichtete die Ärztin Katharina Schmidt später.

Etwa Mitte April 1945 dämmerte den sowjetischen Stellen, dass das Benehmen der Truppe kein günstiges Licht auf die kommunistische Sache warf. Die *Prawda* druckte die Artikel Ilja Ehrenburgs zwar noch ab, versah sie aber mit dem Zusatz, dass der Autor nicht die offizielle Meinung der Sowjetunion vertrete. Die Rote Armee würde zwar für die Vernichtung der Armee des Hitlerstaates und der Hitlerregierung kämpfen, ihre Aufgabe sei jedoch nicht die Vernichtung des deutschen Volkes. Etwa zur gleichen Zeit ließ der Oberbefehlshaber der 1. Weißrussischen Armee, Marschall Schukow, unter seinen Soldaten ein Flugblatt verbreiten, in dem er die Truppen aufforderte, das Morden, Brandschatzen und Vergewaltigen der deutschen Frauen zu unterlassen.

Aber auch die Frauen entwickelten Gegenstrategien. Einige flüchteten in die Wälder oder versteckten sich wochenlang in Kellern. Andere schwärzten ihr Gesicht mit Asche und Erde und verbargen die Haare unter abenteuerlichen Kopfbedeckungen. Bald merkten sie, dass der Ausruf »krank, krank!« einen gewissen Schutz bot. Vor den zwischenzeitlich grassierenden Geschlechtskrankheiten hatten auch sowjetische Soldaten gehörigen Respekt. Ließen sie sich nämlich mit einer venerischen Krankheit bei ihren Truppenärzten sehen, hatten sie strenge Strafen zu befürchten. Junge Mädchen lernten, sich im richtigen Moment zu übergeben, so dass den Angreifern jede Lust verging. Mut zum Widerstand führte ebenfalls zu Erfolgen: »Vor mir ging eine hübsche, blonde Frau, eine richtige nordische Schönheit. Da kam ein Russe und wollte sie aus der Gruppe rausreißen. Sie stellte sich hin, breitete die Arme auseinander und sagte: ›Schieß doch, schieß.‹ Der Russe war so perplex, dass er von ihr abließ«, beobachtete Rita Scheller bei einem Arbeitseinsatz. Während einer der zahlreichen Plünderungen wollte ein Soldat auch sie in ein Nebenzimmer zerren: »Ich habe ihm einfach auf die Finger geschlagen. Da war völlig er baff und hörte auf.«

Beim Einmarsch auf deutschen Boden durften die russischen Soldaten nicht mehr durch antideutsche Propaganda angeheizt werden. Es musste auf widerrechtliche Handlungen Einfluss genommen werden, die leider gegenüber der Zivilbevölkerung vorkamen. Die Täter wurden dann aber verfolgt, bestraft und sogar vor Gericht gebracht.

Grigorij Michailowitsch Iwanitzkij, Aufklärungschef in einem Artillerieregiment

Die Brutalität ihrer Untergebenen war auch den sowjetischen Kommandeuren mitunter peinlich. Wenn Frauen die Täter bei Offizieren der Roten Armee anzeigten, kam es auch vor, dass sie die Übeltäter auf der Stelle erschossen. Eine Frau, die mit dabei war, als Groß-Dubberow im Kreis Belgard eingenommen wurde, berichtet von einem sowjetischen Offizier namens Micha, der ihr das Leben gerettet hatte: »Dieser Russe Micha erwies sich als wahrer Mensch. Er schützte uns vor den Gewalttaten, indem er uns Zettel gab, die wir den Russen vorzeigen sollten. Er ließ uns auch mit Milch, Fleisch und Mehl versorgen.« Sobald der großherzige Offizier jedoch einmal nicht anwesend war, vergriffen sich sowjetische Soldaten an den Frauen und Kindern aus Groß-Dubberow. »Vier betrunkene Russen drangen bei mir ein, um mich erneut zu vergewaltigen«, schildert die Augenzeugin weiter. »Ich bekam vor Schreck und Aufregung schwere Herzkrämpfe. Meine Kinder und meine Schwester schrien laut und sagten, dass ich krank sei. Daraufhin meinte der eine Russe, wenn ich krank sei, wäre ich zu nichts weiter nütze, und zog den langen Dolch, um mich zu erstechen. Einer unserer deutschen Männer aus dem Dorf, der Treckführer Frende, warf sich dazwischen und wäre beinahe selbst diesen Unholden zum Opfer ge-

»Pommern lebt in den Herzen weiter.« Großeltern und Enkelkind haben die Flucht überlebt

fallen. Im Augenblick höchster Not kam der Russe Micha und rettete uns.«

Eine Frau in Stolp griff zu einer List, mit der sie die Vergewaltiger austrickste: »Mutter wusste, dass die Russen, wenn sie Freizeit hatten, in die Häuser stürmten, in denen junge Frauen wohnten. Mutter wusste aber auch, mit welchem Signal die Soldaten in ihre Kasernen zurückgerufen wurden. Das war dreimal hintereinander folgende Tonfolge auf der Trillerpfeife: zweimal kurz oder zweimal lang und einmal kurz. Und so ist Mutter einfach auf den Balkon gegangen und hat diese Töne nachgetrillert. Dann konnte sie beobachten, wie die Soldaten, die schon in den Häusern waren, wieder hinausstürmten und in ihre Kaserne zurückrannten. Das war eine bravouröse Tat«, erinnert sich Elisabeth Kath.

Die russischen Soldaten kamen manchmal mit gestohlenen Hühnern an, die wir für sie kochen sollten. Sie haben uns dann nicht mehr angefasst.

Erna Schützeck,
Kreis Rummelsberg

Mit der Zeit gab es auch deutsch-russische Paare, in deren Umfeld andere deutsche Frauen Schutz fanden. Wer für die neuen Herren arbeitete, konnte sich nahezu sicher fühlen.

Die misshandelten Opfer schwiegen zunächst und verdrängten das Erlebte. »Keine von den Frauen hat über das ihr zugefügte Leid gesprochen. Sie waren irgendwie total verstummt«, beschreibt Libussa Fritz-Osner die Situation in der ersten Zeit danach. Die Kirchengemeinden waren ohne Priester. Es gab nur wenige Ärzte und kaum Hebammen, die den Frauen, die Geschlechtskrankheiten hatten oder ungewollt schwanger geworden waren, in ihrer Not hätten helfen können. Erst nach einiger Zeit begannen die Frauen, einander Trost zu spenden. Libussa Fritz-Osner hatte kurz nach der Rückkehr ihr Kind geboren. Dadurch war sie zunächst einmal sicher vor den Zudringlichkeiten der Sieger, die Frauen mit Kleinkindern in der Regel in Ruhe ließen. Dies und ihre Stellung als Adelige machten sie auch zur bevorzugten Ansprechpartnerin der geschundenen Frauen. Aus der Umgebung von Stolp ist eine eigentümliche Sprachregelung bezeugt, mit der die Frauen den Vorgang der Vergewaltigung umschrieben. »Ich hab müssen bekennen«, trug eine nach der anderen der jungen Mutter Libussa Fritz-Osner vor. Warum sie den Begriff »bekennen« in diesem Zusammenhang benutzten, ist unbekannt.

Die durchlittene Vergewaltigung thematisierten die betroffenen Frauen, wenn sie dazu in der Lage waren, meist nur untereinander. Verdrängen ließ sich das Erlebte kaum, selbst wenn die Frauen jenseits der Oder wieder sicheren Boden unter den Füßen hatten. Gabi Köpp erinnert sich: »Wenn wir über dieses Thema mit anderen Betroffenen sprachen, dann mussten wir immer weiter erzählen. Wenn wir sagten: ›Wir wollen nicht mehr, wir wollen nicht mehr daran erinnert werden, wir wollen's vergessen, wir leben jetzt und wir sehen zu, wie wir durchkommen‹, ja dann ging's in die Träume.«

Eine der ganz großen Herausforderungen, sich mit den schrecklichen Erlebnissen auseinander zu setzen, stand den meisten Frauen noch bevor. Ihre Männer kamen oft erst Monate, manche sogar erst Jahre später aus der Kriegsgefangenschaft zurück. »Was ist mit meinen Büchern?«, fragte der Mann von Christel Jolitz, als sie ihn endlich wiedersah. Kein Wort über das, was sie ihm zuvor schon in einem Brief geschildert hatte. Wollte er sie schonen? Oder selber das Berichtete verdrängen? Erst langsam fand das Ehepaar wieder zueinander. »Da gab es natürlich erst einmal keine Hingabe, kein richtiges Eheleben. Wir hatten auch gar nicht das Bedürfnis. Ganz vorsichtig haben wir uns an ein normales Leben herangetastet. Ja, wir haben abends beieinander gesessen, uns in die Arme genommen und über Sachen gesprochen, die uns unmittelbar betrafen.« Später hat das Ehepaar Jolitz wieder eine Tochter bekommen.

Erhard Groll, der sich während der Besetzung von Stolp in einem Keller versteckt hatte, erinnert sich an tiefe Depressionen, die die betroffenen Paare quälten: »Sie durchlitten diese große Traurigkeit und erst nach Tagen ging es wieder ein wenig besser. So war es jedenfalls bei den Leuten, die ich kannte. Sie haben sich dann damit getröstet, dass sie im Vergleich noch gut davongekommen seien, dass die Frauen zwar vergewaltigt worden, aber nicht schwanger geworden seien.« Welche seelischen Verstümmelungen die meisten Männer davongetragen haben, lässt sich aus einer anderen Beobachtung von Erhard Groll schließen: »Die Männer haben eher indifferent reagiert. Als ehemalige Soldaten hatten sie sich schon mit einigem abfinden

Wir haben das Thema Vergewaltigung verdrängt. Ich bedaure sehr, dass ich mit meiner Mutter nicht darüber gesprochen habe. Vom Verlust der Heimat hingegen wurde oft gesprochen.

Gisela Jahn, Naugard

»Ich habe so ein wunderschönes Land verloren.«
Der Schmerz über den Verlust der Heimat wirkt nach

müssen. Sie haben das Geschehene hingenommen. Man könnte auch sagen, sie waren ein bisschen indolent.« Bei Tausenden von Frauen aber sind die Wunden nie geheilt.

Ab April 1945 und verstärkt nach Kriegsende im Mai überließen die Sowjets die Verwaltung der besetzten Gebiete polnischen Behörden. Aus Weißrussland und der Ukraine, deren westliche Bezirke vor dem Krieg zu Polen gehört hatten, strömten nun rund 1,5 Millionen Menschen polnischer Abstammung in die deutschen Ostgebiete, um sich dort niederzulassen. Die Mehrheit der Zurückgebliebenen hatte zunächst noch gehofft, nach dem Krieg den eigenen Besitz wieder aufbauen und in der Heimat weiterleben zu können. Die Realität belehrte sie eines anderen. »Wir wussten, die Polen kommen im Gefolge der großen Armee und wollen uns für immer von hier vertreiben«, erinnert sich die Pommerin Rita Scheller an jene Tage.

Die Vertreibung war bereits beschlossene Sache – aber bis es so weit war, wollten Polen und Sowjets die Arbeitskraft der verbliebenen Deutschen für sich nutzen. »Ich musste mich im Amt melden, in dem nun die Polen saßen; dann holten uns irgendwelche Leute ab, für die wir dann arbeiten mussten. Wir bekamen zunächst nichts bezahlt. Ich habe Mist gestreut und Wäsche gewaschen«, erzählt Gabi Köpp über ihre Einsätze. Die polnische Verwaltung verpflichtete die Frauen, zweimal wöchentlich für den »polnischen Staat« zu arbeiten. »Morgens um sieben Uhr musste ich mich beim polnischen Bürgermeister melden, und dann ging es unter Aufsicht truppweise zur Arbeitsstelle. Die Aufseher waren polnische Burschen mit Gewehren und Gummiknüppeln. Wenn sich jemand ein bisschen ausruhte oder gerade reckte, gab es sofort mit dem Gummiknüppel eins drauf«, erinnert sich Sophie Charlotte Müller aus Groß-Garde im Kreis Stolp an die Schreckenszeit.

Wir haben ja dem polnischen Volk auch viel, viel angetan. Daraus resultierte natürlich eine starke Abneigung, wenn nicht sogar Hass. Der Versöhnungsprozess ist immer noch im vollem Gange. Die Polen wurden ja auch vertrieben.

Gisela Jahn, Naugard

Die sowjetischen Besatzer hatten zahlreiche Güter inzwischen als Kolchosen organisiert auf denen sie die deutschen Frauen arbeiten ließen. Wenn diese von der Arbeit heimkehrten, kam es durchaus vor, dass sie von polnischen Bauern aufgegriffen und auf deren Felder geschleppt wurden. Dort mussten sie dann zusätzlich oft tagelang schwere Arbeit verrichten, ohne dass die Angehörigen Nachricht über ihren Verbleib erhielten. Oder die sowjetische Militärverwaltung ließ die Frauen Schienenstrecken und Fabrikanlagen abmontieren. Oder die Frauen mussten die Leichen, die zu Zigtausenden in den Städten und auf den Schlachtfeldern lagen, begraben – körperliche und seelische Schwerstarbeit unter mörderischen Bedingungen. Als Lohn erhielten sie ein Pfund Erbsen oder 400 Gramm Brot pro Tag.

Auf den Schultern der Frauen lastete die gesamte Organisation des Alltags. Von ihren Rationen mussten sie die Familien ernähren, auch die Männer, die sich zum Teil noch versteckt hielten – aus Angst, von Sowjets oder Polen als Kriegsteilnehmer oder Parteimitglieder verdächtigt und willkürlich getötet zu werden. Auf 80 Prozent schätzt der damals 19 Jahre alte Erhard Groll den Frauenanteil in seiner Heimatstadt Stolp. »Die Leistung der Frauen bestand darin, dass sie die Rollen der Männer mit übernahmen. Die Männer waren nicht da, sie waren Soldaten oder saßen in Kellern und auf Hausböden und zeigten sich nicht. Die Frauen mussten zum Beispiel die Straßen fegen – eine bei den Russen sehr populäre Arbeit, die sie unter dem Stichwort ›Kultura‹ verbuchten. Die Frauen mussten für Lebensmittel sorgen und das spärliche Angebot in etwas Essbares umsetzen. Dabei haben sie große Phantasie entwickelt und dazu beigetragen, dass nicht die ganze Bevölkerung verhungerte.«

In allererster Linie galt es, die Ernährung der zurückgebliebenen deutschen Bevölkerung sicherzustellen und eine einfache Grundversorgung mit Medikamenten und medizinischen Dienstleistungen einzurichten. Frauen setzten in ihrer meist auf die Sonntage beschränkten Freizeit da und dort die Dorfbäckereien wieder in Gang und beschafften gemeinsam Lebensmittel. Sobald der Frost das Land aus seiner eisernen Faust entließ, gingen sie mit Rucksäcken auf die Felder und öffneten die Kartoffelmieten. Sie pflückten Beeren, Löwenzahn und Sauerampfer und suchten Pilze. Junge Brennnesseln dienten als Babynahrung, aber ihr Nährwert war gering, so dass sich die Kleinkinder körperlich zu langsam entwickelten. Die Stadtbewohnerinnen bettelten auf den

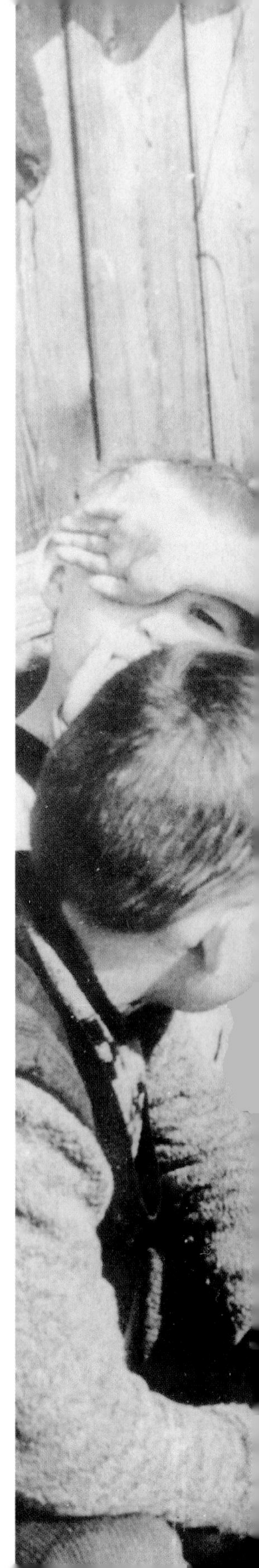

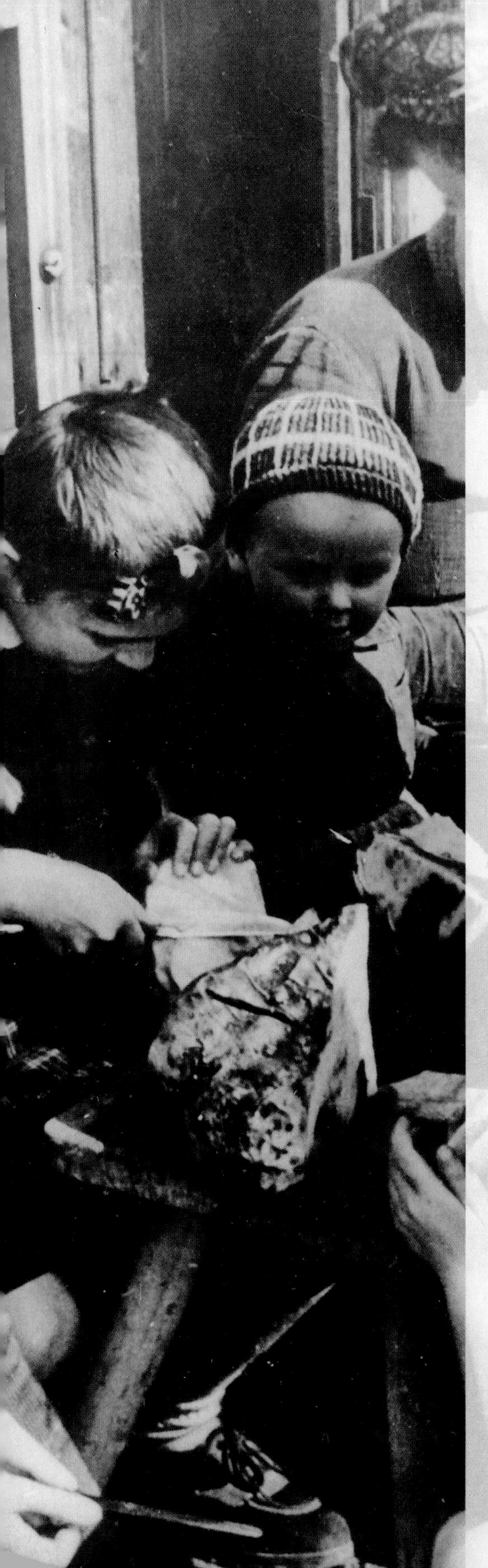

Meine Mutter wurde sehr krank. Zunächst war es sicherlich nur eine körperliche Schwäche durch die ungewohnte Arbeit und Unterernährung. Wenn ich gewusst hätte, wie schlimm es wirklich steht, hätte ich sicherlich nicht so viel leisten können. Ich habe sie gepflegt, so gut ich konnte. Ich frage mich heute, wie ich das geschafft habe. Ich war ja erst dreizehn.

Gisela Jahn, Naugard

»Wir trafen auch Russen, die uns halfen.«
Jedes Stück Brot war überlebenswichtig

Dörfern, wo die Versorgung etwas besser war, um Eierschalen. Die mischten sie unter den Brennnesselbrei, damit die Kinder zahnten. Mit dem wenigen, was die Menschen noch an persönlicher Habe besaßen, bestachen Mütter die Bauern, um etwas von der streng rationierten Milch zu bekommen. Und sie stahlen wie die Raben: »Ich habe in jenem Sommer 1945 drei Babys gesehen, die verhungert waren. Da habe ich mir gesagt, meinem Kind widerfährt so etwas nicht. Irgendwie bringe ich meine Tochter schon durch. Dann bin ich eben klauen gegangen«, erzählt Libussa Fritz-Osner. Ziel der »Raubzüge« waren übrigens meist die eigenen Gärten, die nun aber von Polen bewirtschaftet wurden. Aus den Häusern ihrer geflohenen Landsleute holten die Frauen zurückgelassene Konserven.

Die Gesundheitsversorgung war vollständig zusammengebrochen. Aus den Trümmern der Apotheken sammelten die Menschen die verbliebenen Arzneimittelbestände und versuchten damit zu helfen, so gut es ging. Aber es reichte nicht, um jedes körperliche Leid zu lindern: »Man bekommt ein dickes Fell. In der Apotheke standen permanent dreißig, vierzig Leute vor dem Tresen und warteten darauf, dass ihre Rezepte eingelöst wurden. Alles war rezeptpflichtig, selbst Läusepulver. Und, weil es zu wenig Arzneimittel gab, musste ich entscheiden, wer was am nötigsten brauchte. Ich kam mir vor wie ein Richter, der über das Schicksal von Menschen zu entscheiden hatte«, berichtet der ehemalige Apothekenhelfer Erhard Groll. Als Nichtmediziner fühlte er sich in der damaligen Situation völlig überfordert.

Meine beiden Schwestern sind einmal mit unserem Hund in ein Nachbardorf gegangen, um dort Milch zu holen. Unterwegs ist der Hund einfach abgehauen. Als er wieder angerannt kam, hatte er ein Stück Speck in der Schnauze. Da hatten wir endlich etwas zu essen. Wir hatten solchen Hunger, dass es uns völlig gleichgültig war, dass der Hund zuvor den Speck in der Schnauze hatte.

Isis von Puttkamer,
geb. von Zitzewitz, Stolp

Die hygienischen Zustände waren grauenhaft. In den Häusern verwesten die Leichen der Menschen, die sich das Leben genommen hatten. Die neuen Machthaber hielten Tausende in Kellern gefangen, die dort kläglich vor sich hin vegetierten. »In einer Ecke haben sie gelegen, in der anderen mussten sie ihre Notdurft verrichten. Da waren Krankheiten vorprogrammiert«, beschrieb die Ärztin Katharina Schmidt die Misere. Und dann – im Mai 1945 – kam der Typhus, der durch Läuse übertragen wurde. Die Krankheit begann mit leichten Kopfschmerzen und bleierner

Müdigkeit. In der zweiten Woche nach der Infektion bekamen die Patienten leichtes Fieber, das dann bis auf vierzig Grad anstieg. Auf der Haut bildeten sich Roseolen, die so genannten Typhusflecken. Wässrige Durchfälle zehrten die ohnehin geschwächten Körper aus. Die Seuche verbreitete sich schnell.
Die wenigen verbliebenen deutschen Ärztinnen und Ärzte kämpften mit Krankenschwestern und Pflegerinnen aufopferungsvoll gegen die Epidemie. Die sowjetischen Besatzer erlaubten ihnen, in Schulen oder Altenheimen kleine Landkrankenhäuser einzurichten. Wie die Menschen im Mittelalter die von der Pest Befallenen auf Karren aus den Städten fuhren, brachten mutige Helferinnen und Helfer die Infizierten auf Leiterwagen in diese Krankenstationen. Groß war die Zahl derer, die sich dabei ansteckten und starben.
In den ländlichen Gebieten noch weit verbreitetes, uraltes Wissen um die verborgenen Kräfte von Pflanzen half, die Knappheit an Medikamenten auszugleichen. Frauen sammelten im Moor Torfmoos, das als Verbandsmaterial zu gebrauchen war. Aus ausgekochter Eichenrinde stellten sie Salben für die weit verbreitete Furunkulose her. Andere suchten Heilkräuter und giftige Gewächse, zum Beispiel Fingerhut. »Digitalis, das aus dem Fingerhut gewonnen werden kann, war damals das wichtigste Herzmittel. Die Vorräte, die wir noch hatten, waren schnell aufgebraucht. Das Hospital brauchte sie zur Unterstützung der Herztätigkeit von Typhuspatienten. Unsere jungen Mädchen sind unter Begleitschutz von zwei Russen in den Wald gegangen und haben Fingerhutblätter gesammelt. Sie brachten einen ganzen Sack voll. Wir haben daraus mit Alkohol Tinktur hergestellt. Diese Digitalistropfen musste der Patient dann so einnehmen. Wir hatten den Eindruck, dass sie uns ganz gut gelungen waren, aber Beweise dafür haben wir natürlich nicht«, schildert Erhard Groll die primitiven Verhältnisse der medizinischen Grundversorgung.

Wir hatten alle Läuse. Ich hatte damals lange, dicke Zöpfe und die mussten mir wegen der Läuse abgeschnitten werden. Mein Kopf war eine einzige Eiterbeule. Später wuchsen mir am Hinterkopf keine Haare mehr.

Gisela Jahn, Naugard

Dass die Menschen im Elend wieder das Ende eines Fadens aufnahmen, an dem entlang sie sich in eine – wenn auch ungewisse – Zukunft zu hangeln vermochten, daran hatten die Frauen den größten Anteil: »Sie waren ja in der Regel Hausfrauen, die sich um Haushalt und Kinder kümmerten. Wer vier Kinder hatte, hatte Anspruch auf ein Pflichtjahrmädchen, das einem Arbeit abnahm. Außerdem hatten die meisten eine Waschfrau. Das war fast bis Kriegsende so üblich. In der Stadt ging es einem ja schon ziemlich gut. Es gab fließend Wasser, Bad und eine Innentoilette. Plötzlich nun war alles, was es an zivilisatorischen Errungenschaften gegeben hatte, weggebrochen. Die Frauen mussten das Holz für den Ofen und den Herd selbst sägen und hacken. Sie mussten Wasser von weit her holen. Sie mussten aus nichts Essen für die Familie bereiten. Aber das alles konnte nur in der Freizeit geschehen, denn sie hatten ja außerdem noch einen vollen Arbeitstag als Kolchosearbeiterin zu absolvieren, eine Arbeit, bei der sie von den Aufsehern ganz schön herumgescheucht wurden. Nachts dann mussten sie auf die Felder, um irgendwo ein paar Kartoffeln oder einen Kohlkopf zu klauen. Für eine zarte, städtische Lehrersfrau war das doch schon eine gewaltige Leistung«, stellt Rita Scheller rückblickend fest.

Bald machten Gerüchte die Runde. »Wir werden vertrieben«, flüsterten sich die Deutschen zu. Am Sonntag, dem 24. Juni 1945, war es für die deutschen Bewohner von Naugard dann so

»Unter primitivsten Bedingungen« – Essenszubereitung unter freiem Himmel

weit. »Antreten morgens um halb sechs Uhr auf dem Marktplatz«, lautete der Befehl der polnischen Verwaltung. Zu Fuß sollten sie bis an die Oder laufen. Nicht alle haben die Strapazen dieses Marsches überlebt. Ähnliche Vorgänge spielten sich nun überall entlang der neuen Grenzen ab. Die brutale Phase der unorganisierten Vertreibungen hatte begonnen, mit der Polen und Sowjets noch rechtzeitig vor der Potsdamer Konferenz so viele Deutsche wie möglich nach Westen schaffen wollten.

»Wir wussten ja nicht, dass wir für immer die Heimat verlassen mussten.« Ratlosigkeit stand am Ende vieler Fluchtwege

Am grünen Tisch der Konferenz in Schloss Cecilienhof tappten der amerikanische Präsident und der britische Premier noch immer im Dunkeln. Die polnische Regierung gab an, dass in den nun von ihr verwalteten Gebieten noch eine bis anderthalb Millionen Deutsche lebten. Und die würden nach der Ernte freiwillig gen Westen ziehen. Tatsächlich hielten sich wohl noch zwischen vier und fünf Millionen Deutsche östlich von Oder und Neiße auf. Am Ende stimmten die westlichen Alliierten dem Artikel 13 des Potsdamer Protokolls zu: »Die drei Regierungen haben die Frage unter allen Gesichtspunkten beraten und erkennen an, dass die Überführung der deutschen Bevölkerung oder Bestandteile derselben, die in Polen, der Tschechoslowakei und Ungarn zurückgeblieben sind, nach Deutschland durchgeführt werden muss. Sie stimmen darin überein, dass jede derartige

Überführung, die stattfinden wird, in ordnungsgemäßer und humaner Weise erfolgen soll.« Damit begann die Phase der nunmehr vertraglich abgesicherten Umsiedlung. Es sollte ein weiteres Kapitel in der Schreckensgeschichte der Vertreibung werden. Der Zug nach Stettin rollte auf freier Strecke aus und hielt an. In den hinten angehängten Viehwaggons drängten sich um die vierhundert Frauen und Kinder. Die Rolltüren rasselten auf und polnische Männer stürmten in die Wagen. Sie prügelten wahllos auf die Flüchtlinge ein und raubten ihnen ihre letzte Habe. In einer Ecke saß Libussa Fritz-Osner, die sich im Westen umsehen wollte, um eine spätere Ausreise der ganzen Familie vorzubereiten. Mehrmals wiederholte sich das traurige Spiel: Der Zug stoppte an vermutlich zuvor abgesprochenen Stellen. Polen drangen ein, schlugen und raubten, bis die Menschen nur noch besaßen, was sie am Leibe trugen. Aber die Plünderer wollten alles. Nach der Ankunft auf dem Bahnhof der ehemaligen Zuckerfabrik in Scheune bei Stettin wurden die Frauen aufgefordert, sich zu entkleiden: »Hinter einem Wandschirm mussten wir uns nackt ausziehen. Die Milizsoldaten haben dann sämtliche Nähte aufgetrennt, denn die wussten natürlich ganz genau, dass die Frauen Geld und Schmuck in die Kleidung eingenäht hatten. Danach kam das Kommando zum Anziehen. Wir sammelten auf, was noch übrig war, und zogen uns das über. Anschließend mussten wir noch, das war das Verrückte, unterschreiben, dass wir alles ordnungsgemäß abgeliefert hatten. Dieses Wort ›ordnungsgemäß‹, fand ich, war der reine Hohn«, beschreibt Libussa Fritz-Osner die Schrecken von Scheune.

Meine Mutter hat uns eigentlich immer Mut gemacht und nie von den schrecklichen Dingen gesprochen. Auch wenn es uns schlecht ging und wir nichts zu essen hatten, hat sie immer gesagt: »Kommt Zeit, kommt Rat. Der liebe Gott wird uns weiterhelfen.« Und sie hat Recht behalten.

Isis von Puttkamer,
geb. von Zitzewitz, Stolp

Während ihre Leidensgenossinnen nicht den Mut aufbrachten zu fliehen, verbrachte die junge Frau die bitterkalte Nacht Anfang Februar 1946 in einem abgeschossenen deutschen Panzer in der Nähe. Es war ihr Glück: »Ich habe am nächsten Morgen erfahren, dass viele Frauen vergewaltigt worden waren.« Alle, die über Scheune in die sowjetische Besatzungszone ausreisen mussten, haben ähnliche Erfahrungen mit der »ordnungsgemäßen und humanen Umsiedlung« gemacht. Bis zum letztmöglichen Moment drangsalierten die Plünderer die Menschen auf der Flucht.

»Diese Zeit hat uns eng aneinander gebunden.«
Familie nach überstandener Flucht

Eine Frau erinnerte sich: »Als wir über die Oder im Güterwagen fuhren und auch dort Polen die Leute beraubten, haben sich die Frauen zur Wehr gesetzt. Eine Frau hat den Polen Pfeffer in die Augen gestreut. Ein anderer Pole hat dann diese Frau gepackt und in die Oder geworfen. Ihre Schreie höre ich heute noch.« Nach diesen schrecklichen Ereignissen kam so mancher betroffenen Frau der Anblick deutscher Eisenbahnschaffner jenseits der Grenze wie ein Wunder vor: »Dass es deutsche Männer gab, die

»Trotz aller Schrecken gab es eine Zukunft.« Mutter und Kind haben Trecks und Kälte überlebt

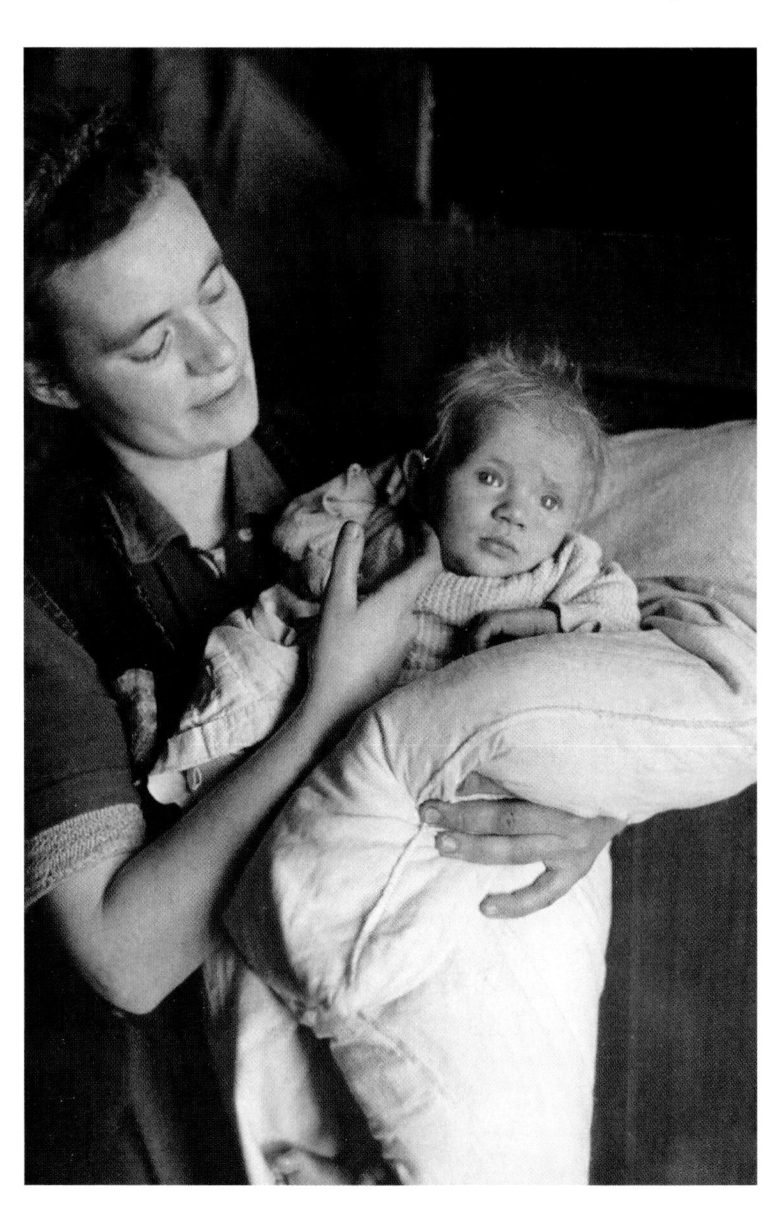

Uniformen tragen durften und Respektspersonen waren, konnte ich mir überhaupt nicht mehr vorstellen«, erinnert sich die Pommerin Rita Scheller an die ersten Eindrücke in Deutschland.
Dem inzwischen abgewählten britischen Premier Winston Churchill war bewusst, dass Stalin ihn und Truman in Potsdam über den Tisch gezogen hatte. Am 5. März 1946 sagte er bei einer Ansprache im Westminster College von Fulton/Missouri: »Die von den Russen gegängelte polnische Regierung ist ermutigt worden, sehr umfassende und widerrechtliche Übergriffe gegen Deutschland zu unternehmen, und jetzt finden Massenvertreibungen von Deutschen in einem ungeahnten Ausmaß statt.« Tatsächlich hatten die Sowjetunion und die mit ihr verbündeten Regime in Polen, der Tschechoslowakei, Ungarn, Rumänien und Jugoslawien eine regelrechte »ethnische Säuberung« eingeleitet, in deren Verlauf sie nahezu alle Deutschen aus ihren angestammten Siedlungsgebieten vertrieben. Hitlers Angriff auf die halbe Welt hatte den Hass auf alles Deutsche schier ins Grenzenlose anschwellen lassen. Der tschechoslowakische Informationsminister hatte die Stimmung in einer Rede am 28. Juli 1945 auf den Punkt gebracht: »Wir werden alle Deutschen vertreiben, wir werden ihren Besitz beschlagnahmen, wir werden nicht nur die Städte, sondern das ganze Gebiet entdeutschen..., so dass der siegreiche Geist des Slawentums das Land von den Grenzgebieten bis ins Innere durchdringt.« Die Zeit hatte der Sprache einen bösen Stempel aufgedrückt.

Er, der meinte, der deutsche Lebensraum sei zu klein, er, der ausgezogen war, ihn zu erweitern, hatte Millionen Deutscher ihrer vielhundertjährigen Heimat beraubt und Deutschland auf ein Minimum reduziert.

Marion Gräfin Dönhoff, »Ritt durch Pommern«, über Hitler

Beeindruckend hat der schwedische Journalist Stig Dagermann 1946 das Eintreffen der zahllosen Flüchtlinge im Westen geschildert: »Den ganzen Herbst über kamen Züge mit Ostflüchtlingen in den Westzonen an. Zerlumpte, hungrige und unwillkommene Menschen drängelten sich in dunklen stinkenden Bahnhofsbunkern oder in hohen fensterlosen Riesenbunkern, die wie viereckige Gasbehälter aussehen und wie gewaltige Denkmäler über die Niederlage in den zusammenstürzenden deutschen Städten herausragen. Diese äußerlich bedeutungslosen Menschen prägten trotz ihres Schweigens und ihrer passiven Unterwerfung mit dunkler Verbitterung diesen deutschen Herbst. Sie wurden gerade dadurch bedeutungsvoll, dass sie kamen und nie zu kommen aufhörten, und durch ihre hohe Anzahl. Sie wurden bedeutungsvoll, vielleicht nicht trotz ihres Schweigens, aber wegen ihres Schweigens. Denn nichts, was geäußert werden kann, kann so drohend erscheinen wie das Unausgesprochene.«

Doch die Neuankömmlinge aus dem Osten ließen sich nicht unterkriegen. Millionen von Flüchtlingen wollten sich nicht deklassieren lassen, wollten es trotz allem zu etwas bringen. Und es waren oft die Frauen, die ihre Männer wieder aufrichteten. Der Pommer Christian Graf von Krockow erinnert sich: »Die Frauen haben ihren Männern eingeredet, manchmal wider besseres Wissen: ›Es kommt auf dich an, du musst jetzt wieder im Beruf deinen Mann stehen, wie man so schön sagt. Oder sie haben gesagt, von dir hängt jetzt alles ab, ob wir wieder hochkommen.‹ Da haben die Frauen manchmal wirklich nicht die Lüge gescheut. Am Ende haben's die Männer dankbar geglaubt.«

Heute sind die Wunden von Flucht und Vertreibung weithin vernarbt. Die überwältigende Mehrzahl der noch lebenden Vertriebenen hat sich damit abgefunden, dass die alte Heimat Teil des zusammenwachsenden Europas sein wird und somit ein Stückchen näher liegt als bisher. »Ich bin dankbar, dass ich hier glücklich lebe und mich wohl fühle, und ich bin dankbar, dass ich eine ›Kinderheimat‹ habe, die ich immer wieder besuchen kann«, sagt die Pommerin Rita Scheller. Sie beneidet ihre Landsleute, die Polen nach dem Krieg nicht verlassen haben, keineswegs: »Ich weiß, dass die Menschen, die geblieben sind, mehr Heimweh haben als wir, weil Heimat ja auch immer bedeutet, dass man mit Menschen seinesgleichen zusammen sein kann. Wenn diese Menschen fehlen, dann ist die schönste Landschaft nur etwas für die Ferien. Dort reist man zwar gerne hin, aber auf Dauer möchte man nicht dort leben.«

Die Heimat stiftenden Gemeindeverbände leben heute westlich der Oder. Da viele Dorfbewohner gleichzeitig geflohen beziehungsweise später gemeinsam vertrieben worden waren, sind viele Beziehungen innerhalb der ehemaligen Dorfgemein-

Manchmal hielten wir an Bahnhöfen. Es war aber viel zu gefährlich, eine Toilette aufzusuchen, denn man wusste ja nie, wann der Zug weiterfahren würde. Wir konnten uns allenfalls hinter die Büsche am Bahndamm hocken. Irgendwann hatten wir uns dann mit dem Lokführer abgesprochen. Er pfiff zweimal mit seiner Lokomotive, bevor er wieder losfuhr, und so konnten wir beruhigt einen kleinen Moment aussteigen.

Sigrid Wehner, Naugard

»Der Neuanfang war schwer.«
Erschöpfte Flüchtlinge nach ihrer Ankunft im Westen

»Am Ende ihrer Kräfte« – nach der Ankunft in einem Flüchtlingslager

schaften noch intakt. In der neuen Heimat versuchen vor allem Ältere, hin und wieder aber auch die Jüngeren, die Erinnerung zu bewahren.

Dass die verlorene Heimat in Ostpreußen, Pommern, Schlesien, dem Sudetenland, dem Banat und Siebenbürgen in den Herzen der Menschen weiterlebt, ist vor allem auch den Frauen zu verdanken, die ihre Kultur als unsichtbares Fluchtgepäck mit sich getragen haben. So sieht es auch die Pommerin Rita Scheller: »Die Heimat ist ja nicht irgendein hohler Begriff, sondern setzt sich aus vielen kleinen Puzzleteilchen zusammen. Etwa aus den speziellen Koch- und Backrezepten oder den weihnachtlichen Sitten, die in der Familie weiter gepflegt werden. Die Frauen sind es ja auch, die die Geschichten erzählen. Es waren die Großmütter, die uns wie durch einen Tunnel den Blick in die ferne Vergangenheit ermöglichten. So ist alles lebendig geblieben. Meine Tochter kennt ein paar Sprichwörter und Redensarten, die typisch pommerisch sind. Sie hat sie alle von meiner Mutter gelernt. Damit ist sie auch im Westen noch ein Stück pommerisch geblieben.«

Die schlimmen Erinnerungen kommen von Zeit zu Zeit auf. Ich versuche sie dann wieder zu verdrängen. Ich hoffe nur, dass die Menschheit endlich vernünftig wird und endlich Frieden auf der ganzen Welt herrscht.

Isis von Puttkamer,
geb. von Zitzewitz, Stolp

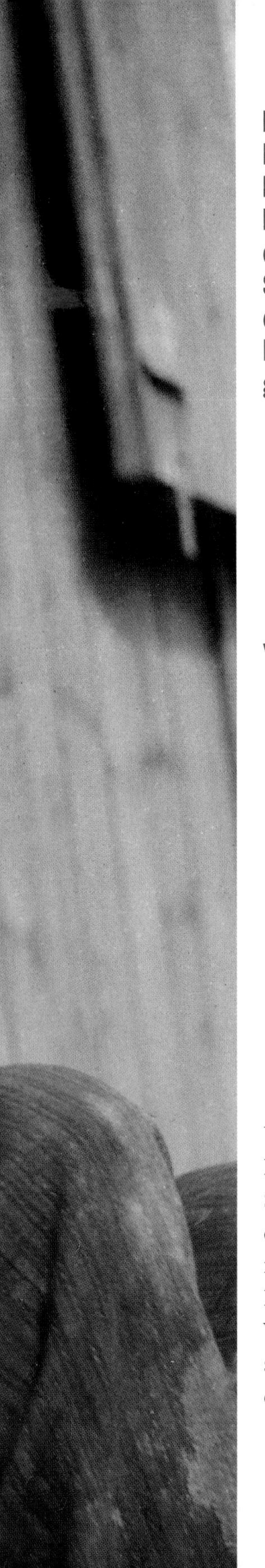

In Tschechien gibt es Stellen in der Landschaft, an denen unbeteiligte Beobachter nichts Auffallendes bemerken. Nur Eingeweihte wissen, dass hier einmal ganze Dörfer und Städte standen. Mit der Vertreibung der Sudetendeutschen am Ende des Krieges sollten auch diese Spuren getilgt werden.

Die verlorene Heimat

Überall auf den Schienen und dem dunklen Schotter des Bahndamms lagen weiße Stoffstücke. Langsam rollte der Zug aus der Tschechoslowakei über die Grenze nach Deutschland. Und wieder flatterten Hunderte weiße Armbinden aus den Waggons. Margit Staar war erleichtert, als sie endlich das verhasste Stück Stoff aus der Waggontür schleudern konnte: »Wir

»Das tat uns alles unendlich weh.«
Sudetendeutscher nach der Vertreibung

haben nicht geweint oder geschluchzt – wir haben einfach unsere Armbinden hinter der Grenze heruntergerissen und weggeschmissen.« Ein symbolischer Akt der Befreiung nach Monaten der Drangsalierung, Erniedrigung und Stigmatisierung. Wie alle Deutschen hatte auch die junge Frau aus dem kleinen Ort Duppau im Sudetenland auf Anweisung der tschechischen Regierung jenes Stück Stoff mit dem schwarzen »N« tragen müssen. »N« für »Němec«, Deutsch.

Der Zwang zum Tragen der weißen Binde stand für eine Politik der kollektiven Bestrafung. »Das ganze deutsche Volk ist für Hitler, Himmler, Henlein und Frank verantwortlich, und das ganze Volk muss auch die Strafen für die begangenen Verbrechen tragen«, konnte man kurz nach der Kapitulation der deutschen Wehrmacht im Mai 1945 in einer tschechischen Propagandaschrift lesen. Und das sollte keine leere Drohung bleiben: »Die Tschechen haben uns spüren lassen, dass wir Deutsche sind und die Hypothek für alles, was unter Hitler passiert ist, zu zahlen haben«, erinnert sich der heute über achtzigjährige Anton Ott. Die deutsche Minderheit in der wieder

»Heute steht nichts mehr.«
Die Treppe zum ehemaligen Kloster ist das einzige Überbleibsel von Duppau

erstandenen Tschechoslowakei galt in den Nachkriegswirren als vogelfrei und büßte für die Verbrechen, die in den Jahren der NS-Herrschaft von Deutschen und in deutschem Namen verübt worden waren.

Margit Staar und Anton Ott sind zwei von fast drei Millionen Sudetendeutschen, die in den Jahren 1945 und 1946 ihre Heimat verlassen mussten. Beide stammen aus Duppau, einer 2000-Seelen-Gemeinde, die einst zwanzig Kilometer östlich von Karlsbad lag. Das Schicksal, das die Bewohner dieses Ortes nach dem 8. Mai 1945 erlitten, steht stellvertretend für das Schicksal der meisten Deutschen in der von Amerikanern und Russen befreiten Tschechoslowakei. Duppau war überall – in den Dörfern und Städten des ganzen Sudetenlands spielten sich ähnliche Tragödien ab. Symbolisch ist auch die Geschichte des Ortes nach der Vertreibung der Deutschen, denn wer heute nach Duppau reisen will, sucht den Ort vergeblich. Es gibt kaum noch Anzeichen dafür, dass hier einmal eine blühende Kleinstadt stand. Man sieht keine Häuser, keine Autos, keine Menschen. Nur die Treppe zur gesprengten Klosterkirche hat die Zeit überdauert. Über ihre Stufen liefen einst die katholischen Priesterschüler zum Gebet, dann die Männer in den schwarzen Uniformen der SS zum Unterricht. Nach dem Krieg schleppten die tschechischen Milizen Deutsche über diese Treppe zum Verhör. Jetzt zeugt sie als letzter Überrest von einer kleinen Stadt, die einmal Heimat war – Heimat für Deutsche, aber auch für Tschechen, Heimat für Christen und für Juden. 1952 wurde die Aussiedlung der gesamten Restbevölkerung aus Doupov, wie der Ort damals hieß, angeordnet. Die meisten Tschechen, die 1945 und 1946 dorthin gekommen waren, hatten die Stadt längst wieder verlassen. Seit 1953 ist das Gebiet militärischer Sperrbezirk.

Wenn Anton Ott von seiner Heimat erzählt, gerät er ins Schwärmen: »Duppau lag in einem wunderschönen Tal, einem ehemaligen Vulkankrater, schön geschützt nach außen hin. Ringsum in den Bergen konnte man im Winter Ski fahren und rodeln. Und im Sommer kamen viele Gäste, die sich in Gasthäusern einmieteten und durch die Wälder der Umgebung wanderten. Duppau war wirklich schön!«

Auch für Kinder wie den 1931 geborenen Franz Klement war der Ort ein Paradies. »Wir waren in der ganzen Stadt zu Hause, in den Wäldern und Wiesen, konnten überall spielen«, erinnert er

»Ein liebenswertes kleines Städtchen.« Der Marktplatz mit der Kirche war das Zentrum von Duppau

sich. Margarete Haubl denkt ebenfalls wehmütig an die Zeit in Duppau zurück: »Ich habe sehr gerne dort gelebt. Jeder hat den andern gekannt und alle waren freundlich zueinander. Es war wirklich ein großer Zusammenhalt da.«

Das Städtchen war nicht reich, doch jeder hatte sein Aukommen, als Stellmacher oder Zimmermann, als Kaufmann, Gastwirt oder in der Landwirtschaft. In dem rein katholischen Ort gab es eine ansehnliche Stadtkirche und – als Zentrum von Glauben, Bildung und Kultur – ein 1756 gestiftetes Kloster. Im erzbischöflichen Knabenseminar wurden über Jahrhunderte hinweg Priester ausgebildet. Wer als Schüler die Klosterschule von Duppau besuchte, galt etwas im Sudetenland.

Die Idylle des Städtchens wurde auch durch den Ausbruch des Krieges kaum getrübt. Duppau lag fernab von jenen Orten, an denen Politik gemacht wurde, und war weit entfernt von den Schlachtfeldern, auf denen seit 1939 Hitlers Armeen fochten. Selbst als sich das Ende des Zweiten Weltkriegs abzeichnete, schienen die Menschen zwischen Eger und Reichenberg, Karlsbad und Marienbad vom Schlimmsten weitgehend verschont zu bleiben. »Gute« Nachrichten machten die Runde: Von Westen rückten die Amerikaner vor, hieß es. Doch General Pattons 3. US-Armee kam nur bis nach Karlsbad und ließ der Roten Armee den Vortritt bei der Besetzung der übrigen Tschechoslowakei.

Margarete Haubl berichtet über das Kriegsende in Duppau: »Am 7. Mai ging der Rückzug der deutschen Truppen los. Überall auf dem Marktplatz war Militär. Die Offiziere haben auf der Lindenallee Papiere verbrannt. Bei uns im Haus waren deutsche Soldaten einquartiert. Meine Mutter hat den ganzen Tag Suppe für sie gekocht. Mitten in der Nacht hat Dönitz im Radio die Kapitulation durchgegeben. Da sprangen alle auf: ›Es ist zu Ende!‹ Noch in der Nacht sind die deutschen Soldaten abgezogen.«

Die Duppauer waren allein – die Stunde null begann. Hoffnung keimte auf, als sich ein amerikanischer Militärjeep einige Tage nach der Kapitulation in das Städtchen verirrte. »Wir kramten unsere ganzen Englischkenntnisse zusammen und fragten die Amerikaner, ob sie bleiben würden«, erinnert sich Franz Klement, der die Szene mit einigen anderen Jungen auf dem Duppauer Marktplatz erlebte. Die Antwort der GIs enttäuschte: »Nein, dieses Gebiet wird nicht von uns besetzt.« Duppau blieb

Niemandsland. Die Amerikaner standen in Karlsbad, die ungeliebten Russen, von denen durchziehende Flüchtlinge aus Schlesien und versprengte deutsche Landser Schlimmes berichtet hatten, ließen sich nicht blicken. Und von den Tschechen, deren Land vor der Befreiung stand, gab es ebenfalls noch keine Spur. So feierten die Duppauer, fast unbehelligt von den Ereignissen, die Europa veränderten, das Pfingstfest.

Doch die Ruhe in Duppau war trügerisch, denn andernorts hatten sich die Ereignisse bereits überschlagen. Der jahrelang aufgestaute Hass vieler Tschechen gegen die deutschen Besatzer brach sich Bahn – in der Moldaumetropole Prag. Anfang Mai 1945 lebten dort rund 200 000 Deutsche, vor allem Zivilisten, darunter viele Flüchtlinge aus den Ostgebieten. Ilse Piecho, die damals als Studentin beim deutschen Rundfunk arbeitete, erinnert sich an die Stimmung in der tschechischen Hauptstadt: »Es war ganz merkwürdig: Prag war eine Insel des Friedens mitten im Krieg. Meine Eltern in Berlin waren ausgebombt worden, doch hier war es absolut ruhig. Die Front war für unsere Begriffe weit weg. Natürlich war uns klar, dass der Krieg zu Ende geht, aber in einer Mischung aus Angst, Fatalismus und Hoffnung warteten wir einfach ab.«

Ich persönlich hatte das Bedürfnis, mich an den faschistischen Truppen zu rächen. An jenen Truppen, die das Land besetzt, die Menschen gefoltert und erschossen hatten, aber nicht an den Deutschen. Wir retteten auch deutsche Kinder. Wir empfanden gegenüber den Deutschen weder Geringschätzung noch Hass.

Wladimir Iwanowitsch Golovko, damals in der Roten Armee

In den Morgenstunden des 5. Mai 1945 eskalierte die Situation. In der Prager Innenstadt strömten immer mehr Tschechen zusammen. Die aufgebrachte Menge riss Straßenschilder ab und übermalte deutsche Aufschriften mit tschechischen Parolen. Tschechische Fahnen wurden gehisst, deutsche Soldaten angegriffen und entwaffnet. Überall wurden deutsche Dienststellen überfallen, Waffendepots geplündert. Die Lage spitzte sich dramatisch zu, als Aufständische den Rundfunksender Prag II eroberten und diesen für ihre antideutsche Propaganda einsetzten. »Smrt Němcum« – »Tod den Deutschen« oder »Smrt německym occupantum« – »Tod den deutschen Okkupanten« hallte es über den Äther. Wie ein Lauffeuer griffen die Unruhen von einem Stadtteil auf den nächsten über.

Die in Prag stationierten Einheiten der deutschen Wehrmacht waren von den Ereignissen vollkommen überrascht worden. Es gelang ihnen nicht, den Aufstand niederzuschlagen. Zu groß war die Übermacht der Tschechen, die unverhofft Unterstützung bekamen. Russische Soldaten der »Wlassow-Armee« standen vor den Toren der Stadt, bereit, auf der Seite der Deutschen in den Kampf einzugreifen. Die zwei Divisionen, kurz vor Kriegsende rekrutiert aus russischen Kriegsgefangenen und Ostarbeitern, wechselten in letzter Minute die Fronten und griffen gemeinsam mit den Tschechen ihre bisherigen Verbündeten an. Am 8. Mai musste der deutsche General Toussaint kapitulieren – für die Deutschen an der Moldau begann eine Zeit des Schreckens.

Die Liste der Grausamkeiten, die unmittelbar nach Kriegsende in der tschechischen Hauptstadt begangen worden sind, ist lang. Die Täter, die sich nun für das Terrorregime Hitlers rächen wollten, waren zum größten Teil Mitglieder der spontan zusammengestellten tschechischen »Revolutionsgarde«: Sie vergewaltigten Frauen, prügelten alte Männer zu Tode, vereinzelt wurden sogar Kinder in die Moldau geworfen. Verwundete deutsche Soldaten wurden aus den Lazaretten und Krankenhäusern gejagt oder noch in ihren Betten erschossen. Halbwüchsige Jugendliche in der Uniform der Hitlerjugend wurden öffentlich gefoltert. Irene Engelke, damals 18 Jahre alt, erinnert sich an die schrecklichen Szenen: »Am 9. Mai holten sie meine Mutter, meine Schwester und mich aus dem Keller unseres Hauses. Wir durften kaum etwas mitnehmen, nur einen Rucksack und unsere Papiere. Mit einigen anderen Deutschen wurden wir dann eine Straße hinuntergejagt. Am Straßenrand standen Leute mit Knüppeln, die fürchterlich auf uns eingeprügelt haben. Ein Mann hat mich meterweit an den Haaren hinter sich hergeschleift. Wir waren alle grün und blau geschlagen. In einem Schulgebäude mussten wir dann alle unsere Papiere auf einen Haufen werfen, nur um sie wenig später wieder zusammenzusuchen. In der Zwischenzeit wühlten die Tschechen in unseren Rucksäcken herum und nahmen sich, was ihnen gefiel.« Mit tausenden anderen Deutschen wurde Familie Engelke in die Turnhalle der Schule gepfercht; Irene Engelke erlebte dort erneut die Brutalität der Revolutionsgarden. Dieses Mal traf es den Vater einer Schulfreundin, der als Leiter eines Arbeitsamtes Tschechen zur Zwangsarbeit nach Deutschland geschickt hatte: »Sie hieben ihm brennende Hölzchen unter die Fingernägel. Er konnte überhaupt nicht mehr schreien. Kurze Zeit später war er tot.« Nach ein paar Tagen trieb man Familie Engelke in das Strahov-Stadion, das während des Aufstands traurige Berühmtheit erlangte. Wer Folter, Schläge und Vergewaltigungen überstand, wurde Opfer der katastrophalen hygienischen Verhältnisse. Unterernährt starben viele Deutsche an der Ruhr, ihre Leichen verstopften die Latrinen. Irene Engelke über ihre Zeit im Prager Strahov-Stadion: »Wir haben damals gesagt: ›Es ist egal, ob du heute oder morgen tot umfällst. Sterben wirst du sowieso.‹«

Für den unkontrollierten Ausbruch der Gewalt gegen die Deutschen gibt es Erklärungen, aber keine Entschuldigungen. Professor Eduard Goldstücker, ein bekannter Prager Germanist, über die Tage des Aufstands: »Sie müssen sich in die Lage der Tschechen hineinversetzen. Sie durchlebten sechs Jahre einer schrecklichen Okkupation. Sie wurden als ein Volk zweiten Ranges behandelt. Der Krieg mit all seinen Konsequenzen, die Massenverhaftungen, die Massenhinrichtungen und die Konzentrationslager verursachten einen ständig unterdrückten Hass, der plötzlich freie Bahn hatte.«

»Tod den Deutschen!« Tschechische Aufständische ziehen mit den russischen Panzern in Prag ein

Wir sind in der Nacht in ein Stadion gekommen. Dort waren wir ungefähr vier Wochen. Natürlich haben wir die Krätze bekommen, weil alles sehr schmutzig war und man sich nicht waschen konnte. Man musste immer auf die Latrine. Wir bekamen wieder diese Graupensuppe. Die hat uns immer begleitet. Und dazu verschimmeltes Brot. Es sind dort sehr viele an Krankheiten oder Verwundungen gestorben. ... Ein Kommunist hat meiner Mutter in der Nacht heimlich eine harte Semmel gebracht. Er hatte gesehen, dass sie wirklich am Verhungern war, denn sie konnte ja diese Suppe wegen des Typhus nicht essen. Dieser Russe hatte trotz allem gegenüber uns Deutschen ein bisschen Herz gezeigt.

Irene Engelke, Jahrgang 1927, lebte in Prag

Nicht alle Tschechen beteiligten sich damals an diesen ersten Exzessen in Prag. »Es gab einen Unterschied zwischen den normalen tschechischen Bürgern und den Revolutionsgarden«, bilanziert Hans-Peter Wahle, der als deutscher »Halbjude« in Prag die NS-Zeit überlebt hatte. »So, wie man auch in Deutschland zwischen den normalen Bürgern und SS- oder Parteifunktionären unterscheiden sollte.« Ilse Piecho zum Beispiel verdankt ihr Leben einem Tschechen. Die ehemalige Studentin der Prager Universität berichtet: »Es erschienen vier Männer mit finsteren Gesichtern. Einer hatte eine Pistole bei sich und sagte, sie hätten Barrikaden zu bauen und wir sollten auf die Barrikaden gebunden werden als Abschreckung gegen deutsche Panzer. Dann passierte etwas Merkwürdiges. Der Anführer kam vielleicht nach fünf, zehn Minuten wieder und sagte: ›Also, ich mache Ihnen ein Angebot. Ich habe von meiner Frau, die in Ihrem Studentenheim Putzfrau war, erfahren, dass Sie meiner kleinen Tochter immer heimlich Obst zugesteckt haben und immer freundlich gewesen sind. Sie brauchen nicht auf die Barrikaden, ich nehme das auf meine Kappe. Ich bringe Sie in ein benachbartes Lazarett, in dem nur Deutsche sind. Doch ich muss den Knüppel über Sie schwingen, ich muss Sie beschimpfen. Nehmen Sie das bitte nicht ernst.‹ Und diesem Mann verdanke ich mein Leben.«

Der Aufstand in der Hauptstadt war das Fanal, auf das viele Tschechen im ganzen Land gewartet hatten. Überall erhoben sie sich nun gegen die deutschen Besatzer, Partisanen griffen mit erbeuteten Waffen

»Den Menschen stand die Angst im Gesicht geschrieben.« Deutsche auf dem Weg ins Sammellager

Wehrmachtseinheiten an. Vor allem aber richtete sich die Gewalt gegen die deutsche Zivilbevölkerung – von Prag ausgehend bis in den letzten Winkel des Landes. Hausdurchsuchungen, um Nazifunktionäre aufzuspüren, gerieten schnell außer Kontrolle. Rache war dabei nur ein Motiv für die Exzesse, die persönliche Bereicherung Einzelner war ein anderes. Es bildeten sich regelrechte Banden, die die Gunst der Stunde nutzten, um schamlos zu plündern. Diese »Raubgarden« oder »Goldgräber« waren bei den Deutschen gefürchtet, bei den eigentlichen tschechischen »Revolutionsgarden« umstritten. Denn zu den wenigen Partisanen, die schon während des Krieges aktiv im Widerstand gekämpft hatten, gesellten sich nun Abenteurer, die ihre patriotischen Gefühle erst nach der deutschen Kapitulation entdeckt hatten. Viele der neuen Gardisten wollten ohne persönliches Risiko dabei sein, wenn es galt, die Beute zu verteilen. Eine tschechische Zeitung bemerkte dazu kritisch: »Heute ist jedermann Partisan. Der eine deshalb, weil er einen gesehen hat, der andere, weil er von ihnen gehört hat, der Dritte, weil er sie angeblich unterstützt hat. Keiner der echten Partisanen ging ins Sudetenland, um dort ›Goldgräber‹ zu werden. Wer sich heute Partisan nennt, ohne es gewesen zu sein, ist ein charakterloses Individuum.« Andere wiederum wollten durch besonderes Engagement von der eigenen Vergangenheit ablenken. Dr. Anton Sum, damals Mitarbeiter des Tschechischen Nationalrats über dieses Phänomen: »Einige wollten verbergen, dass sie vorher mit der Gestapo kollaboriert hatten. Sie steckten sich jetzt einfach rote Sterne an und waren bei den Ausschreitungen tonangebend.«

Es gab diese wilden Vertreibungen. Sofort nach dem Zusammenbruch des nationalsozialistischen Deutschlands bildeten sich Banden. Sie waren auf Raub aus, wollten die Situation ausnützen und sich sofort an den geschlagenen Deutschen bereichern. Sie gingen in die deutschen Gebiete, um zu rauben und zu morden. Aber das war keine offizielle Regierungspolitik.

Prof. Eduard Goldstücker, Jahrgang 1913, lebt in Prag

Die tschechischen Revolutionsgarden rückten nun im Gefolge der Roten Armee in das ganze Sudetenland ein. Die Sowjets, die sich eher im Hintergrund hielten, ließen den Partisanen weitgehend freie Hand. Zu dieser Zurückhaltung hatte sich Moskau am 8. Mai 1944 in einem Vertrag mit der tschechoslowakischen Exilregierung verpflichtet. Er sah vor, dass die tschechoslowakische Regierung »in den befreiten Gebieten« die volle Ausübung der öffentlichen Macht übernehmen sollte. Darunter fiel sicher nicht das brutale Vorgehen der Garden mit den roten Armbinden – doch großes Engagement, die Übergriffe einzudämmen, zeigten die tschechischen Behörden nicht. In dieser Interimsphase, in der die Zentralregierung in Prag noch keine vollständige Kontrolle über die regionalen Nationalausschüsse hatte und der Einfluss der im Aufbau befindlichen lokalen Verwaltungsbehörden auf die Revolutionsgarden und andere selbst ernannte Teile der Exekutive äußerst gering war, blieben Exzesse und Plünderungen ungeahndet. Versuche, die Gewalt gegen die Deutschen einzudämmen, kamen – wenn überhaupt – von russischer Seite. Zwar gab es auch im Sudetenland Plünderungen und Vergewaltigungen durch Soldaten der Roten Armee, doch die Ausschreitungen erreichten bei weitem nicht die Ausmaße wie in Ostpreußen oder Pommern. Im Gegenteil, russische Soldaten schützten Deutsche auch vor Übergriffen der Tschechen. Nikolaj Maltsev, der Anfang Mai 1945 als Soldat der Roten Armee ins Sudetenland kam, erinnert sich: »Ja, es gab furchtbare Ausschreitungen von Seiten der Tschechen. Wir hatten in solchen Fällen den Auftrag, dazwischenzugehen und wieder für Ordnung zu sorgen. Den Tschechen gefiel das meist gar nicht.«

Als ich mit meiner Einheit der Revolutionsgarde marschierte, erlebte ich etwas Furchtbares. In einer Stadt zogen Zivilisten einen Deutschen auf die Straße und zündeten ihn mitten auf einer Kreuzung an. Dieses Erlebnis verfolgt mich bis heute. Ich konnte nichts tun, denn wenn ich etwas gesagt hätte, wäre ich ebenfalls angegriffen worden. Die Menge war völlig fanatisch. Der Mensch brannte eine halbe Stunde. Dann kam ein Soldat der Roten Armee und hat ihn erschossen. Er hat ihm den Gnadenschuss gegeben.

Jiri John, Jahrgang 1924,
lebte in Prag

Über diese Erfahrungen berichten auch die Leute aus Duppau. Hier waren die ersten tschechischen Partisanen Mitte Mai 1945 eingetroffen. In bunt zusammengewürfelte Uniformen mit roten Armbinden gekleidet, machten sie den Deutschen schnell und unmissverständlich klar, was sie wollten. Margarete Haubl berichtet: »Es hat nicht lange gedauert, da hieß es, dass sich alle Deutschen auf dem Marktplatz versammeln sollten. Wir bekamen die Anweisung, alle Waffen, Radiogeräte, Fotoapparate, Musikinstrumente, Schmuck und sonstige Wertsachen bei der ›Narodni Vybor‹, der neuen tschechischen Stadtverwaltung, abzuliefern.« Diejenigen, die versuchten, einen Teil ihrer Habseligkeiten zu retten, riskierten nicht selten ihr Leben. »Die Soldaten haben die Gärten durchkämmt und nach Schmuck gegraben. Bei unserem Nachbarn fanden sie einige vergrabene Benzinkanister. Weil sie dachten, es sei unser Grundstück, wollten sie meinen Vater erschießen. Sie hatten ihm schon die Pistole auf die Brust gesetzt«, erzählt Margarete Haubl. Die Rote Armee wurde in dieser Zeit für die Duppauer zu einer Art von Lebensversicherung: »Wer für die Russen gearbeitet hat, dem konnten die Tschechen nichts anhaben«, sagt Annie Hetz. Franz Klement verdankt sein Leben russischen Soldaten. Unter dem unsinnigen Verdacht, der NS-Partisanenorganisation »Werwolf« anzugehören, hatten die Tschechen den Jugendlichen im August 1945 verhaftet. »Nach einigen Tagen wurde ich aus meiner Zelle geholt. Im Zimmer stand ein russischer Offizier und brüllte den tschechischen Milizionär an. Die Russen hatten sich gewundert, wo all die Jungs geblieben waren, die für sie gearbeitet hatten. Er hat mich dann einfach mitgenommen und ich war wieder frei.« Die Willkür gegenüber der Zivilbevölkerung ging einher mit einer ganze Reihe von diskriminierenden Erlassen. Die Duppauerin Margit Staar berichtet: »Wir mussten abends zu einer bestimmten Zeit zu Hause sein. Wir mussten diese weißen Binden am Arm tragen. Dann durften wir den Gehsteig nicht mehr benutzen, mussten auf der Straße laufen. Wir durften nicht mehr in Gaststätten gehen. Und manchmal wurden wir noch hasserfüllt angespuckt: ›Deutsches Schwein!‹ Dagegen konnten wir nichts machen.« Vergehen gegen die neuen Gesetze wurden drastisch geahndet. »Einen alten Mann, der gedankenverloren auf dem Gehsteig lief, haben sie am Schnurrbart über den halben Marktplatz gezogen. Einem anderen Mann hängten sie ein großes Plakat um den Hals, darauf stand in Tschechisch: ›Ich bin eine deutsche Sau.‹ Den Mann haben sie durch ganz Duppau getrieben«, erzählt Gretl Gernert. Wer eine deutsche Uniform getragen hatte, musste mit dem Schlimmsten rechnen. Ein junger Mann aus Duppau, in den letzten Kriegstagen noch zur SS eingezogen und glücklich in die Heimat zurückgekehrt, wurde von einer tschechischen Patrouille erschossen. »Sie haben ihn abgeknallt wie einen Hasen«, erinnert sich Anton Ott, »und

Wir waren vogelfrei, bis die Russen kamen. Die Russen habe ich in besserer Erinnerung. Als sie ins Dorf kamen, sind zwei auch in meine Wohnung gegangen und wollten Lebensmittel haben. Als sie meine Kinder sahen, sagte einer der Russen, dass sie nichts nehmen wollten. Obwohl sie selbst nichts hatten, sagten sie immer wieder: »Nichts nehmen wollen, Kindern geben.«

Maria Stiemer,
Jahrgang 1913,
aus Duppau

»Nur eine Stunde Zeit zum Packen.« Vertriebene mit ihrer letzten Habe

Mit sofortiger Gültigkeit wird angeordnet, dass alle Personen deutscher Nationalität vom sechsten Lebensjahr an folgende Kennzeichnung tragen: Eine weiße Binde im Durchmesser von fünfzehn Zentimetern, und auf ihr, aus schwarzer Leinwand aufgenäht, ein »N« in der Stärke von zwei Zentimetern, dessen Rand einen Zentimeter von der Umrisslinie eines Kreises entfernt ist. Diese Kennzeichnung wird auf der linken Brustseite getragen.

Kundmachung des tschechischen »Nationalen Sicherheitsdiensts« in Troppau, 1945

Als ich die Deutschen mit den weißen Armbinden sah, war ich schockiert. Die Stoffbinden waren sehr schmal, aber doch sichtbar. Man sagte mir, das sind Deutsche, die aus der Tschechoslowakei transferiert werden sollen. Ich dachte sofort, dass die Tschechen die Deutschen behandeln, wie die Deutschen einst die Juden behandelt haben, als diese den gelben Judenstern tragen mussten. Der Vergleich hinkte zwar, aber das war mein erster Eindruck. Für mich, der ich ein Germanist mit einer humanistischen Tradition bin, war das ein Schock.

Prof. Eduard Goldstücker, Jahrgang 1913, lebt in Prag

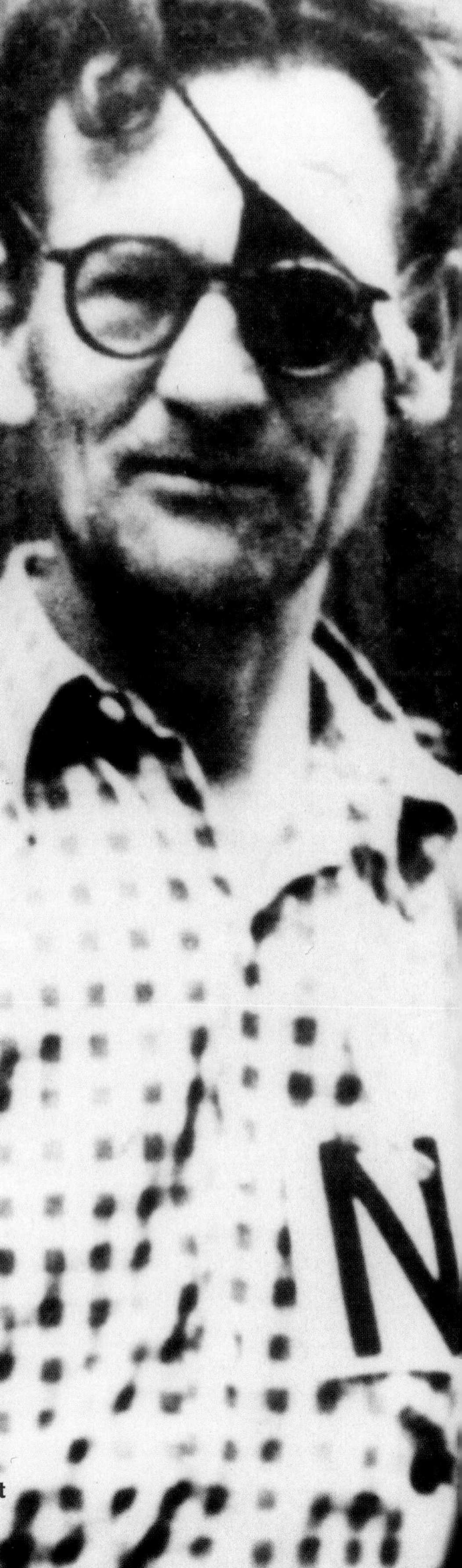

ihn dann auf dem Marktplatz liegen lassen. Alle Deutschen mussten an ihm vorbeigehen: ›Schaut ihn euch an, den Nazi!‹. Zwei Tage lag er dort, ehe man ihn irgendwo auf dem Friedhof verscharrte.«

Die neue Staatsgewalt trat den Sudetendeutschen aber nicht nur in Form der paramilitärischen Revolutionsgarden entgegen. Wie in vielen anderen Orten, folgten Einheiten der tschechoslowakische »Befreiungsarmee«; in Duppau quartierten sie sich in die ehemalige Klosterschule ein. Auch die alte Polizeistation am Marktplatz wurde von zwei tschechischen Gendarmen übernommen. Mit Entsetzen denken die Duppauer noch heute an jene beiden Polizisten, die nun für »Recht und Ordnung« zuständig waren. »Schinderhannes« und »Watschentoni« nannten die Deutschen den Kommandeur Petraschek und seinen Gehilfen Polivka. Franz Klement erzählt, warum Antonin Polivka diesen Namen trug: »Ich wurde von ihm verhört. Bei jedem ›Nein‹ gab es eine Tracht Prügel. Wobei er stark unterschieden hat – er hatte einen Holzknüppel, eine Reitpeitsche und einen Ochsenziemer. Ich hatte ›Glück‹ und bekam nur Schläge mit dem Holzstock.« Doch damit war die Grenze der Brutalität noch nicht erreicht. »Nach einer halben Stunde brachten sie einen Schulfreund von mir ins Zimmer. Sie sagten zu ihm: »Hier haben Sie einen Knüppel, schlagen Sie Herrn Klement!« Als er sich weigerte, hat uns der Polizist mit dem Ochsenziemer vermöbelt.« Auch andere Duppauer machten schnell Bekanntschaft mit Polivka – weil ihre weiße Armbinde nicht die vorschriftsmäßigen fünfzehn Zentimeter

»Wir waren vogelfrei.« Mit Armbinden und Aufnähern wurden Deutsche öffentlich gebrandmarkt

breit war, weil sie zur Sperrstunde noch auf der Straße waren, oder weil sie, wie Anton Ott, einfach nur in der Umgebung der Stadt spazieren gingen. Das einst so beschauliche Städtchen war für seine deutschen Bewohner zur Hölle geworden.

Wenige Jahre zuvor hätte sich wohl kaum ein Sudetendeutscher die dramatischen Ereignisse des Jahres 1945 vorstellen können. Niemand hatte im Oktober 1938 die Drohungen der tschechoslowakischen Soldaten ernst genommen, als diese fluchtartig das Sudetenland verlassen mussten. »Wir kommen wieder!«, hatten sie damals, am Vorabend des deutschen Einmarschs, wütend gerufen. Josef Schuh aus Duppau erinnert sich: »Die letzten tschechischen Militärs sind über die Rednitzer Straße weggebraust, dann folgten noch ein paar Autos mit englischen Journalisten. Nur in der Herrengasse stand noch ein tschechischer Spähwagen, der irgendwann auch verschwunden war.« Einige Stunden später marschierte die deutsche Wehrmacht ein, ohne auf militärischen Widerstand zu treffen. Das Sudetenland wurde – abgesichert durch das von Hitler erpresste, völkerrechtlich bindende »Münchner Abkommen« – ein Teil des Deutschen Reichs.

Für uns Kinder war der Anschluss 1938 besonders schön. Ich war damals elf Jahre alt. Wir bekamen von den Eltern zehn oder zwanzig Heller und konnten uns etwas kaufen. Wir sind in eine Konditorei gegangen und haben uns Puffreis geholt. Dort saßen Soldaten und haben Kaffee getrunken und Torte gegessen. Einer hat uns fünfzig Pfennig gegeben, wofür wir dann fünf Stückchen Torte erstanden haben. Das war großartig für uns.

Anni Hetz, Jahrgang 1927, aus Duppau

Jener Tag Anfang Oktober 1938 ist dem damals elfjährigen Hartwig Pobitschka noch sehr genau im Gedächtnis: »Wir standen am Marktplatz und auf einmal kamen von der Karlsbader Straße her die ersten Motorräder mit Beiwagen und anschließend die Autos. Das war eine Begrüßung, eine Freude! Es war ein, ja, man kann es ruhig sagen, ein wahrer Freudentaumel. Man fühlte sich irgendwie befreit.« Und der 1923 geborene Josef Schuh berichtet: »Viele in Duppau waren froh, dass die Unterdrückung jetzt aufhörte. Sie wollten einfach nur deutsch bleiben. Auch die Henlein-Anhänger waren ja nicht alle Nazis; sie haben in Hitler damals den einzigen Weg gesehen – nur war es der falsche Weg. Sie haben sich dem Falschen an den Hals geworfen. Das ist ja im Grunde das Fatale.«

Die Erwachsenen, die damals der deutschen Wehrmacht zujubelten, sahen den Anschluss an das deutsche Reich zumeist posi-

»Heim ins Reich« – Sudetendeutsche erwarten 1938 den »Anschluss«

tiv. Das Inkrafttreten der Versailler Verträge im Jahr 1919 hatte sie von Untertanen der österreich-ungarischen Monarchie zu Bürgern der neu gegründeten tschechoslowakischen Republik gemacht. In diesem Staat allerdings fühlten sich viele als Bürger zweiter Klasse, deren Sprache und Kultur von den Behörden unterdrückt wurde. Zu Zeiten der Donaumonarchie war die deutschsprachige Mehrheit die kulturell und politisch führende Schicht gewesen. In der Tschechoslowakei dagegen mussten sie als Minderheit um ihren Status fürchten. Professor Eduard Goldstücker schätzt die Situation so ein: »Die Deutschen fühlten sich unfrei. Und nun spürten sie auf einmal hinter sich die riesige Macht des ›Deutschtums‹ und hofften, dass diese Macht ihnen helfen würde, das, was sie verloren hatten, wiederzuerlangen. ... Obwohl die Tschechoslowakei, so wie sie nach dem Ersten Weltkrieg entstanden war, im mitteleuropäischen Raum die einzige wirklich demokratische Regierungsform war. Überall gab es eine viel schlimmere Unterdrückung der Minderheiten als hier.«
Zu dem Gefühl, als Minderheit vom tschechoslowakischen Staat unterdrückt zu werden, kam, dass die seit Ende der zwanziger

»Alle waren begeistert.« Jubel beim Besuch Hitlers im Sudetenland im Oktober 1938

Jahre anhaltende Wirtschaftskrise die Sudetendeutschen, die zumeist in den wirtschaftlich benachteiligten Grenzgebieten lebten, mit besonderer Härte getroffen hatte. »Die Bauern sind nichts mehr losgeworden«, erzählt Josef Eisenkolb aus Duppau. »Trotz der Molkerei im Ort mussten sie ihre Milch nach Karlsbad schaffen, wo man wenigstens ein bisschen Geld dafür bekam. Es war zum Leben zu wenig und zum Sterben zu viel.« Auch Franz Klement erinnert sich, dass sein Vater als Stellmacher von den Bauern nicht mehr mit Geld, sondern nur noch mit Naturalien ausgezahlt wurde. Die Lage war angespannt, der Unmut der Deutschen wuchs.

1933, nach der Machtergreifung Hitlers in Deutschland, schöpften die Sudetendeutschen wieder Hoffnung, denn der neue

»Führer« in Berlin stellte die Versailler Verträge in Frage, betonte das »Selbstbestimmungsrecht der Völker« und beschwor wortreich die Vision eines »Großdeutschen Reichs«. Im Sudetenland fielen diese Botschaften auf fruchtbaren Boden, der Ruf nach Selbstverwaltung und kultureller Freiheit wurde immer lauter: »Heim ins Reich« lautete etwa die Losung der »Sudetendeutschen Heimatfront«, der späteren »Sudetendeutschen Partei« (SdP), die der Lehrer Konrad Henlein aus der Nähe von Eger 1933 ins Leben gerufen hatte. Die harschen Reaktionen einiger tschechoslowakischen Politiker ließen nicht lange auf sich warten. Zwischen Troppau, Reichenberg und Eger schlug die Stunde der Scharfmacher, auf deutscher wie auf tschechischer Seite. Und Hitler wusste die Stimmung für sich zu nutzen – auch wenn es ihm freilich nicht um das Sudetenland ging, sondern auf lange Sicht um die Entfesselung eines Krieges. Ein erster Schritt auf diesem Weg sollte die Forderung nach Abtretung des tschechischen Sudetenlandes an Deutschland sein.
Hitlers Vabanquespiel hatte Europa im September 1938 an den Rand eines Krieges gebracht. Doch um den Frieden zu retten, stimmten die Regierungschefs von Großbritannien, Frankreich und Italien auf der Münchner Konferenz Hitlers Gebietsforderungen zu. Das Sudetenland wurde dem Deutschen Reich zugeschlagen. »Führer, wir danken Dir« stand auf den unzähligen Transparenten, die begeisterte Sudetendeutsche am Straßenrand hochhielten, als der Kanzler des »Großdeutschen Reiches« im Oktober im Triumphzug durch das heimgeholte Sudetenland eilte. Hitler war nun auch der »Führer« der Sudetendeutschen, ein »Held«, der sie vom »tschechischen Joch« befreit hatte. Die Besetzung des Sudetenlandes wurde, wie schon der Einmarsch ins Rheinland und die Einverleibung Österreichs, nicht nur von den Sudetendeutschen enthusiastisch akklamiert. Solche »Blumenkriege« waren populär. Die Deutschen, die außerhalb der Landesgrenzen lebten, »heim ins Reich« zu holen, ohne Krieg das »Unrecht von Versailles« zu tilgen – konnte man dagegen sein? Kaum jemand ahnte, dass der Mann, dem sie zujubelten, sie längst für seine eigenen Zwecke instrumentalisiert hatte.
Auch in Duppau hielt die braune Ideologie Einzug. Wer bis dahin noch nicht vom nationalsozialistischen Virus infiziert war, der war es jetzt, nach dem erfolgreichen »Anschluss«, wer vorher noch Kritik geäußert hatte, der hielt nun seinen Mund.

Der Marktplatz wurde in »Adolf-Hitler-Platz« umbenannt, und eine »Joseph-Goebbels-Straße« und eine »Horst-Wessel-Straße« gab es fortan ebenfalls in der kleinen Stadt. Man sagte jetzt auch nicht mehr »Grüß Gott«, sondern schmetterte ein zackiges »Heil Hitler«. Und weil der zum Gauleiter ernannte Konrad Henlein aus dem Sudetenland einen »Mustergau« machen wollte, wurde hier bereits umgesetzt, was im »Altreich« noch eine Weile auf sich warten ließ: Aus biederen Turnvereinen wurden »Nationalsozialistische Turngemeinden«, die Kruzifixe wurden aus den Klassenzimmern genommen und durch Hitlerbilder ersetzt, jeder Kirchgänger wurde von den NSDAP-Funktionären argwöhnisch beobachtet. Die Jesuiten der Klosterschule verschwanden, stattdessen trugen die Lehrer der neuen staatlichen Schule jetzt die schwarze Uniform der SS. Im Klosterinternat, nunmehr die »SS-Heimschule«, residierten Zöglinge von Nazibonzen. Und die Jugendlichen aus dem Dorf mussten am Sonntagmorgen zum Appell – Dienst bei HJ und BDM – während die Kirchenglocken die Gemeinde zur Messe rief.

1938, als die Jesuiten unseres Klosters nach dem Einmarsch der Deutschen verschwanden, ging kaum noch jemand in die Kirche, zur Kommunion oder zur Beichte. Jetzt kam der Zwang der Hitlerjugend und der nationalsozialistischen Schule.

Alfred Sacher, Jahrgang 1922, aus Duppau

Vom »Anschluss« des Sudetenlands schien die Bevölkerung wirtschaftlich zunächst zu profitieren. Es ging aufwärts, die hohe Arbeitslosigkeit nahm rapide ab. »In Duppau wurde die Molkerei vergrößert, neue Leute wurden eingestellt. Die Bauern konnten ihre Produkte wieder absetzen«, erzählt Josef Eisenkolb, und Franz Klement fügt hinzu: »Dieser wirtschaftliche Umschwung nach 1938 hat natürlich für Begeisterung gesorgt. Die Bauern konnten meinen Vater jetzt endlich wieder mit Geld bezahlen.«
Die negativen Auswirkungen des Hitlerregimes versuchte man ebenso zu ignorieren wie die Situation der tschechischen und jüdischen Mitbürger. Dobroslava Steigerova war mit ihren Eltern 1930 in die Gegend von Duppau gezogen: »Es gab in der Gegend nur acht tschechische Familien, meistens Beamte oder Angestellte. Wir lebten nur mit Deutschen zusammen, und es war ein sehr gutes Zusammenleben«, betont sie, »bis dann Henlein durch die Dörfer zog und die Leute aufhetzte.« Nach dem deutschen Einmarsch 1938 wurde sie mit ihren Eltern vertrieben, genau wie rund 200 000 weitere Tschechen, die damals im Sudetenland lebten. Mit Pferdewagen, mit Handkarren oder zu Fuß machten

Die Sudetendeutschen Gebiete wurden durch das Münchner Abkommen dem Deutschen Reich zugesprochen

sie sich auf in die Gebiete in Landesinneren der Tschechoslowakei.

Fragt man heute nach dem Schicksal der jüdischen Bevölkerung Duppaus, erhält man eher vage Antworten: »Eines Tages waren sie plötzlich verschwunden«, so lautet der allgemeine Tenor, »keiner weiß, wo sie hingekommen sind.« Mancher tröstet sich damit, dass die ein oder andere Familie es vielleicht bis nach England haben könnte oder vielleicht nach Israel ausgewandert sei. Dass der Weg dieser Duppauer Bürger meist in den Tod führte, gestehen ihre ehemaligen Mitbürger nicht gerne ein; und auch nicht, dass die Versteigerung des jüdischen Besitzes ein großes Ereignis im Dorf war. »Wir Kinder sind rübergelaufen«, berichtet die 1928 geborene Margit Staar, »wir wollten mal sehen, wie so etwas vonstatten geht.« Und Annie Hetz bat ihre Mutter, ihr doch einen Teddybären zu ersteigern.

In Duppau, wie im ganzen Sudetenland, ließ das Hitlerregime immer wieder kurz die Maske fallen – bis am 15. März 1939 die Absichten des »Führers« offensichtlich wurden. An jenem kalten Märztag marschierten die Soldaten der Wehrmacht bei Schnee und Eisregen in die »Rest-Tschechei« ein. Hitler, der bis dahin vielen als Staatsmann galt, der lediglich das Unrecht von Versailles tilgen wollte, zeigte sich nun als offener Aggressor: Mit wüsten militärischen Drohungen zwang er den tschechoslowakischen Präsidenten Emil Hácha, das komplette Staatsgebiet seines Landes unter den »Schutz« des Deutschen Reiches zu stellen. Was er damit plante, hatte der NSDAP-Führer schon 1932 im kleinen Kreis verkündet:

Der Bürgermeister kam einmal zu meinem Vater und sagte: »Du bist nicht in der Partei und der Jude Hirsch kommt abends ständig zu euch in Eure Männerrunde. Eins lass dir gesagt sein, wenn du den Hirsch nicht langsam loswirst, dann werden sie dich auch mit abholen.« Zu uns Kindern sagte er noch, wir dürften nicht mehr hingehen zu den Hirschs.

Walter Schwarz,
Jahrgang 1928,
aus Duppau

Die jüdische Familie Hirsch war eines Tages einfach nicht mehr da. Ihre Häuser wurden dann veräußert. Meine Mutter meinte, es wäre ein schöner Platz in der Bahnhofstraße und wir könnten das »Judenhaus« doch kaufen. Mein Vater sagte aber, dass er das niemals tun würde. Die Leute, die es schließlich kauften, mussten nach 1945 sofort raus. Den Herrn Himmel, der auch in dem Haus wohnte, haben sie einfach umgebracht.

Margarete Gernet,
Jahrgang 1934,
aus Duppau

»Die tschechische Volksseele kochte« – Zorn und Hilflosigkeit beim deutschen Einmarsch in Prag, März 1939

»Die Tschechen müssen heraus aus Mitteleuropa.« Sieben Jahre später setzte er seine kruden Vorstellungen in die Tat um. Auf der Prager Burg formulierten Hitler und seine Paladine am 16. März 1939 einen Erlass, der das Schicksal der Tschechoslowakei besiegelte. Aus einem freien Staat wurden das »Protektorat Böhmen und Mähren«, ein Anhängsel des »Großdeutschen Reichs«, und die formell selbständige Slowakei gebildet. Noch sagte die NS-Führung dem »Protektorat« offiziell »Autonomie und Selbstverwaltung« zu. Die tschechische Regierung unter Staatspräsident Hácha sollte selbständig arbeiten können, ihre Hoheitsrechte aber nur »im Einklang mit den Belangen des Reichs« ausüben dürfen. Und wenn Hitler beiden Volksgruppen »Ruhe und Ordnung« versprach, so galt doch zweierlei Recht: Die deutsche Gerichtsbarkeit für die »Volksdeutschen« und eine »Protektoratsgerichtsbarkeit« für alle anderen.

1938, als die Deutschen kamen, herrschte in Duppau große Begeisterung. Die haben endlich Freiheit gesehen. Einmal sagen können, was man will, einmal frei sein. Die Tschechen mussten abziehen. Da war einiges los, doch das haben wir gar nicht so ernst genommen. Als ich mit dem Kinderwagen einmal an ein paar Tschechen vorbeiging, haben sie mir nachgerufen: »Mit diesen Kindsköpfen werden wir einmal unsere Straßen pflastern.«

Maria Stiemer, Jahrgang 1913, aus Duppau

Während man nach außen hin vermeintliche Zugeständnisse an die tschechische Bevölkerung und ihre Regierung machte, lag die uneingeschränkte Macht längst in den Händen des deutschen »Reichsprotektors«. Konstantin von Neurath erklärte bei seiner ersten Ansprache am 5. April 1939 vor tschechischen Gästen: »Es wird meine Aufgabe sein, die Länder Böhmen und Mähren im Lebensraum des Großdeutschen Reichs zu Glück und Wohlstand zu führen.«

Die Hoffnung auf ein erträgliches Besatzungsregime zerschlug sich jedoch schnell. Statt »Schutz« trugen die Deutschen Unterdrückung und Verfolgung in das Nachbarland. Nach einer Verordnung, die Hitler im Juni 1939 erließ, durfte der Reichsprotektor alle tschechischen Organisationen und Vereine ohne Begründung auflösen. Und von Neurath, ein Diplomat alter Schule, machte davon regen Gebrauch. Er verbot alle Parteien und setzte die Pressefreiheit außer Kraft. »Eindeutschung« und »Aussiedlung«, »Ausbeutung« und »Volkstumspolitik« waren fortan die Schlagworte, die die Politik im »Protektorat« dominierten. Im Sommer 1940 legte von Neurath ein Memorandum vor, in dem es unter anderem hieß: »Es wird bei den Tschechen darauf

ankommen, durch individuelle Zuchtwahl die rassemäßig für die Germanisierung geeigneten Tschechen zu erhalten, andererseits die rassisch unbrauchbaren oder reichsfeindlichen Elemente abzustoßen.« Karl Hermann Frank, der damalige deutsche »Staatsminister für Böhmen und Mähren«, formulierte die Ziele der NS-Politik noch deutlicher: Ziel der Germanisierung sei die »Umvolkung von rassisch geeigneten Tschechen« sowie die »Aussiedlung von rassisch unverdaulichen Tschechen und der reichsfeindlichen Intelligenzschicht beziehungsweise Sonderbehandlung aller destruktiven Elemente«. »Sonderbehandlung«, das bedeutete in der NS-Terminologie: Kaltblütiger, kalkulierter Mord. Bernhard Adolf, ebenfalls Sudetendeutscher und Vorsitzender des »Verbandes der Protektoratsindustriellen«, machte keinen Hehl daraus, worauf diese Politik hinauslaufen sollte: »Auf die »Vernichtung des Tschechentums als eigenständiges Volk.«
Doch zunächst blieb es bei starken Worten im kleinen Kreis, noch orientierte sich Adolf Hitlers Politik weniger an rasseideologischen Phantasien, als an rüstungsrelevanten Notwendigkeiten: Ein »Deklassieren« des gesamten tschechischen Volkes hätte immense wirtschaftliche Probleme verursacht, schließlich war die ehemalige Tschechoslowakei ein industriell hoch entwickelter Standort. Statt zu »vernichten« wurde deshalb »rückgedeutscht« und »umgevolkt«. Wer sich fügsam zeigte, konnte auf eine kleine Karriere hoffen; wer sich aber gegen die Deutschen stellte, bezahlte nicht selten mit dem Leben.

Am 15. März 1939 begannen die deutschen Truppen auch tschechisches Gebiet zu besetzen. Dieser Tag war ein traumatisches Erlebnis. Es war eiskalt und regnerisch. Wir gingen auf die Straße und sahen plötzlich, dass wir in einem besetzten Land lebten. Die Nazis wurden in der demokratischen Tschechoslowakei als Erzfeinde empfunden. Man war ihnen ausgeliefert.

Prof. Eduard Goldstücker,
Jahrgang 1913, lebt
in Prag

Die Ablösung Konstantin von Neuraths durch Reinhard Heydrich im September 1941 verschärfte die Situation im »Protektorat« zusätzlich. Heydrich, ein skrupelloser Nazi, hatte als Chef der Sicherheitspolizei und des SD schon in Deutschland das System der Unterdrückung perfektioniert. In seiner ersten Ansprache machte er deutlich, was dem »Protektorat« nun bevorstand – und was bislang hinter verschlossenen Türen thematisiert worden war: »Dieser Raum muss einmal deutsch werden, und der Tscheche hat in diesem Raum letzten Endes nichts mehr verloren.« Der fanatische Heydrich entwarf ein einfaches Bild der tschechischen Kulturnation: »Die einen sind gutrassig und gutgesinnt, die können wir eindeutschen. Die anderen sind die Gegenpole: Schlechtrassig und schlecht gesinnt. Diese Menschen muss ich hinausbringen. Im Osten ist viel Platz. ... Die gutrassig Schlechtgesinnten sind die Gefährlichsten. Wenn wir sie nicht erziehen können, müssen wir sie endgültig an die Wand stellen.« Seine Lösung hieß: »Böhmen und Mähren müssen endgültig deutsch besiedelt werden. Denn es macht keinen Sinn, das Tschechengesindel deutsch zu machen.«

Unter Heydrichs Leitung installierten die Deutschen auch im »Protektorat« jenen ausgefeilten Terrorapparat, der sich im »Altreich« bereits bestens »bewährt« hatte. Die Gestapo war allgegenwärtig, die SS verbreitete Angst und Schrecken. Reinhard Heydrich genoss seinen Erfolg, regierte mit eiserner Hand und wurde mehr und mehr zur Zielscheibe des tschechischen Hasses. Als er am 27. Mai 1942 im offenen Wagen durch Prag fuhr, verübten die exiltschechischen Agenten Jan Kubis und Josef Gabcik ein Attentat auf ihn. Heydrich erlag einige Tage später seinen Verletzungen. Die Rache des Regimes war grausam – Berlin wollte ein Exempel statuieren: Die Attentäter wurden mit 120 weiteren Angehörigen des tschechischen Widerstands von der SS getötet. In Berlin ließ Goebbels 500 Juden verhaften, von denen ein Teil am Tag von Heydrichs Tod exekutiert, die übrigen in ein KZ gebracht wurden. In Prag ließen die Besatzer 1331 Tschechen hinrichten, darunter 201 Frauen. Traurige Berühmtheit als Symbol für die sinnlose Rache an Unschuldigen sollte der Namen eines kleinen Ortes erlangen: Lidice. Die Bewohner des Dorfes hätten angeblich die Attentäter unterstützt. In den frühen Morgenstunden des 9. Juni umstellten Sicherheitspolizisten die Häuser. Es solle zu Verhören in die Schule gehen, sagte man den Einwohnern. Es werde ihnen nichts passieren. Auf dem Weg zur Schule wurden die 172 Männer des Dorfes ausgesondert und anschließend erschossen. In der Schulturnhalle untersuchte ein deutscher »Rassearzt« derweil die verängstigten Kinder: Augenfarbe, Haare, Schädelform. Sie sollten

Da ich in der Slowakei geboren war, war ich tschechoslowakischer Staatsbürger. Die Tschechoslowakei existierte aber nicht mehr. Der tschechoslowakische Pass war ungültig und ich war ohne Staatsangehörigkeit. Ich konnte die slowakische unter der Bedingung erhalten, dass ich mich in der Slowakei auch aufhielt. Ohne Pass und einen Schein von der Gestapo konnte ich aber nicht in die Slowakei gelangen – eine unlösbare Situation.

Prof. Eduard Goldstücker,
Jahrgang 1913, lebt
in Prag

in Heimen oder in Familien germanisiert werden. Die 195 Frauen des Ortes wurden in das KZ Ravensbrück verschleppt. Kaum eine von ihnen überlebte. Ihr Heimatdorf wurde nach dem Massaker dem Erdboden gleichgemacht.

Für das tschechische Volk begann mit der Tragödie von Lidice eine neue Phase der NS-Politik. Das Emil Hácha zugestandene theoretische Konstrukt einer »Autonomie« war offiziell zu Ende. Vergehen gegen die neue Ordnung wurden öffentlich und mit äußerster Brutalität bestraft. Verhaftungen, Einweisungen in Konzentrationslager und Erschießungen größeren Umfangs waren nicht mehr die Ausnahme, sondern die Regel – dramatische Erfahrungen, die sich ins Gedächtnis der tschechischen Menschen einbrannten und nach dem Krieg auf die Deutschen zurückschlugen.

Man wollte letztendlich die tschechische Nation vernichten. Während des Krieges hat man davon aber noch nicht viel gemerkt, weil man die tschechischen Arbeiter in den Fabriken brauchte. Zu dieser Zeit hat man nur diejenigen verhaftet und umgebracht, die im Widerstand waren. Die Arbeiter hat man in Ruhe gelassen, denn man brauchte sie.

Libuse Nachtmannova über die deutsche Politik im »Protektorat«

Was die Sudetendeutschen in Orten wie Duppau in den Jahren 1945 und 1946 als spontanen Ausdruck des Volkszorns empfanden, war politisch lange vorbereitet worden. Die Exilführung der Tschechoslowakischen Republik, die in London residierte, hatte Rache geschworen. »Das wird ein Tag der Vergeltung. Das Ende des Krieges wird bei uns mit Blut geschrieben werden. Auch bei uns wird gekämpft werden wie überall auf dem europäischen Kontinent, und den Deutschen wird erbarmungslos und vielfach all das zurückgezahlt werden, was sie seit 1938 in unserem Land angerichtet haben«, hatte Exilpräsident Eduard Beneš am 27. Oktober 1943 in London verkündet.

Diese radikale Forderung war das Ergebnis der von Terror und Verfolgung dominierten deutschen Politik im »Protektorat«. Denn zunächst war es keineswegs so, dass die tschechoslowakische Exilregierung Extremlösungen favorisierte, wie die Vertreibung aller Deutschen aus dem Gebiet der Tschechoslowakei in den Grenzen von 1937. Man dachte eher an punktuelle Umsiedlungen. »Es wird notwendig sein, mit allen angemessenen Mitteln, eventuell auch durch eine organisierte Anwendung des Prinzips der Umsiedlung von Bevölkerungen, Deutschland am Missbrauch seiner nationalen Minoritäten für seine pangermanischen Ziele zu hindern«, formulierte Hubert Ripka, Mitglied der tschechoslowakischen Exilregierung, am 16. Juli 1941 noch vorsichtig. Eine Schlussfolgerung, die die tschechoslowakische Führung aus der Politik Hitlers gezogen hatte, der 1938 die sudetendeutsche Minderheit als Vehikel für seine Expansionspolitik benutzt hatte.

Uns wurde dann berichtet, dass die Männer an jenem Tag gegen acht Uhr erschossen worden waren, zuerst zu fünft, später zu zehnt. Insgesamt wurden 172 Männer getötet. Das Dorf wurde gesprengt. Heute sind nur noch die Grundmauern der Häuser unter dem Gras zu erkennen. Der Name Lidice sollte von allen Landkarten ausradiert werden.

Mila Kalibova, Jahrgang 1923, aus Lidice

Die Exilregierung war sich nach der schmerzlichen Erfahrung der Münchner Konferenz auch darüber im Klaren, dass sie Verbündete für ihre Pläne brauchte. So skizzierte Eduard Beneš in zwei Aufsätzen für internationale Zeitschriften 1941/42 seine Vorstellung vom »Bevölkerungstransfer« als Antwort auf den Terror der Nazis. Angesichts der Erfahrungen nach dem Ersten Weltkrieg sei eine endgültige Lösung der Minderheitenfrage notwendig. Keinesfalls könne die Lösung jedoch in der Gewährleistung von Minderheitenrechten für die Deutschen bestehen, da dies eine Beschneidung der staatlichen Souveränität der tschechoslowakischen Mehrheit bedeutete.

Die Reaktionen auf diese Äußerungen waren zunächst jedoch zögerlich. Erst als immer mehr Details über die barbarische Kriegsführung Hitlers bekannt wurden, konnten Beneš und seine Mitstreiter auf die Zustimmung der Westalliierten vertrauen. Nach Gesprächen mit US-Präsident Roosevelt am 12. Mai 1942 berichtete Beneš erfreut, dass die Amerikaner nun bereit wären, die Beschlüsse der Münchner Konferenz für »null und nichtig« zu erklären. Ferner hätten sie den Vorschlägen zugestimmt, »die Zahl der Deutschen in der Tschechoslowakei so weit wie möglich zu reduzieren«. Auch der Kreml billigte die Pläne der tschechoslowakischen Exilregierung. Die Frage von »Bevölkerungstransfers«, so Molotow, sei eine interne Angelegenheit der Tschechoslowakei.

Für die britische Regierung war die Situation komplizierter. Sie hatte 1938 dem Münchner Abkommen zugestimmt. Formell war es auch jetzt – mitten im Krieg – noch völkerrechtlich verbindlich, das Sudetenland gehörte zum Deutschen Reich. Konnte man unter diesen Umständen den tschechischen Transferplänen zustimmen? Das Bekanntwerden des Massenmords von Lidice bewirkte auch in London einen ersten Meinungsumschwung:

Am 6. Juli 1942 informierte man die tschechoslowakische Exilregierung über einen folgenschweren Kabinettsbeschluss. Darin war von einem »allgemeinen Grundsatz des Transfers von deutschen Minderheiten in Mittel- und Südosteuropa nach Deutschland« die Rede, und zwar in Fällen, in denen es »notwendig und wünschenswert« erscheine. Das war im Grunde eine Blankovollmacht für Beneš, auch wenn es in der Folgezeit darüber, was »notwendig« oder gar »wünschenswert« sei, sehr unterschiedliche Auffassungen geben sollte.
In einem anderen Punkt, der Aufhebung des Münchner Abkommens und aller damit verbundenen Rechtsfolgen, verhielt sich London im Sommer 1942 zunächst noch zögerlich. Der emigrierte sudetendeutsche Sozialdemokrat Wenzel Jaksch konnte der britischen Regierung zwar deutlich machen, welche Folgen eine solche Null-und-nichtig-Erklärung haben würde: Alle Sudetendeutschen wären nach 1938 faktisch tschechoslo-

»Einfach über die Grenze getrieben« – Sudetendeutsche Vertriebene kommen in Bayern an

»Freundschaftliche Beziehungen« – Präsident Beneš zeichnet 1945 sowjetische Marschälle aus

wakische Staatsbürger geblieben und so zu Vaterlandsverrätern geworden. Doch nach zähen Diskussionen fand sich die britische Regierung – trotz aller Bedenken – im Herbst dazu bereit, das Abkommen offiziell zu annullieren. Beneš konnte nun die Maximalforderung stellen: Vertreibung aller Deutschen aus dem Gebiet der Tschechoslowakei, und zwar in den Grenzen, die das Land vor der Münchner Konferenz hatte.

Schuldig für die im Namen der Deutschen begangenen Verbrechen fühlten sich die Leute in Duppau nicht, doch danach fragte 1945, in der Stunde der Rache, kaum jemand. Die tschechischen Behörden duldeten vieles von dem, was die Revolutionsgarden sich zu Schulden kommen ließen – in gewisser Weise diente es den Zielen der neuen Regierung. Denn der gemeinsame Feind stärkte das Zusammengehörigkeitsgefühl von Tschechen und Slowaken im neu entstandenen Staat. Präsident Beneš ließ sich dazu hinreißen, seinen Landsleuten zuzurufen: »Werft die Deutschen aus ihren Wohnungen! Kein deutscher Bauer darf auch nur einen Quadratmeter Boden unter seinen Füßen haben, kein deutscher Gewerbetreibender oder Geschäftsmann darf sein Unternehmen weiter führen.«

Nicht nur in Duppau setzte man diese Vorstellungen schnell in die Tat um. Was nun begann, war die Zeit der so genannten »wilden Vertreibungen«. Zuerst traf es Großbauern oder Geschäftsinhaber wie die Eltern Gretl Gernerts. »Eines Tages sind Tschechen in unseren Milchladen gekommen und sagten, das Geschäft gehöre jetzt ihnen – einfach so.« Ihre Mutter habe den Schock und die Demütigung bis zu ihrem Tod nicht verwinden können, erzählt sie. Immerhin durfte die Familie zunächst noch in Duppau bleiben, musste aber ihre Wohnung verlassen und in das ehemalige Armenhaus des Ortes ziehen. Andere hatten nicht so viel Glück. Sie wurden enteignet und auf der Stelle vertrieben. »Die reicheren Geschäftsinhaber mussten sofort raus«, berichtet Frau Gernert, »sie durften nur einen Rucksack mitnehmen, sonst nichts. Sie sind zu Fuß über die Grenze gejagt worden.«

Die Deutschen in der Tschechoslowakei haben den Staat, die Demokratie und den Frieden verraten. Sie verrieten die Humanität und beteten den brutalsten Faschismus, Pangermanismus und Barbarismus an, dessen die Welt je Zeuge geworden ist. Dazu kommt, dass sie es öffentlich als ihr Ziel proklamierten, uns zu versklaven und auszurotten. Es ist für uns unmöglich geworden, an ihrer Seite weiterzuleben, und deshalb müssen sie das Land verlassen. Wir haben das moralische und politische Recht, dies zu verlangen.

**Eduard Beneš,
September 1945**

Auch für das Gasthaus von Erna Wenischs Eltern fand sich bald ein Interessent. »Eines Tages kamen zwei Funktionäre in Begleitung eines Mannes, den sie meinen Eltern als neuen Besitzer des Gasthauses vorstellten. Das war das erste Mal, dass ich meinen Vater in Tränen aufgelöst gesehen habe, das werde ich nie vergessen. Er sagte dann zu diesen drei Männern: ›Haben Sie denn kein Herz im Leib?‹ Die Antwort war nur: ›Das habt ihr alles dem Hitler zu verdanken.‹ Und damit war die Sache erledigt.«

Zur Enteignung kam häufig die Verpflichtung zur Zwangsarbeit. Erna Wenisch berichtet weiter: »Mehrere Duppauer Familien, darunter meine Eltern, meine Schwester und ich, wurden in

Viehwaggons ins Landesinnere gefahren. Wir haben in Slany in einer Batteriefabrik gearbeitet. Nach einem halben Jahr kamen die Bauern der Region und suchten sich Arbeitskräfte aus. Uns hat es auf einen großen Bauernhof verschlagen. Dort waren die Bedingungen sehr, sehr schlecht.« Erst ein weiteres halbes Jahr später konnte die Familie wieder zu den Großeltern nach Duppau zurückkehren. Auch der 18-jährige Josef Eisenkolb wurde mit einigen ehemaligen Schulkameraden zur Zwangsarbeit verschleppt. Abends wurden sie informiert, dass sie sich am nächsten Morgen um fünf Uhr am Marktplatz einzufinden hätten. Doch bereits um vier Uhr holten tschechische Posten die Deutschen ab und sperrten sie ins Gerichtsgefängnis. Von dort wurden die Jugendlichen in ein Braunkohlenrevier in der Nähe der Stadt Brüx transportiert. Josef Eisenkolb schuftete zunächst unter Tage. Einige Monate später folgte die Versetzung in den Tagebau. Bis zum September 1946 arbeitete er dort unter schwersten Bedingungen – um danach seine geliebte Heimat für immer zu verlassen.

Eine Handlung, welche nach geltenden Vorschriften eine gerichtliche Straftat begründet, ist nicht strafbar, wenn es zu ihr kam in der Zeit vom 30. September 1938 bis zum 28. Oktober 1945 aufgrund des Wiedererkämpfens der Freiheit der Tschechen und Slowaken oder die Ausdruck der Sehnsucht nach einer gerechten Vergeltung für Taten der Okkupanten und ihrer Helfershelfer war.

Gesetz vom 8. Mai 1946 über die Straffreiheit für Tschechen, erlassen von der vorläufigen Nationalversammlung der Tschechoslowakischen Republik

Die »wilde Vertreibung« erfasste in den ersten Wochen nach der Kapitulation das ganze Sudetenland. Die Deutschen mussten sich an Sammelstellen zur »Überprüfung« einfinden, wie man die Leibesvisitationen nannte. Danach wurden sämtliche Wertsachen konfisziert. War der Marschbefehl erfolgt, wurden die Deutschen in langen Kolonnen in Richtung der Grenzregionen zu Sachsen oder Bayern getrieben: Kinder und Greise, Männer und Frauen, Gesunde und Gebrechliche, ohne Rücksicht auf Alter und Gesundheitszustand.

Ein tragischer Höhepunkt dieser Phase der Vertreibung war der »Todesmarsch von Brünn«. Im Mai 1945 forderten die Brünner Revolutionsgardisten – vornehmlich ehemalige politische Gefangene aus deutschen Konzentrationslagern – die Abschiebung aller Deutschen aus der Stadt. Während der Brünner Nationalausschuss als Vertreter der tschechischen Regierung die Vertreibung verbot, stieß die Forderung bei den Arbeitern des

»Wahllose Verhaftungen« – Deutsche müssen nach der Befreiung Prags Zwangsarbeit leisten

größten Rüstungswerks auf große Zustimmung. Arbeiter und Revolutionsgardisten organisierten am 29. Mai im gesamten Stadtgebiet Razzien und forderten die Deutschen ultimativ auf, sich am nächsten Morgen im Altbrünner Klostergarten zu sammeln. In langen Reihen fanden sich 20 000 bis 25 000 Menschen auf der Straße ein; aus allen Gassen strömten die Deutschen zusammen. Dann gaben die Revolutionsgardisten der vorwiegend aus Frauen, Kindern und Alten bestehenden Menschenmenge den Befehl zum Abmarsch in Richtung Österreich. »Die Tschechen auf der Straße applaudierten und bewarfen uns mit irgendwelchen Gegenständen«, berichtet Norma Fritz, die als Kind den Marsch miterlebte. »Je größer das Leid wurde, desto mehr Häme habe ich mitbekommen. ›Ihr verfluchten Typen, endlich ist Schluss!‹, riefen sie uns auf Tschechisch hinterher.« In der Hitze jenes Maitages 1945 geriet der Marsch zur Tortur, bald lagen in den Straßengräben die ersten Toten. »Wer nicht mehr weiterkonnte, wurde mit dem Gewehrkolben geschlagen«, berichtet Norma Fritz. »Wer auch dann nicht weiterging, ist erschossen worden.« Über 1700 Menschen seien an jenem Tag im Jahr 1945 umgekommen, so ein ehemaliges Mitglied der »Revolutionären

Garden« gegenüber dem deutsch-tschechischen Schriftsteller und Journalisten Ota Filip.
Nach dreißig Kilometern erreichte die Kolonne schließlich Pohorelice. Wer nicht mehr gehen konnte, wurde hier interniert. Rücksichtslos wurden Familien getrennt, wenn die Alten nicht mehr konnten, mussten die Jungen alleine weiter. Es war für viele ein Abschied für immer. Ohne Verpflegung und unter katastrophalen hygienischen Bedingungen vegetierten die Inhaftierten dahin. Ruhr und Typhus brachen aus. Der Leichengeruch, der bald über dem kleinen Städtchen lag, kündete vom massenhaften Sterben. Die tschechischen Bewohner des Dorfes konnten wenig tun, um die Not der Deutschen zu lindern. Denn wer Mitleid zeigte, gar helfen wollte, musste mit der Rache der Revolutionsgarden rechnen. Kapitän Bedrich Pokorny, der Leiter der Revolutionsgardisten von Brünn, erhielt nachträglich von der tschechischen Regierung eine Belobigung für die »zielbewusste Energie«, mit der er seinen Dienst versehen hatte.

»Das eigene Grab geschaufelt« – Massengräber wie in Miröschau bei Pilsen gab es auch in Duppau

Pohorelice war nur eines von vielen provisorischen Internierungslagern in Böhmen, Mähren und der Slowakei. Misshandlungen, Vergewaltigungen und Plünderungen waren an der Tagesordnung. Immer wieder führten die Tschechen den deutschen Gefangenen vor Augen, warum sie leiden mussten. Wächter trieben die Gefangenen immer wieder bis zur Erschöpfung Treppen hinauf und hinunter und zwangen sie, alte Parolen zu rufen: »Ein Volk, ein Reich, ein Führer: Adolf Hitler. Sieg heil! Sieg heil!« Dann wurde ihnen befohlen, aufeinander einzuschlagen. Annie Hetz, die damals auf der Duppauer Gendarmeriestation arbeitete, wurde gleich nach der Ankunft der ersten Tschechen eingesperrt. Mit anderen Frauen saß sie im Keller der ehemaligen Oberschule im Kloster. »Jede Nacht haben wir Männer schreien hören«, berichtet sie. »Sie mussten immer wieder rufen: ›Wir danken unserem Führer!‹ – dann hat es wieder gekracht.« Woher die Schreie kamen, erfuhren sie und ihre Mitgefangenen am nächsten Tag bei Aufräumarbeiten im Nachbarkeller. Dort stand eine Bank, daneben lagen ein Strick und ein gedrehtes Stück Kupferkabel. Als die Frauen freigelassen wurden, sahen sie auch, wer in diesem Keller interniert worden war: Der ehemalige Ortsgruppenleiter der NSDAP, einige Lehrer von der »SS-Heimschule« im ehemaligen Kloster und mehrere Großbauern aus der Umgebung – alle tatsächlichen oder vermeintlichen »Nazis« aus Duppau, deren die Tschechen habhaft werden konnten. »Sie waren kaum mehr zu erkennen«, so Frau Hetz. »Augen und Ohren geschwollen, das Gesicht aufgedunsen – sie haben einfach furchtbar ausgesehen«. Der Direktor der Oberschule, der zu Zeiten des Dritten Reichs stets mit der schwarzen Uniform der SS vor seine Schüler getreten war, wurde bei lebendigem Leib eingemauert, berichtet Margarete Haubl. »Der Maurer hat auf dem Totenbett ausgesagt, dass er das unter Zwang machen musste.« Auch seine beiden Lehrerkollegen fanden den Tod. Jene, die während ihrer Inhaftierung unter Prügeln und Androhung weiterer Misshandlungen ein Geständnis unterschrieben hatten, wurden kurze Zeit später

Dann ging es los mit den Verhaftungen. Man hat die Männer von zu Hause geholt und im Gymnasium eingesperrt. Die genauen Gründe wussten wir nicht. Der eine hatte zum Beispiel eine dunkle Uniform aus seiner Zeit als Student. Da hieß es: »Du warst bei der SS.« Im Gymnasium mussten sie dann »Heil Hitler« und »Heil mein Führer« rufen und wurden daraufhin geprügelt, ob sie es nun sagten oder nicht. Sie bekamen Schläge mit Lederpeitschen, an deren Enden Bleikugeln hingen.

Margit Staar, Jahrgang 1928, aus Duppau

aus ihren Zellen geholt. Sie nahmen Werkzeug in Empfang, Hacken und Schaufeln mussten geschultert werden, dann marschierten sie zu den Sportplätzen der Oberschule. Die Gefangenen mussten eine lange Grube ausheben und sich in die Tiefe begeben. MG-Salven setzten ihrem Leben ein Ende.

Maria Stiemer stand in diesen Tagen Todesängste aus. Denn auch ihr Mann, der in der Nazizeit als Gemeindesekretär gearbeitet hatte, gehörte zu den Gefangenen im Kloster. Immer und immer wieder hörte sie die Gewehrschüsse. »Jedes Mal habe ich gedacht, dass sie ihn auch schon erschossen hätten.« Eines Abends wurde auch sie mit ihren Kindern inhaftiert. »Abends um halb neun kamen sie. Wir mussten mitkommen und wurden in einen Keller gesperrt«, schildert Frau Stiemer mit tränenerstickter Stimme. »Einer der Tschechen sagte: ›Ihr Mann ist geflohen. Finden wir ihn innerhalb der nächsten zehn Tage, tot oder lebendig, dann kommen Sie raus. Wenn nicht, werden Sie mit ihren Kindern erschossen.‹« Auch das fünfte Kind von Frau Stiemer, das zu dieser Zeit bei den Großeltern war, wurde abgeholt. Auf das Angebot der Großeltern, sich anstelle der Kinder erschießen zu lassen, gingen die Gardisten nicht ein. Der »Faschist« musste her, und das möglichst schnell. Nach drei Tagen stellte sich Maria Stiemers Mann schließlich freiwillig. »Er konnte sich gerade noch von uns verabschieden. Wir weinten, und er sagte zu den Kindern. ›Seid brav und folgt Eurer Mutti.‹« Noch am gleichen Abend hörte Maria Stiemer wieder Schüsse. »Am nächsten Tag kam

Eines Tages wurde ich Augenzeugin einer Massenerschießung. Von weitem sah ich, dass einige Männer im Klostergarten ein großes Grab aushoben. Am nächsten Tag kamen tschechische Soldaten mit Gewehren. Diejenigen, die das Grab zuvor geschaufelt hatten, mussten sich an dessen Rand aufstellen. Einer gab dann das Kommando und die Männer wurden erschossen. Ich weiß nicht, ob alle Soldaten geschossen haben. Danach wurden große Säcke mit weißem Pulver herbeigetragen, das die noch nicht erschossenen deutschen Männer auf die Toten streuten. Dann wurde das Grab zugeschaufelt. Es war sehr schlimm. Als ich das gesehen habe, habe ich sehr geweint. Eine Frau sagte mir dann, dass ich nicht zu weinen brauche, denn das hätten die Deutschen auch mit den Juden gemacht. Ich stand da als junge Frau und wusste nicht, was ich sagen sollte. Wahrscheinlich war es gut, dass ich nichts gesagt habe.

Herta Löhe, Jahrgang 1924, aus Duppau

»Mit Genickschuss getötet.«
Die Leichen von ermordeten Sudetendeutschen

»Schreckliche Rache« – Deutsche Gefangene werden gezwungen, sich gegenseitig zu ohrfeigen

ein Tscheche und sagte: ›Übrigens, das war gestern Ihr Mann.‹« Wenige Tage später musste Frau Stiemer mit ihren fünf Kindern das Land verlassen. Morgens um fünf Uhr weckten Milizionäre die Familie; nach einem Tag in einem Lager wurde sie mit einigen Bauern aus der Duppauer Gegend zur Grenze geschickt. Mitnehmen konnte sie nichts – nur das, was sie und die Kinder auf dem Leib trugen. Bei Oberwiesenthal betraten Maria Stiemer und ihre fünf Kinder deutschen Boden, ohne Nahrung, ohne ausreichende Kleidung, ohne Ziel.

Nur wenige Tschechen waren damals gut auf die Deutschen zu sprechen. Und das aus gutem Grund, meint Norma Fritz: »Es gibt schließlich eine Vorgeschichte wie die Vertreibung der Tschechen 1938 und das Massaker von Lidice. Es ist ja nicht so, dass die Tschechen aus heiterem Himmel angefangen haben, die Deutschen zu massakrieren. Es gab eine Vorgeschichte und aus dieser Vorgeschichte heraus muss man die Dinge, die damals geschahen, betrachten.« Andere, wie Gretl Gernert, erinnern bei aller Tragik der Vertreibung auch an Zeichen der Mitmenschlichkeit. Tschechen, die sich schützend vor Deutsche stellten, Nachbarn, die in der allgemeinen Mord- und Zerstörungswut zur Besonnenheit mahnten. »Wir haben bei einem tschechischen Ehepaar gearbeitet. Sie haben uns zwar kein Geld für unsere Arbeit gegeben, aber sie haben uns auch nicht geschlagen. Und einmal hat uns die Frau drei Laib Brot gebracht. Das kann ich ihr nicht vergessen«, so Frau Gernert. Ein Mann, der für viele Deutsche zum Inbegriff humanitärer Hilfe wurde, ist Premysl Pitter. Der gebürtige Tscheche kümmerte sich um deutsche Kinder, die in den tschechischen Lagern ohne Eltern lebten. Gegen den Widerstand der Behörden brachte er die Waisen in Kinderheimen unter und rettete dadurch vielen das Leben.

In der internationalen Presse bestimmten dagegen Nachrichten über zunehmende Exzesse von Tschechen das Bild. Insbesondere in den angelsächsischen Ländern mehrten sich im Verlauf des Jahres 1945 kritische Zeitungsberichte. Schließlich sah sich sogar die britische Regierung zu einem offiziellen Protest genötigt. In einer Note vom Juni 1945 erklärte London, dass Großbritannien keine Zustimmung zu derartig gewaltsamen Massendeportationen der Deutschen gegeben habe, und verwies auf die Zuständigkeit der Kontrollmächte. Die Tschechoslowaken argumentierten, ihr Vorgehen gegenüber den Deutschen sei notwendiger Schutz und Vorsorge im Hinblick auf Anschläge von im Untergrund agierenden NS-Organisationen wie etwa dem »Werwolf«, einer Schimäre.

Am 31. Juli 1945 eskalierte diese Hysterie. In Aussig war damals eine Munitionsfabrik, in der viele Deutsche Zwangsarbeit leisten mussten, explodiert, einige Tschechen waren ums Leben gekommen. Schnell war für die Öffentlichkeit die Schuldfrage geklärt: Ein Sabotageakt des »Werwolfs«! Die Tschechen machten nun Jagd auf alle, die eine weiße Armbinde trugen. Die deutschen Arbeiter, die nach Schichtende in ihre Wohnungen wollten, wurden abgefangen, von der aufgehetzten Menge auf einer Elbbrücke zusammengetrieben, geprügelt und in den Fluss geworfen – die Brücke wurde für mindestens 200 Deutsche zur Todesfalle. Die Polizei sah tatenlos zu. In tschechischen Zeitungen hieß es nach dem vermeintlichen »Werwolf«-Anschlag: »Aussig ruft und gebietet: Nicht ein Deutscher auf tschechischem Gebiet!« Für die tschechoslowakische Regierung kommentierte Minister Ripka die Ereignisse in einer Rundfunkrede am 20. August 1945: »Sie müs-

Der Hass der Tschechen auf die Deutschen hatte ja eine längere Vorgeschichte. Zunächst die Zerstörung der Tschechoslowakei durch die Henleins. Dann kam die Einrichtung von Theresienstadt. In den Zeitungen, zum Beispiel im *Tschechischen Beobachter*, stand geschrieben, dass die Tschechen, wenn der Krieg zu Ende sei, nach Sibirien kämen. Männer wurden erschossen. Frauen kamen ins KZ. Die Kinder wurden an deutsche Familien verteilt. Dass dies die tschechische Volksseele zum Kochen bringen musste, ist doch verständlich.

Josef Schuh, Jahrgang 1923, aus Duppau

sen die Gefühle unseres Volks verstehen, das sich noch immer ständigen Angriffen des ›Werwolfs‹ ausgesetzt sieht. Viele Tschechen fühlen sich nicht eher sicher, ehe sie wissen: Die Deutschen werden gehen.« Die Geschichte vom »Werwolf« diente damals als ein willkommener Vorwand für die Vertreibung.

Um dieses Vorhaben zu beschleunigen, waren im Laufe des Sommers 1945 Pogrome und willkürliche Vertreibungen durch entsprechende Gesetze legalisiert worden. Hinter diesen neuen Paragraphen verbargen sich Anweisungen, die die Lebensgrundlagen der deutschen Bevölkerung systematisch und planvoll zerstören sollten. Etwa das Retributionsdekret vom 19. Juni 1945, das vorgab, die »Bestrafung nazistischer Verbrecher und Verräter« zum Ziel zu haben. Die tschechoslowakische Regierung ging dabei von der staatsrechtlichen Kontinuität der tschechoslowakischen Republik aus. Damit hätten auch in der Zeit von 1938 bis 1945 für alle Einwohner im Sudetenland die tschechoslowakischen Gesetze gegolten. Wenn sich die Sudetendeutschen nach dem mittlerweile international anerkannten Münchner Abkommen an deutschem Recht orientierten, wäre dies Landesverrat. Rückwirkend war damit auch die Mitgliedschaft in NS-Organisationen und jede politische Aktivität im Sinne der Nationalsozialistischen Regierung strafbar. Da auch jede Beamtentätigkeit darauf ausgerichtet war, die staatliche Funktionsfähigkeit aufrechtzuerhalten, konnte jedwede während 1938 und 1945 ausgeübte Verwaltungstätigkeit als Unterstützung des NS-Regimes ausgelegt werden. Die tschechoslowakische Regierung hatte mit diesem Dekret nachträglich die juristische Grundlage für kollektive Maßnahmen gegen alle Sudetendeutschen geschaffen.

Von den neuen Gesetzen wurde reger Gebrauch gemacht – doch mit einer Gerichtsbarkeit, die auf Gerechtigkeit zielte, hatten die Standgerichte, die als »Volksgerichtsverfahren« bezeichnet wurden, wenig gemein: Massenhafte Abfertigung der Angeklagten, sprachliche Schwierigkeiten, Verteidiger, die sich kaum für die Angeklagten einsetzten – all das führte dazu, dass Unrecht an der Tagesordnung war, dass ein ohnehin hartes Gesetz noch härter ausgelegt wurde. Dies bestätigt auch Professor Viktor Denk aus Prag, der als Deutscher im ehemaligen KZ Theresienstadt inhaftiert war: »Wegen der lächerlichsten Anschuldigungen kam man damals vor dieses ›Volksgericht‹, und es

»Für die Alten war es am Schlimmsten.« Nicht jeder schaffte den Neuanfang

konnte schnell passieren, dass man zu einigen Jahren Zwangsarbeit im Kohlenbergwerk verurteilt wurde – wie ein Bekannter von mir, der drei Jahre Bergwerk aufgehalst bekommen hatte, weil er sich als Kriegsfreiwilliger gemeldet hatte.« Eine Möglichkeit, Berufung einzulegen, war nicht vorgesehen. Die Urteile waren sofort rechtskräftig.

Zu einer zweiten Gesetzeskategorie, mit der die Existenzgrundlage der Deutschen zerstört wurde, gehörten vermögensrelevante Gesetze. Ein bereits am 19. Mai 1945 verkündetes Gesetz unterstellte das Eigentum »staatlich unzuverlässiger Personen« der Nationalverwaltung – Deutsche galten per se als »unzuverlässig«. In einem Ergänzungsdekret vom 17. Juni 1945

wurde schließlich die neue Verteilung der deutschen Besitztümer festgelegt: Tschechen und Slowaken sollten sich auf konfisziertem Grund und Boden ansiedeln dürfen.
Diese als »Beneš-Dekrete« berühmt-berüchtigt gewordenen Regierungsanweisungen bedeuteten in ihrer Summe die entschädigungslose Enteignung aller Deutschen in der Tschechoslowakei. Renten und Pensionsansprüche verfielen, Grundstücke mit Haus und Hof und Vieh gehörten dem tschechoslowakischen Staat. Aktien, Wertpapiere, Edelmetall, Kunst und andere Wertgegenstände kamen in ein Sperrdepot. Zwecklos war auch, den Notgroschen unter der Matratze zu verheimlichen. Vom 1. August 1945 an war die Reichsmark in der Tschechoslowakei kein gültiges Zahlungsmittel mehr. Maximal dreißig Reichsmark durften in Kronen getauscht werden, alles andere kam auf ein Sonderkonto. Sachwerte waren ebenfalls keine Alternative, denn vom persönlichen Besitz war den Sudetendeutschen nur der zur »Befriedigung der grundlegenden Lebensbedürfnisse« unumgängliche Teil erlaubt – Kleidung, Federbetten, Wäsche, Nahrungsmittel, einige Hausgeräte.
In der Tschechoslowakei waren durch die »wilde Vertreibung« von rund 700 000 Sudetendeutschen und den Erlass der Beneš-Dekrete viele Weichen längst gestellt, als sich im Juli 1945 in Potsdam die Siegermächte des Zweiten Weltkriegs trafen, um über das künftige Schicksal Europas zu beschließen. US-Präsident Harry S. Truman, der britische Premierminister Winston Churchill und Kremlchef Josef Stalin rangen am 17. Juli 1945 auf Schloss Cecilienhof um Macht und Einfluss auf dem alten Kontinent. Über die tschechoslowakische Frage wurde nur am Rande gesprochen, das Problem zur Klärung an die Außenminister weitergereicht. Ein Unterausschuss sollte am Ende über das Schicksal von Millionen Menschen entscheiden. Während der drei Sitzungen des Ausschusses erklärte der sowjetische Vertreter Sobolew, seine Regierung sei nicht gewillt, dem tschechoslowakischen Wunsch nach Vertreibung der Sudetendeutschen etwas in den Weg zu legen. Der Brite Sir Geoffrey Harrison versuchte nach einer Regie-

Die Vertreibung der Deutschen wurde im Allgemeinen von der tschechischen Bevölkerung angenommen und gebilligt. Was aber nicht gebilligt wurde, waren die wüsten Ausschreitungen, die während der willkürlichen Vertreibung vor allem in den Grenzgebieten stattfanden. Diese kritisierte man Ende '45 und Anfang '46 scharf, zum Beispiel in den nichtkommunistischen Zeitungen.

Dr. Anton Sum, Jahrgang 1919, lebte in Prag

»Ein notwendiger Schlussstrich?«
Ein Sudetendeutscher wartet in einem Lager auf seine Abschiebung

rungsdirektive, »alles zu vermeiden, mit dem Odium der Verantwortung für Umsiedlungsvorschläge belastet zu werden«. Und US-Staatssekretär James Byrnes erklärte im Nachhinein: »Wir haben anerkannt, dass gewisse Umsiedlungen unvermeidlich sind.« Die westlichen Alliierten machten zwar klar, dass ihnen der Gedanke an Massenumsiedlungen nicht gerade sympathisch war, doch anhand des Vorschlags, den der Unterausschuss zur Behandlung der nationalen Minderheiten den Großen Drei schließlich vorlegte, stimmten sowohl Washington als auch London der Vertreibung von Millionen Deutscher zu. So wie der Westen in München die Interessen der Tschechoslowakei um des Friedens willen an den deutschen Diktator verkauft hatte, so akzeptierte er nun die Vertreibung der Deutschen aus der Tschechoslowakei, um die Zusammenarbeit mit Josef Stalin nicht zu gefährden. Die Betroffenen hatten weder in München, noch in Potsdam ein Mitspracherecht. In beiden Fällen waren Gerechtigkeit und Menschlichkeit auf der Strecke geblieben. Den Preis zahlte 1938 die tschechoslowakische Zivilbevölkerung, 1945 büßten die Deutschen.

Die tschechoslowakische Regierung wertete die Potsdamer Beschlüsse als Bestätigung ihrer bisherigen Politik. Nun stützten die Maßnahmen zur Vertreibung sich auf internationale Beschlüsse und den Segen der Siegermächte.

Wenn man von einem positiven Ergebnis der Beratungen von Potsdam sprechen möchte, kann man feststellen, dass zumindest die Phase der »wilden Vertreibung« ein Ende hatte. »Mindeststandards«

(1) Das Eigentum staatlich unzuverlässiger Personen auf dem Gebiet der Tschechoslowakischen Republik ist der Nationalverwaltung gemäß weiteren Bestimmungen dieses Dekretes unterstellt. ... Als staatlich unzuverlässige Personen sind anzusehen:
a) Personen deutscher oder madjarischer Nationalität
b) Personen, die eine gegen die staatliche Souveränität, Selbständigkeit, Integrität, die demokratisch-republikanische Staatsform, die Sicherheit und die Verteidigung der Tschechoslowakischen Republik gerichtete Tätigkeit entfaltet haben.

Beneš-Dekret vom 19. Mai 1945 über die Unterstellung des Eigentums der Deutschen, Madjaren, »Verräter und Kollaboranten« unter staatliche Verwaltung

»Das habt ihr Hitler zu verdanken!«
Deutsche werden aus Prag vertrieben

Übersetzung.

Aufruf!

Die umseitig Angeführten haben

am 26. 2. 46 (Dienstag) **um** 12 **Uhr in die Sammelstelle in** Königsmühl in dem Gemeindeamt **zu kommen, betreffend Aussiedlung nach Deutschland.**

Gestattet wird, **Handgepäck** im Höchstgewichte von 50 kg pro Person einschließlich unverderbliche Lebensmittel auf 7 Tage mitzunehmen.

Das Gepäck muß mit der genauen Adresse des Besitzers mit Druckschrift versehen und gut **transportfähig verpackt sein.** Gepäck, welches dieser Vorschrift nicht entspricht, wird nicht befördert. Eßgeschirr, Besteck, Gedecke, werden im **Handgepäck** mitgenommen, während das andere Handgepäck während des Transportes unbenützbar verpackt bleiben muß.

Eine Währung in Kronen mitzunehmen ist nicht gestattet, hingegen wird erlaubt, pro Person 1000 RM mitzunehmen. Ein Ansuchen um Freigabe dieser Mark mit beigefügten dazu nötigen Unterlagen ist der hiesigen Místní správní komise vorzulegen.

Die ärztliche Untersuchung der Transportfähigkeit erfolgt im Lager. Besorgung ärztlicher Zeugnisse in der Aufenthaltsgemeinde ist nutzlos.

Jeder hat im Lager **ordentlich gekleidet, mit gutem Schuhwerk versehen und gründlich gewaschen — Männer rasiert—** zu erscheinen.

Persönliche Dokumente (z. B. Tauf- und Heimatschein, Kennkarte) sind mitzunehmen. Die Haushaltskarte ist der Místní správní komise abzugeben.

Vor dem Verlassen der Wohnung ist der Haushaltsvorstand verpflichtet, alle Zugänge der Wohnung **zu versperren.** Das Schlüsselloch ist **zu überkleben** mit einem Streifen, welcher Ihnen von der Místní správní komise übergeben wird und die Schlüssel werden in einen Umschlag gegeben, der, mit Ihrer genauen Adresse versehen, dem ~~Herrn~~ Gemeindeamt ~~wohnhaft~~ in Königsmühl überreicht wird. Diese Person ist berechtigt, sich von dem Stand der verlassenen Wohnung zu überzeugen (Hausverwalter usw.)

Achtung!

Nichtbefolgung der Vorschriften zur Aussiedlung, weiters Beschädigungen, Vernichtungen oder Beseitigung des zurückgebliebenen Besitzes sowie Mithilfe zu solchen Handlungen, wird gesetzmäßig bestraft.

Personen, welche im Sammellager zur vorgeschriebenen Zeit nicht erscheinen, werden polizeilich vorgeführt.

sollten bei der weiteren Umsiedlung gewährleistet sein, hatten die Westmächte in Potsdam gefordert. Das hieß: fünfzig Kilogramm Gepäck und tausend Reichsmark pro Aussiedler. In einem Abkommen, das Vertreter der Behörden in der amerikanisch besetzten Zone mit der tschechoslowakischen Regierung am 8. und 9. Januar 1946 schlossen, wurde darüber hinaus festgelegt, dass die Tschechen Lebensmittel für drei Tage ausgeben mussten, dass die Waggons bei schlechtem Wetter geheizt werden sollten, dass Familien nicht auseinander gerissen werden durften und dass warme Verpflegung gewährleistet sein müsse. Doch die Praxis sah meist anders aus.

»Feinde der tschechoslowakischen Republik« – ein Ausweisungsbefehl für Sudetendeutsche

Für die Duppauer, für alle Sudetendeutschen, die noch nicht geflohen waren oder bereits in der ersten Phase der Vertreibung das Land verlassen mussten, kam die Zeit des Abschieds. Für die in Lagern internierten oder zur Zwangsarbeit verschleppten Deutschen bedeutete dies zwar das Ende ihrer Gefangenschaft, aber keine Rückkehr in die alte Heimat. Für die wenigen, die bis

»Mindeststandards sind garantiert« – der Aufbruch der Sudetendeutschen ins Ungewisse

In der Nacht sind wir dann in der Kreisstadt Kaaden angekommen. Dort hatten wir ein paar Tage Aufenthalt, bis der Transport zusammengestellt war. Als wir schließlich mit dem Viehwaggon in Bad Brambach über die Grenze gefahren sind, war die Landschaft übersät mit weißen Armbinden. Wir haben unsere auch einfach weggeworfen.
Von Bad Brambach ging es nach Erfurt, von dort nach Suhl im Thüringer Wald. Wir waren vierzehn Tage in Quarantäne. Danach sind wir aufgeteilt worden.

Margarete Haubl,
aus Duppau

»Endlich keine Angst mehr« – erschöpft erreichen sudetendeutsche Vertriebene den Westen

1946 noch auf ihrem Besitz bleiben durften, stand eine schmerzliche Trennung bevor. Vor allem für die Erwachsenen war der Verlust von Hab und Gut schwer zu ertragen: Die Werkstatt, der Hof, die Maschinen, die Tiere, der Hausrat, nichts von alldem, was man sich über Jahre hinweg hart erarbeitet hatte, konnte mitgenommen werden. Nichts von dem, was über Generationen erwirtschaftet und gepflegt worden war, hatte Bestand. Josef Eisenkolb erinnert sich an die dramatische Abschiedsszene: »Wir sind in den Stall gegangen; dort stand meine Mutter, klammerte sich an einer Kuh fest und rief immer wieder verzweifelt: ›Ich will nicht weg!‹« Und Franz Klement erzählt, wie er und seine Eltern noch ein letztes Mal durch das Haus gingen. Die wenigen Dinge aus der Aussteuer, die Krieg und Plünderungen überstanden hatten, die Spitzenklöppeleien, Handwerkskunst der Großmutter – alles musste zurückbleiben. »Wir blickten noch einmal über die Berge zurück, dann hieß es Abschied nehmen für immer.«

Die Flucht durch das Sudetenland war so schrecklich, das kann man gar nicht schildern. Wir haben uns immer gedacht, das kann doch nicht endgültig sein. Wir müssen doch wieder zurückkommen. In drei, vier Wochen sind wir bestimmt wieder daheim. ... Oft habe ich an unser altes Bauernhaus gedacht, das seit 1614 in Familienbesitz war. Wir sind dort aufgewachsen, Generation um Generation. Und dann muss man mit einem Mal alles verlassen. Das Vieh bliebt dort und alles andere. Man geht fort, weiß nicht wohin, steht auf der Straße und hat nichts – wir haben uns regelrecht von Gras ernährt.

Maria Stiemer, Jahrgang 1913, aus Duppau

Der Weg nach Deutschland führte die Vertriebenen zunächst in eines der vielen Sammellager – Internierung, Registrierung, Entlausung. Franz Klement erinnert sich: »Mitte August kamen tschechische Milizionäre, die befahlen: ›Familie Klement! In zwei Stunden mit Handgepäck auf dem Marktplatz antreten!‹ Dort warteten schon vierzig Leute auf den Abtransport. Wir wurden zum Bahnhof gebracht und mit Viehwaggons in die Kreisstadt Kaaden transportiert, wo wir in ein Sammellager kamen.« Dann wurden sie zum wiederholten Male gefilzt. Was den tschechischen Bewachern gefiel, wurde requiriert. Margarete Gernert: »Im Lager haben sie uns noch mal Sachen abgenommen. Uhren oder Schmuck, goldene Ohrringe, das bisschen, was wir retten konnten, kam weg.« Bei späteren »Durchsuchungen« waren es vor allem warme Wintermäntel, die »beschlagnahmt« wurden. Alles, was halbwegs wertvoll aussah, war begehrt. Wem es gelungen war, sein weniges Hab und Gut auf dem Weg zum Bahnhof und im Lager zu behalten, dem stan-

den in den Waggons ein weiteres Mal tschechische Soldaten gegenüber. Bei der letzten Gepäckkontrolle unmittelbar vor dem Grenzübergang in die amerikanische oder sowjetische Besatzungszone war den meisten Flüchtlingen nichts mehr geblieben. Die ersten großen Transporte aus dem Sudetenland trafen am 25. Januar 1946 im bayerischen Furth im Wald ein. Vier bis sieben Züge mit jeweils rund 1200 Personen rollten bis November täglich nach Bayern. Der Bayerische Staatskommissar für Flüchtlingswesen registrierte für das Jahr 1946 etwa 1100 Züge, die 1,1 Millionen ausgewiesene Deutsche aus der Tschechoslowakei nach Bayern brachten. Hinzu kamen rund eine halbe Million Einzelübertritte aus den tschechischen Grenzgebieten sowie rund 100 000 Vertriebene, die zunächst nach Österreich transportiert worden waren. Insgesamt mussten rund 2,8 Millionen Sudetendeutsche ihre Heimat verlassen. Die Vertriebenenzahlen machen deutlich, vor welcher enormen Versorgungsaufgabe die aufnehmenden Regionen standen. Glück im Unglück hatte, wen das Schicksal in die deutschen Westzonen verschlug. Wer Pech hatte, den brachten die Züge in die sowjetisch besetzte Zone – wie die restlichen Bewohner aus Duppau, die Ende 1946 in die nahe SBZ abtransportiert wurden.

»Nichts haben sie uns gelassen.«
Zwei Vertriebene mit ihren letzten Habseligkeiten

Nicht alle Sudetendeutschen erreichten die deutschen oder österreichischen Grenzen, hinter denen sie Ruhe und Sicherheit fanden. Umstritten ist die Zahl der Opfer, die in den Jahren 1945/46 im Laufe der Vertreibungen und der Exzesse im Vorfeld ihr Leben lassen mussten. Die Zahl der nachweislich ums Leben gekommenen Deutschen liegt bei 19 452. Nicht immer gab es allerdings Augenzeugen, nicht immer sind die Opfer in der Tschechoslowakei gestorben. Auf rund 100 000 wird die Zahl derer geschätzt, die infolge mangelnder Ernährung, unzureichender ärztlicher Versorgung oder Misshandlungen erst nach der Vertreibung in der US-Zone gestorben sind. Auch sie, nicht nur die so genannten »Augenzeugentoten«, müssen zu den Vertreibungsopfern gerechnet werden. In der »Heimatortskartei« für die Sudetendeutschen hat die Caritas Listen erstellt, um eine Recherchegrundlage für Familienzusammenführungen zu schaffen. Hier sind die Namen von 225 133 Sudetendeutschen registriert, deren Schicksal auch mehr als ein halbes Jahrhundert nach der Vertreibung noch immer ungeklärt ist.

»Katastrophale Zustände« – in den Vertriebenenlagern herrschte meist qualvolle Enge

Vertreibung bleibe immer ein Unrecht, betont Josef Schuh. Doch sein Blick ist auch nach vorn gerichtet: »Wir müssen zusammenleben, die Zukunft gestalten, denn das Alte gibt es nicht mehr. Es gibt keine Tschechoslowakei mehr. Es gibt kein Österreich-Ungarn mehr. Das ist vorbei. Wir haben jetzt ein Tschechien, ein neues, demokratisches Tschechien, und mit dem müssen wir in Europa zusammenleben.« Und der über achtzig Jahre alte Tscheche Anton Sum pflichtet ihm bei: »Das Zusammenleben von Deutschen und Tschechen war jahrhundertelang sehr gut. Der Streit muss fünfzig Jahre nach dem Krieg endlich aufhören. Das ist unsere Aufgabe. Dann gibt es auch eine Zukunft.«

Wir sind nach Neustadt/Aisch in ein Lager gekommen. Von dort aus haben sie uns in Familien aufgeteilt. Bis abends um acht Uhr saßen wir auf einem Brunnen. Uns wollte niemand haben, weil wir sechs Personen waren. Meine Mutter hat nur geweint. Schließlich ist eine Bäuerin gekommen und hat uns mitgenommen.

Margarete Gernet, Jahrgang 1934, aus Duppau

Ortsregister

Adelsbach 204
Aktjubinsk 251
Alytus 259, 265, 273
Allenstein 218, 228, 244, 260, 304
Alt 147
Alt-Wusterwitz 48
Archangelsk 277
Auschwitz 9, 333
Aussig 12, 397, 398

Belgard 336
Berlin 12, 26, 55, 80, 83, 90, 147, 152, 158, 164, 176, 192, 205, 280, 292, 294, 327, 363, 377, 384
Bevensen, Bad 286
Beuthen 147, 199
Brambach, Bad 406
Braunschweig 285
Breslau (Wrocław) 12, 145–147, 149–153, 156–165, 170, 172–176, 181, 184–187, 189–192, 194–196, 199, 200, 212–215, 296
Brest-Litowsk 226, 269
Brieg 147, 199
Brünn 12, 390, 391, 393
Brüx 390
Buckow 302
Bunzlau 174, 199, 205

Cammin 317
Chabarowsk 228
Charkow 233, 234
Cosel 147
Cottbus 12, 13

Danzig 11, 12, 18, 39, 79, 84, 88, 96, 97, 129, 221, 247–252, 265, 269, 319
Dievenow 316
Doupov (siehe Duppau)
Dresden 170–174, 284, 317
Duppau (Doupov) 358–363, 369, 370, 373, 374, 376–378, 380–382, 385, 389, 390, 393, 395–397, 406, 408, 409, 411

Eger 362, 377
Elbing 10, 18, 56, 69, 90, 104, 217, 218, 220, 223, 232, 242, 269, 294
Elchniederung 22, 258
Erfurt 406

Flatow 312
Flensburg 83, 106
Frankenstein 205
Frankfurt/Oder 12, 269, 273, 294
Freystadt 306
Friedberg 312
Friedland 270, 273
Fritzow 317
Fulton/Missouri 351
Furth im Wald 409

Gandau (Flugplatz) 186
Gdingen (siehe Gotenhafen)
Genf 271, 273, 303
Gleiwitz 147, 149, 227
Glogau 147, 149, 152, 174, 296
Görlitz 12, 176, 199, 200, 205, 208
Goldap 53, 56, 147
Goldberg 174
Gornitz 316
Gotenhafen (Gdingen) 87, 88, 90, 91, 93, 96–100, 103–105, 107, 112, 113, 124, 130, 132, 138, 141, 319
Gotenhafen-Oxhöft 91, 95, 105
Graudenz 248–250, 265, 333
Greifenberg 198
Greifswald 292
Gronowo 227
Groß-Dubberow 336
Groß-Garde 333, 334, 341
Grottkau 174
Gryforoga (siehe Greifenberg)
Gumbinnen 38, 40, 48, 223

Hamburg 26, 84, 94, 95, 139, 141, 273
Hasenmoor 84
Heiligenbeil 18
Hirschberg 205

Insterburg 221, 228, 232, 234, 274

Jäglack 24, 59
Jalta 166, 167, 170, 205, 208, 220, 321
Jauer 174
Johannisburg 56

Kaaden 406, 408
Kalvarija 256, 270, 275
Kaliningrad (siehe Königsberg)
Kanth 159, 161
Kapinsk 239, 243
Karabasch 261
Karlsbad 359, 362, 363, 376
Kaunas 256, 259
Kiel 106
Kimpersai 251, 265, 269
Kineschma 274
Klein-Zöllnig (Solniki-Male) 149, 150, 200, 212, 215
Klein-Weißensee 279
Klitschdorf 180
Köln 26

Königsberg (Kaliningrad) 29, 30, 36, 57, 69, 79, 80, 82, 83, 152, 209, 247, 253, 279, 286, 296
Köslin 292, 319
Kohlfurt 212
Kolberg 141, 152, 292, 296, 319, 321–324
Konstantinow 233
Kopejsk 241, 242, 244, 260, 261
Kopenhagen 160
Krasnojarsk 234, 258
Kreuzburg 147
Kronstadt 140
Küstrin 294
Kutno 233

Lamsdorf 8, 196
Lauban 158, 176, 179–181, 199, 205
Lauenburg 302, 329
Leba 319
Leipzig 50, 269
Lemberg 213, 215
Leningrad 301
Lidice 384–386, 396
Liegnitz 173, 199
Lissa 201, 227
Lodz 227, 233
Lötzen 225, 227, 231, 239, 253
Löwenberg 174, 198, 205
London 212, 385–387, 397, 402
Lübeck 26

Magadan 228
Magnitogorsk 271
Majakowskoje (siehe Nemmersdorf)
Majdanek 9
Marijampole 256, 259
Marienbad 362
Marienburg 72
Memel 93, 105, 258
Mohrungen 232
Moskau 180, 220, 234, 235, 245, 251, 269, 274, 277, 284, 301, 306
Mühlhausen/Ostpr. 23
München 94, 374, 377, 379, 386–388, 400, 402

Naugard 307, 318, 330, 332, 339, 341, 343, 345, 346, 352
Neidenburg 304
Nemmersdorf (Majakowskoje) 37–41, 43–45, 47–51, 53, 98, 179
Netzekreis 312
Neumünster 269
Neustadt/Aisch 413
Neutief 80, 83
Nürnberg 94

Oberwiesenthal 172, 396
Ohlau 199
Oldenburg 278
Opole (siehe Oppeln)
Oppeln (Opole) 149, 197, 199, 213
Opperau 159
Osterode 223

Peenemünde 293
Penczniew 300
Pillau 11, 18, 79, 83, 84, 88, 91, 93, 105, 115, 138, 247
Pillkallen 18
Pölitz 293
Pöpelwitz/Breslau (Bahnhof) 175
Pohorelice 392, 393
Posen 9, 296, 297
Potanino 242
Potsdam 202, 205, 206, 208, 209, 347, 351, 401, 402

Prag 12, 363, 365–369, 372, 382, 383, 391, 398, 401
Preußisch-Holland 57
Puksoosereo 277

Rastenburg 24, 54, 223, 228, 234, 243, 262, 270, 277
Ratibor 147, 199
Ravensbrück 385
Reichenberg 362, 377
Rhein 74
Rosenberg 147
Rumbske 320
Rummelsberg 306, 309, 320, 338

Sagan 205
Salzbrunn, Bad 204
Saßnitz 141
Scheune 348
Schievelbein 320
Schillfelde 9
Schlawe 302
Schlochau 312
Schneidemühl 309–313
Schöndorf 180
Schulzendorf 223, 244
Sikawa 227
Slany 390
Sodargen 75
Solniki-Male (siehe Klein-Zöllnig)
Sorau 12, 205
Sprottau 174
Stalingrad 27,179,184, 228, 241
Stargard 292
Stargard-Saatzig 294
Steinau 147
Stettin 292, 293, 348
Stieglitz 313
Stolp 289, 290, 292, 297, 313, 320, 329, 333, 335, 338, 339, 341, 342, 344, 348, 355
Stolpmünde 142, 319
Stralsund 292
Strehlen 174, 184
Striegau 174
Suhl 406
Swinemünde 11, 88, 141, 316, 317
Switochlowice-Zgoda 227

Tannenberg 56
Tharau 65
Theresienstadt 397, 398
Tilsit 38, 44, 56
Tokio 167
Treblinka 9
Troppau 372, 377
Tscheljabinsk 241, 269
Turek 300
Tutteln 48

Versailles 375, 377, 380

Warschau 146
Warschfelde 22
Wartenburg 84
Washington 212, 402
Wehlau 247, 249, 253, 279, 280, 284
Weißenfels 269
Wilna 196
Wladiwostok 228
Workuta 271
Wrocław (siehe Breslau)

Zackenzin 324
Zirajle 262
Zobten 184

Bildnachweis

Archiv für Kunst und Geschichte, Berlin: 19, 45, 58, 77, 89, 177, 190/191, 210/211, 242/243, 287, 302/303, 334, 337, 394/395
Associated Press/Bundesarchiv, Koblenz: 197, 334
von der Beike, H./Bundesarchiv, Koblenz: 271
Bildarchiv Preußischer Kulturbesitz, Berlin: 32/33, 55, 136, 144/145, 159, 187, 188, 198/199, 202/203, 204, 208, 250/251, 272, 275, 310/311, 314/315, 365, 371, 388, 399
Budahn/Bundesarchiv, Koblenz: 114/115
Bundesarchiv, Koblenz: 49, 68, 70/71, 82, 97, 102/103, 120, 125, 128/129, 142/143, 147, 156, 197, 214, 216/217, 229, 238, 255, 266, 267, 291, 292, 317, 331, 340, 347
ČTK Fotoarchiv, Prag: 402/403
Deutsches Historisches Museum, Berlin: 171, 224/225, 298/299, 349, 375, 376
Gronefeld, G./Deutsches Historisches Museum, Berlin: 6, 219, 222, 268, 276, 278, 279, 280/281, 282/283, 350, 353
Grunwald, C.: 230/231
Hauschild, W./Bildarchiv Preußischer Kulturbesitz, Berlin: 84/85, 325
Heinze/Bildarchiv Preußischer Kulturbesitz, Berlin: 184
Herder Institut e.V., Marburg: 2, 16/17, 151, 157, 312, 342/343, 387, 400, 404
Hoffmann, H./Bildarchiv Preußischer Kulturbesitz, Berlin: 308, 318/319
Hoffmann, H./Bundesarchiv, Koblenz: 328
Höhne/Pohl/Sächsische Landesbibliothek, Dresden: 284, 356/357
Landesarchiv Berlin: 346
Landsmannschaft Ostpreußen e.V.: 20/21, 22, 86/87, 100
Lohse, B./Bildarchiv Preußischer Kulturbesitz, Berlin: 399
Mitschke/Bundesarchiv, Koblenz: 152
Pabel, H./Bildarchiv Preußischer Kulturbesitz, Berlin: 207, 288/289, 354
Pisarek/Bildarchiv Preußischer Kulturbesitz, Berlin: 326/327
Sächsische Landesbibliothek, Dresden: 148
Schäfer, R., Wiesloch: 360/361
Schaichet/Archiv für Kunst und Geschichte, Berlin: 23
Schön, H./Ostseearchiv: 92, 118/119
Shaykhat, A./Bildarchiv Preußischer Kulturbesitz, Berlin: 305
Staatliches Fotoarchiv Vilnius, Litauen: 245, 258, 259
Staatliches Russisches Dokumentarfilm- und Fotoarchiv, Krasnogorsk: 76, 178, 182/183, 193, 201, 263
Stadt Furth im Wald: 406/407
Süddeutscher Verlag Bilderdienst, München: 6, 35, 63, 66/67, 80/81, 264, 295, 372/373, 380/381, 391, 410
Sudetendeutsche Landsmannschaft, Kreisgruppe Unstrut-Hainich: 392, 396
Sudetendeutsches Bildarchiv, München: 366/367, 409
Tschira, C.: 25, 73, 74, 160/161
Ullstein Bilderdienst, Berlin: 31, 42, 46/47, 50, 52, 60/61, 64, 78, 153, 164/165, 322, 323, 366/367
Wundshammer, B./Bildarchiv Preußischer Kulturbesitz, Berlin: 154/155, 173, 174, 181
ZDF, Mainz: 358

Wir danken allen Rechteinhabern für die freundliche Erlaubnis zum Abdruck der Abbildungen. Trotz intensiver Bemühungen war es nicht möglich, alle Rechteinhaber zu ermitteln. Wir bitten diese, sich an den Verlag zu wenden.